D0288513

REPÚBLICA DOMINICANA

QUEENS BOROUGH PUBLIC LIBRARY
RIDGEWOOD BRANCH
20-12 MADISON STREET
RIDGEWOOD, NEW YORK 11385

GUÍA TOTAL
REPÚBLICA DOMINICANA

Textos: **Juan Cabrera** y **Alfonso Domingo.**
Revisión y actualización: **Javier López Rejas** y **Ana Blanco.**

Editores de proyecto: **Luis Bartolomé** y **Ana María López.** Coordinación técnica: **Mercedes San Ildefonso** y **Silvia del Pozo.** Cartografía: **Anaya Touring Club.** Equipo técnico y editorial: **Pila Iglesias, Sandra Benito** y **Javier Cambero.**

Fotografías: todas las fotografías han sido realizadas por **Mike Steel,** excepto: **J. López Rejas:** 56 (sup. e inf.), 70, 109, 115, 121 (sup.), 122, 127, 135, 136, 137, 145, 152; **J. Peña:** 15 (inf.), 34 (inf.), 59, 72, 83; y **Oficina de Turismo de la República Dominicana en España:** 11, 19, 35, 37, 68 (sup.), 86, 88, 103 (sup.), 110, 112, 124, 126, 129; **Christophe Dubois:** 38, 67 (sup.), 76, 79 (inf.), 87, 90, 94, 97 (sup.), 104, 108, 123, 130, 157; **Valérie Férrandis:** 65 (inf.), 89; **Philippe Guersan/ACSI:** 98; **Frédéric Mouchet:** 29, 121 (inf.); **Gérald Plouviez:** 7, 9, 10, 14, 18, 23, 25, 36 (inf.), 41, 47, 51, 54, 57, 61, 68 (inf.), 69 (inf.), 71, 77, 79 (sup.), 81, 82, 84, 95, 96, 97 (inf.), 100 (sup. e inf.), 105, 119.

Impresión: **Gráficas Muriel.**

Los editores desean expresar su agradecimiento a la **Oficina de Turismo de la República Dominicana en España** por su valiosa colaboración.

Reservados todos los derechos. El contenido de esta obra está protegido por la Ley, que establece penas de prisión y/o multas, además de las correspondientes indemnizaciones por daños y perjuicios, para quienes reprodujeren, plagiaren, distribuyeren o comunicaren públicamente, en todo o en parte, una obra literaria, artística o científica, o su transformación, interpretación o ejecución artística fijada en cualquier tipo de soporte o comunicada a través de cualquier medio, sin la preceptiva autorización.

© Juan Cabrera y Alfonso Domingo
© de los mapas y planos Grupo Anaya, S. A., 2002
© de la presente edición Grupo Anaya, S. A., 2002
Juan I. Luca de Tena, 15. 28027 Madrid

Depósito legal: M-53.324-2001
I.S.B.N.: 84-8165-834-0
Impreso en España - Printed in Spain

PRESENTACIÓN

En esta *GUÍA TOTAL* de la *REPÚBLICA DOMINICANA*, el lector encontrará toda la información actualizada relativa a este país caribeño que cada año es destino de vacaciones para miles de visitantes.

Además de una exhaustiva descripción de las ciudades más importantes y sus monumentos, se incluyen todos los puntos de interés turístico, playas y espacios naturales, que pueden visitarse en la República Dominicana. Una parte importante de la guía la constituye el apartado de informaciones prácticas y servicios turísticos, con toda la información hotelera y gastronómica, así como transportes, actividades culturales y deportivas, fiestas, etc.

Para mayor comodidad, la información de este volumen se organiza en las siguientes secciones:

La primera parte, dedicada a los ***Lugares de interés,*** proporciona información acerca de las localidades, playas y parajes naturales de mayor interés, describiendo sus monumentos, sus atractivos naturales y otros de diverso orden.

La sección titulada ***República Dominicana a vista de pájaro*** ofrece un recorrido panorámico por la geografía, la historia, el arte y la cultura dominicanos, por lo que constituye una excelente lectura para preparar el viaje.

Los capítulos finales están dedicados a las ***Informaciones prácticas,*** en la que se pueden hallar una serie de consejos y direcciones útiles que incluyen un amplio listado de ***Hoteles y restaurantes,*** clasificados según un criterio de calidad.

Las fotografías en color que ilustran esta guía se ven complementadas con ***6 mapas*** del país y ***5 planos*** de ciudades que refuerzan su carácter eminentemente práctico y hacen que, después de haber cumplido la función de acompañante y asesor del viajero, se convierta en un libro de recuerdo que se gana un lugar en la biblioteca de casa.

Los editores de ANAYA Touring Club

ÍNDICE GENERAL

La República Dominicana a vista de pájaro

Informaciones prácticas

Para viajar por la República Dominicana

Servicios turísticos, hoteles y restaurantes

Índices

CÓMO USAR ESTA GUÍA

Antes de iniciar el viaje

Se recomienda la lectura del apartado ***La República Dominicana a vista de pájaro*** [→pág. 73 a la 113] como un buen modo de aproximarse a la geografía, la naturaleza, la realidad económica, la política, la historia, el arte, la literatura, la música, los ritos religiosos y la gastronomía de este país.

Durante la estancia en el país

VISITAS

El apartado de visitas está subdividido en capítulos, cada uno de los cuales está dedicado a un área territorial del país cuyas características geográficas o culturales son homogéneas (véase mapa de la pág. 5). A la descripción de cada una de las regiones le precede un breve perfil que subraya las peculiaridades e ilustra el recorrido de la visita.

El uso de los distintos caracteres tipográficos (color, **negrita** o *cursiva)* y la presencia junto al nombre de una o dos estrellas (★) señalan la importancia o la excepcionalidad de los lugares, edificios, ruinas arqueológicas y museos. Los textos van acompañados de mapas, planos y fotografías que ayudan a visualizar los lugares descritos.

La indicación [→pág.] significa que de una localidad citada en este apartado existe mayor información en la página de referencia.

CONSEJOS PRÁCTICOS

Los capítulos dedicados a las visitas se completan con la sección ***Informaciones prácticas,*** en la que se pueden hallar una serie de consejos útiles y direcciones cuyo fin es ayudar a programar y desenvolverse con soltura durante la estancia en el país descrito.

A continuación, un resumen de ***Servicios turísticos, hoteles y restaurantes*** propone en cada localidad, siguiendo un orden alfabético, la posibilidad de optar entre una serie de alternativas seleccionadas. Los criterios de consulta de esta sección se pueden hallar en la [→pág. 145].

Cierra la guía un detallado ***Índice de lugares,*** con las oportunas llamadas e índices analíticos en las ciudades principales.

SANTO DOMINGO

SANTO DOMINGO★★

Es la capital del Estado. Situada al sur, en la costa del mar Caribe y junto a la desembocadura del río Ozama, está poblada por casi dos millones y medio de habitantes. Fue fundada el 4 de agosto de 1496 por Bartolomé Colón a orillas del río Ozama, en un enclave bien elegido –la ribera oriental–, al abrigo de un buen puerto, accesible para las naves y con alrededores fértiles. Según cuentan todos los cronistas posteriores y hasta el propio hijo de Cristóbal Colón, Hernando, recibió el nombre de Santo Domingo en recuerdo del padre de los Colón. Sin embargo, el primitivo nombre de la ciudad fue el de *Nueva Isabela.*

En 1502, ya bajo el mando del gobernador fray Nicolás de Ovando, la isla fue asolada por un huracán, que, a decir de los indios, fue enviado por los dioses contra los españoles. Como consecuencia de la devastación o porque el huracán le proporcionó una excusa perfecta, Ovando ordenó el traslado de la capital a la margen occidental del río Ozama, donde aquélla estaba mejor defendida y desde donde el gobernador podía llevar a cabo sus planes sin impedimentos ni hipotecas de suelos. La primera fortificación militar española, la torre del homenaje, data de 1502 y fue construida por Ovando, al igual que los monumentos en piedra situados en las calles de Las Damas e Isabel la católica. El resultado del esfuerzo de Ovando fue la planificación urbanística de la ciudad en forma de cuadrícula, disposición que la caracterizaría durante muchos siglos.

A los diez años de la llegada del almirante Cristóbal Colón, se había convertido en la primera capital de las Indias Occidentales. Para gran parte de los conquistadores españoles que luego pasarían a México, Perú o Centroamérica, Santo Domingo fue la primera etapa, la primera puerta que tuvieron que atravesar. De ella partirían para obtener la gloria o la muerte personajes como Diego Velázquez –conquistador de Cuba–, Hernán Cortés –conquistador de México–, Ponce de León –conquistador de Puerto Rico–, que halló la muerte en La Florida buscando la fuente de la eterna juventud, Alonso de Ojeda y tantos otros. Pero también la ciudad albergó a personajes notables por sus crónicas, como Fernández de Oviedo, y por su apasionada defensa de los indios, como Bartolomé de las Casas, y a escritores como Alonso de Espinosa o Gabriel Téllez, más conocido como Tirso de Molina.

Quizá por ese carácter de "Llave de Las Américas", como fue considerada incluso por Felipe II, Santo Domingo quedó relegada a un segundo plano cuando comenzó a despoblarse y los primeros conquistadores marcharon a

Cientos de carteles evidencian la activa vida comercial de Santo Domingo.

probar suerte al continente. En ese sentido, su época gloriosa finalizó a comienzos del siglo XVI, pero todavía hoy su zona colonial conserva el espíritu de las primeras construcciones americanas, que caracterizarían a todo el resto de la América hispana, y al pasear por sus viejas callejas contemplando esas primeras casas se tiene la sensación de que se pisa y se pasa por los mismos lugares que lo

Faro de Colón, inaugurado en 1992 con motivo del Cincuentenario.

hicieran Colón y los primeros españoles en el Nuevo Mundo.

Desde entonces, Santo Domingo ha crecido hasta convertirse en una gran metrópoli, en el centro político y económico del país. Y ha crecido a lo ancho, más que a lo alto, con un desarrollo urbanístico caótico y un tráfico tan original y colorista como anárquico (véase *Arquitectura y Urbanismo,* [→pág. 102]). La explosión demográfica, unida a la desaparición de las estructuras agrarias del país y a la concentración en Santo Domingo de las tres cuartas partes de los recursos industriales, comerciales, financieros y de servicios, así como a su condición de centro administrativo y económico del país, ha determinado que el incremento urbano alcance unas proporciones exorbitantes, para las que la ciudad no está preparada. Sin embargo, para ser ecuánimes, es cierto que desde los años 60 la ciudad ha mejorado bastante en algunos aspectos. La zona colonial, quizá a consecuencia de la afluencia del turismo, está muy cuidada; se han creado teatros y museos, ha aumentado en cantidad y calidad la oferta hotelera y se ha mejorado algo la infraestructura, aunque, desde luego, aún resulte insuficiente.

Una de las puertas de la muralla que protege la zona colonial de Santo Domingo.

Llegada

Se aterriza en el **Aeropuerto Internacional de Las Américas,** en La Caleta, situado a unos 25 km de la capital, a la que se llega a través de la **avenida de Las Américas,** una preciosa carretera bordeada de cocoteros que discurre a lo largo de la orilla del mar Caribe. Frente a la carretera, las aguas luchan con fuerza, originando al chocar contra los arrecifes de coral enormes surtidores de agua y espuma.

Para el traslado desde –o hacia– el aeropuerto, la mayoría de los hoteles dispone de un servicio de **taxis.** La tarifa desde el Aeropuerto Internacional de Las Américas hasta la capital de Santo Domingo puede oscilar entre 280 y 300 pesos dominicanos (unos 20 dólares), pero se puede compartir el vehículo con otros viajeros que se dirijan al mismo punto. Si aquéllos van a sitios diferentes, es conveniente pactar el precio con el conductor para evitar sorpresas de última hora. Desde luego, lo más económico, pero sin duda lo más incómodo, son las **guaguas** o autobuses, que llegan al centro de la capital por pocos pesos. En principio, llevando equipaje, no son muy recomendables, pues van bastante llenas.

VISITA A LA CIUDAD

La zona colonial

Es la parte más antigua y está bastante bien conservada. Situada en la orilla oriental de la desembocadura del río Ozama, en ella se encuentra un gran número de las construcciones militares, religiosas y civiles de la época colonial, algunas de principios del siglo XVI, que en su conjunto constituyen el primer y el más antiguo legado de la arquitectura occidental en el Nuevo Mundo, mezclándose el estilo gótico tardío con el renacentista, el plateresco, el isabelino y el barroco.

Para visitarla, una de las rutas que se recomienda es partir desde el Malecón a través de las avenidas de la Independencia o Bolívar, para llegar a la **plaza de Mariano Cestero★★,** auténtico corazón de la ciudad y entrada hacia la zona vieja. Esta plaza se encuentra siempre atestada de tráfico y de vendedores ambulantes, limpiabotas y mendigos. En su centro se encuentra el **parque de la Independencia** y el **Altar de la Patria,** un feo monumento donde están ente-

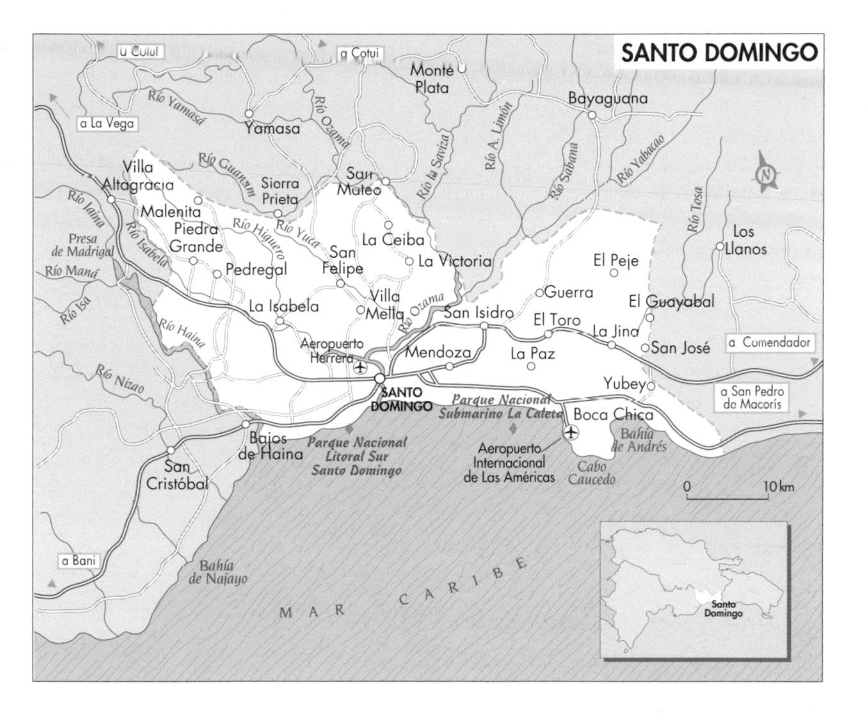

rrados los héroes nacionales Duarte, Sánchez y Mella, escoltados por una guardia de honor con uniforme de gala que, a pesar de sus intentos de marcialidad, están muy alejados de la guardia del palacio de Buckingham.

Enfrente se alza la **puerta del Conde,** que da paso a la calle del mismo nombre, llamadas así en honor del conde de Peñalva, uno de los capitanes generales de La Española. En este lugar los caudillos dominicanos proclamaron una de sus tres independencias.

La **calle del Conde,** peatonal, es la arteria comercial de la zona colonial, a la que divide en dos mitades, y donde se encuentran los grandes almacenes, las compañías de líneas aéreas y los principales bancos; está siempre llena de gente y es el campo donde actúa la mayoría de los *cambistas* –timadores– y los "buitres" de turistas. La mencionada calle del Conde acaba desembocando en el **parque Colón★,** el más antiguo de la ciudad, en cuyo centro se alza una **estatua** en bronce **de Cristóbal Colón** y a sus pies la india Anacaona. Junto al parque Colón se encuentra la catedral de Santa María de la Encarnación o Catedral Primada.

La estatua del amirante preside el parque Colón.

La **Catedral Primada★★** comenzó a construirse en 1521, fecha en la que Diego de Colón puso la primera piedra. Se terminó en 1540 y, seis años más tarde, el papa Paulo III la erigió en Catedral Metropolitana y Primada de Las Indias. En ella se entremezclan elementos románicos, góticos y renacentistas. Su interior alberga 14 capillas, en las que están enterrados numerosos personajes ilustres, entre los que se encontraba el monumento con los restos de Cristóbal Colón, aunque este honor se lo disputan también las catedrales de La Habana y Sevilla.

Es difícil la comprobación de este hecho, puesto que Colón, que tantos cambios y avatares de fortuna tuvo en vida, tampoco dis-

frutó de mayor paz después de muerto, como si la historia quisiera preservar con un velo de misterio tanto sus orígenes como el lugar donde descansan sus restos. Tras la muerte de Colón, acaecida en Valladolid el 20 de mayo de 1506, la virreina Doña María de Toledo, hija del duque de Alba, trasladó en 1544 sus restos a Santo Domingo, junto con los de su esposo Diego de Colón, hijo del descubridor, y los depositó en el presbiterio de la Catedral.

Allí permanecieron hasta el asalto de la ciudad por el pirata inglés Francis Drake en 1586, cuando el obispo ordenó borrar las inscripciones de las lápidas a fin de evitar el saqueo de las mismas. Su rastro a partir de ese momento no está muy claro, aunque cualquier dominicano se ofenderá si se pone en duda el hecho de que no repose en este lugar el primer almirante de la Mar Océana. En cualquier caso, el **monumento a Cristóbal Colón,** en bronce y mármol, obra del artista catalán Pedro Carbonell, fue erigido en 1898 por mandato del arzobispo Fernando Meriño y el entonces presidente Ulises Heureaux. En 1992, con ocasión del V Centenario del Descubrimiento de América, fue trasladado al Faro de Colón, donde se encuentra en la

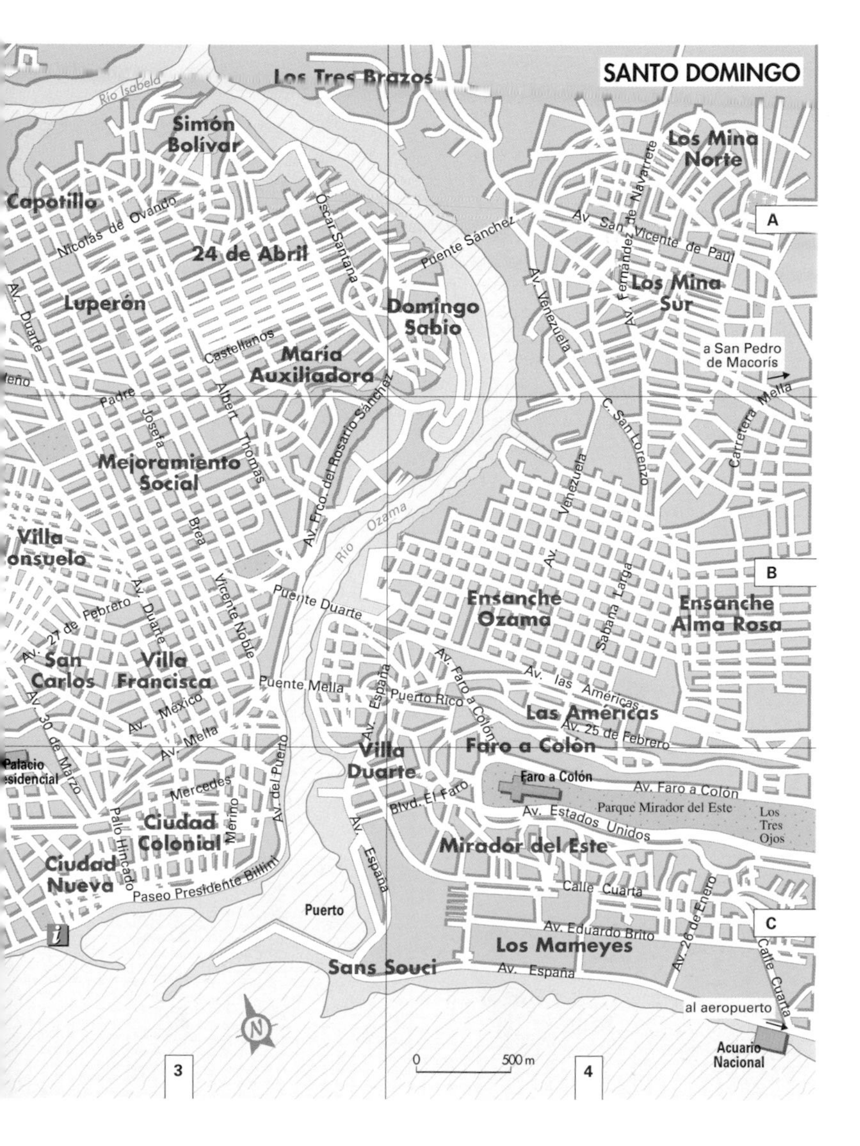

actualidad [→pág. 19]. La urna con los restos del almirante se abre una vez al año, el 12 de octubre.

La **puerta Mayor**★★ de la Catedral es de estilo plateresco y destacan en ella sus ricos **bajorrelieves** y dos puertas o arcadas renacentistas que recuerdan el plateresco salmantino. La **fachada occidental**★★ es un verdadero alarde de técnica artesanal, con sus dos arcos gemelos cambiando de forma en escorzo hacia su eje vertical. Destaca también la **Puerta Meridional** o **del Perdón** –frente a la plazoleta de los Curas–, cuyo nombre procede del hecho de que a los que entraban por ella perseguidos por la justicia se les concedía asilo.

Al lado del patio de la Catedral está el **callejón de los Curas,** un recoleto acceso que data de la primera época de la colonia. Frente a la Catedral, otra calle estrecha conduce a la calle de las Damas. Es el **callejón de los Nichos,** donde se encuentra la residencia del arzobispo de Santo Domingo y la casa del Divino Sacramento.

Antes de descender por la calle del Padre Billini, nos encontramos con la **casa del escribano Francisco Tostado,** una de las primeras familias coloniales que realizaron construcciones en piedra. Tiene una extraordinaria **ventana★★** de estilo gótico isabelino en su fachada, única en América. En la actualidad, alberga el **Museo de la Familia Dominicana del siglo XIX** [→pág. 139]). Ya en la calle del Padre Billini se halla la **universidad de Santo Tomás de Aquino,** situada en el Convento de los Dominicos.

El **convento de los Dominicos,** fundado en 1510, fue el primero de la orden de predicadores que se instaló en América. En 1511, fray Antonio de Montesinos predicó en él un sermón que hizo historia, criticando los excesos de los encomenderos. Según algunos historiadores, fue el nacimiento del derecho internacional. En 1532 se instauró la primera Cátedra de Teología y en 1538 el estudio general fue elevado a la categoría de Universidad,

Museo de las Casas Reales que expone recuerdos históricos de los dominicanos.

la primera del continente americano. La iglesia, de estilo gótico tardío, está considerada también como la primera de América. La **bóveda** de la **capilla del Rosario** es una fusión de representaciones astrológicas paganas y cristianas que ha desconcertado a muchos estudiosos y ha sido objeto de numerosas interpretaciones.

Al final de la calle del Padre Bellini se llega hasta la **de las Damas★★**, sin duda la más bella del conjunto, en la que con un poco de imaginación se puede ver a los conquistadores y sus damas paseando por ella. Su nombre se debe a Doña María de Toledo, que solía pasear por dicha calle –durante el siglo XVI, la vía pública más importante, en la que se encontraban todos los edificios oficiales y privados más destacables– con una extraordinaria corte de damas que la acompañaba desde que llegara a la ciudad como virreina y esposa de Diego Colón. De hecho, María de Toledo y sus damas fueron las primeras mujeres españolas en el Nuevo Mundo. Los edificios más destacables que se pueden admirar en esta calle son:

La **casa del gobernador Nicolás de Ovando★**, actualmente convertida en hostal de lujo, y en rehabilitación, en el que merece la pena tomar algo en la **terraza** del patio y contemplar la ensenada desde su **mirador.** Si la totalidad del edificio, al que se le unió la cercana casa de los Dávila durante su restauración, es interesante, no obstante, se puede destacar la **fachada★** de piedra y el **pórtico★★** gótico isabelino, que es una auténtica maravilla.

Frente a esta última se halla el **Panteón Nacional,** donde reposan los restos de los padres de la patria. Es un edificio de principios del siglo XVIII, que fue originalmente un convento de jesuitas y con posterioridad un teatro y un almacén de tabaco. Presenta las características de una fortaleza, con enormes bloques de piedra calcárea, contrafuertes y pequeñas ventanas. Fue construido entre 1714 y 1740. El techo está adornado por una gigantesca lámpara de cobre regalada al dictador Trujillo por su "colega" español el general Franco. Trujillo mandó construir en este lugar su tumba, aunque nunca llegó a ocuparla.

La **capilla de los Remedios,** en la calle de las Damas, fue la capilla privada de la familia Dávila. Data de mediados del siglo XVI y está construida casi totalmente en ladrillo. En las calles laterales destacan las **casas coloniales** de la familia Villoria y la casa de las Gárgolas.

Un monumento importante en la calle de las Damas lo constituye **Las Casas Reales★★**, un edificio que albergó en el siglo XVI el palacio de Gobernadores y Capitanes Generales, la primera Real Audiencia o Corte

En la Catedral Primada están enterrados numerosos personajes ilustres.

de Justicia de América y la Contaduría Real. Era el edificio más importante de la colonia, en realidad se trataba de dos palacios comunicados entre sí. Actualmente, alberga un **museo★** donde se pueden contemplar diversos objetos, como el **escudo imperial de Carlos V,** situado sobre una ventana, bajo la cual se halla el escudo de La Española y de la ciudad de Santo Domingo. El museo reúne además diversas muestras de arte, mobiliario y armas de la época colonial. Es interesante la **botica.** También se puede ver en el conjunto una serie de estatuas del asturiano Vaquero Turcios, como las de Alonso de Zuazo y Nicolás de Ovando. Frente al Museo de las Casas Reales se encuentra el **reloj solar,** de modo que los jueces de la Real Audiencia podían mirar por la ventana y saber la hora con exactitud. Eso sí, a partir de 1753, año en que fue construido.

También en la calle de las Damas se conservan varias **casas★** que respiran historia por sus muros. Es el caso de la **casa de Francia,** donde se cree que Hernán Cortés planeó y organizó la expedición que concluiría con la conquista de México. Otra de las **casas** de la mencionada calle perteneció a un explorador y conquistador de la primer hornada, Rodrigo de Bastidas. Si la anterior, la de Francia, fue construida por Ovando en 1502, ésta podría datar de 1503. Tiene un **patio★** bellísimo con arcos de ladrillo en un estilo que recuerda al mudéjar, y numerosos árboles y enredaderas.

Sin salir de la calle de las Damas, nos encontramos con la **fortaleza Ozama** –un fuerte de piedra mandado construir por Ovando–, en cuyo centro se alza la **torre del Homenaje,** desde donde se rendía homenaje a los barcos que llegaban al puerto. Tuvo un alcaide glorioso, el cronista Fernández de Oviedo –tiene una estatua en el patio–, que murió desempeñando el cargo. Cuentan que, después de muerto, hubo que arrancarle de las manos las llaves de la fortaleza, pero como tantas otras cosas, seguramente esta anécdota forma parte de la leyenda. Fue también polvorín, gracias a sus anchos muros, que en algunos casos alcanzan más de 2 m de espe-

La fortaleza Ozama, defensa estratégica del puerto, desde la que se contemplan extraordinarias vistas.

sor. Cerca de la torre se halla el **Aguatico,** donde el presidente Ulises Heureaux ejecutaba a sus enemigos políticos a finales del siglo XIX.

Casa del Cordón, la más antigua de la ciudad.

La **casa del Cordón★,** entre las calles de Isabel la Católica y Emilio Tejera, es quizá la construcción de piedra más antigua de Santo Domingo. Actualmente es sala de exposiciones.

Durante la incursión de Drake, se instaló en esta casa la **balanza** con la que se pesaba lo que había que entregar al pirata inglés como rescate de la ciudad. Su **portada** está enmarcada por el cordón franciscano.

La calle de Las Damas confluye en una gran plaza en la que destaca el **Alcázar de Colón★★,** un palacio que combina los estilos gótico y múdejar, construido entre 1509 y 1514 como residencia por Diego Colón, hijo del Almirante. Fue proyectado por arquitectos españoles y se afirma que en su construcción trabajaron más de 1.000 indios. Durante muchos años fue el domicilio del virrey y de su corte. Su conservación es bastante buena y alberga mobiliario original de la época. Es interesante ver la **cama** de Doña María de Toledo, así como el comprobar que no se utilizó un solo clavo en sus 22 habitaciones ni en las 72 puertas y ventanas que giran sobre pivotes y se cierran con tablones de caoba que se incrustan en la piedra. Saqueada por Drake en 1586, es en la actualidad la sede del **Museo Virreinal.** Se pueden admirar **tapices★** del siglo XVI donados por el duque de Veragua –descendiente directo de Cristóbal Colón–, un **clavicordio** del siglo XV y, sobre todo, una **talla flamenca★★** en madera, del siglo XVI, que representa la muerte de la Virgen.

Dentro del recinto amurallado, junto a la **puerta de San Diego** –la única ornamentada de la ciudad y toma su nombre en honor del hijo de Colón, que fue virrey–, se halla un macizo e imponente edificio de ladrillo donde se encontraban las **Reales Atarazanas** o **Almacenes Reales,** solamente comparables a las de Barcelona. En la época colonial albergó también los arsenales, la aduana, la Casa de Contratación y el centro de subastas. Es el único edificio de este tipo en América. Hoy día se ha convertido en el **Museo de Las Atarazanas Reales,** que recoge arte-

factos arqueológicos marinos encontrados en los galeotes sumergidos en los siglos XVII y XVIII.

Cerca de las Atarazanas estaba la **Negreta,** el lugar donde se encerraba a los esclavos negros. Desde esta parte de la Ciudadela se divisa en la otra orilla del río Ozama la **capilla del Rosario★★,** en cuyo **altar** ofició fray Bartolomé de las Casas durante su estancia en la isla. Es la construcción religiosa católica más antigua de todo el continente y data de 1496.

Otros monumentos que merece la pena visitar son las ruinas del **monasterio de San Francisco de Asís★,** en la calle de Hostos, en la confluencia con la de Emiliano Tejera. Para llegar hasta allí, el recorrido por

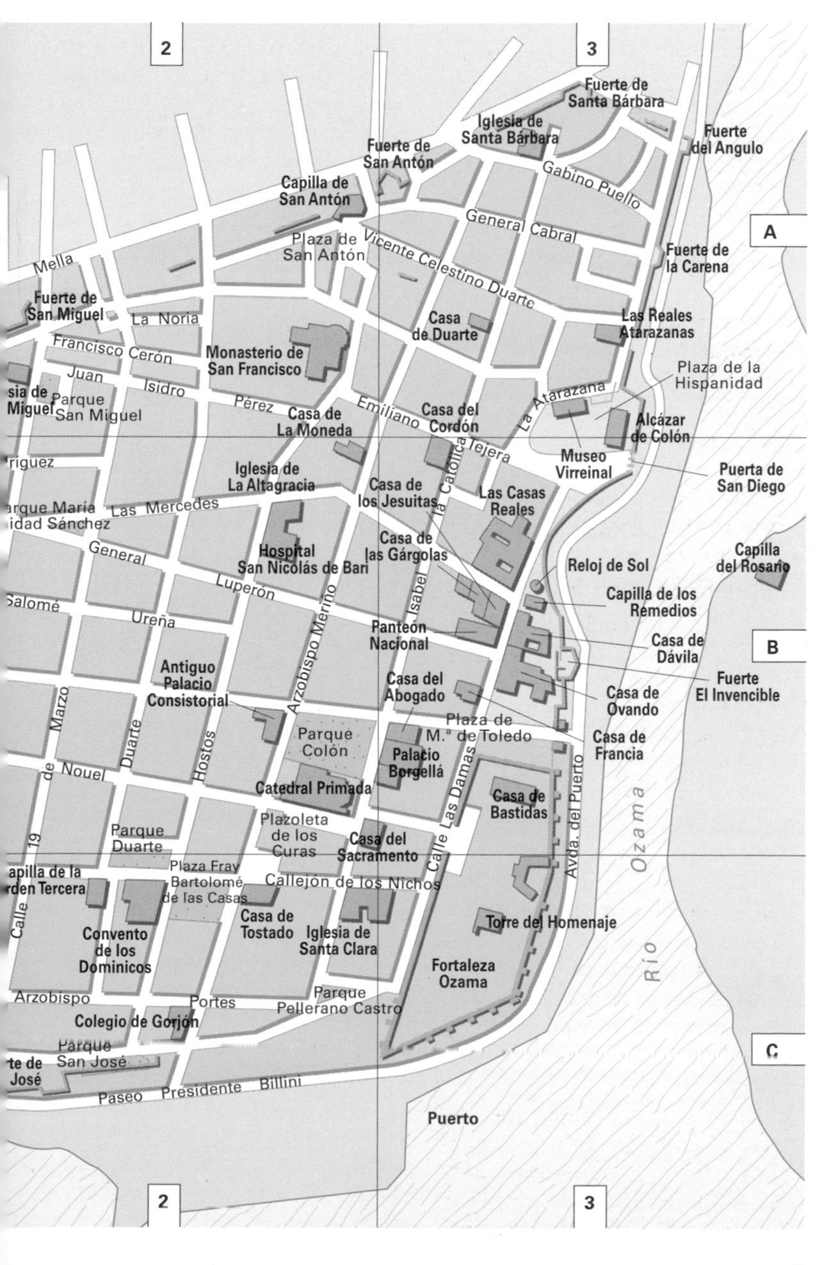

la calle Hostos, desde el cruce con la calle Mercedes hasta el monasterio, es uno de los más auténticos del barrio antiguo. La calle se empina y las aceras se sitúan a varios metros por encima de la calzada, en los que se alinean bellas casitas de colores bastante bien cuidadas. Construido en 1508, fue el primer monasterio erigido en América. Saqueado por Drake, fue destruido por los terremotos de los años 1673 y 1751 y el huracán de 1930. Estaba formado por tres edificios unidos entre sí: la iglesia, el convento y la capilla de Garay o de la Orden Tercera. Piedras, ladrillos y cerámica fueron traídos desde España en el lastre de las embarcaciones que venían a las Indias. De la primitiva estructura sólo quedan en pie los muros y el ábside. Se supone que los franciscanos educaron en este lugar al cacique Enriquillo. Está situado en un promontorio desde donde se divisa una **panorámica** de la ciudad. Al salir de las ruinas, en la misma calle Emiliano Tejera, hay un **colmado** típico dominicano donde se vende de casi todo, desde velas para los apagones hasta quesos y latas de conservas, y lo que es mejor, una buena cerveza helada para refrescar la visita departiendo con los parroquianos.

El alcázar de Colón, construido en el siglo XVI para servir de residencia al hijo de Colón.

También pueden contemplarse buenas **vistas★** desde las ruinas del **fuerte de Santa Bárbara,** junto a la iglesia homónima, que se encuentra en mejor estado que el monasterio de San Francisco, a pesar de los saqueos y desastres naturales que ha sufrido. Asimismo se encuentra en ruinas el **hospital de San Nicolás de Bari,** el primer hospital construido en América. Su templo, característico del tiempo de los Reyes Católicos, fue llamado "iglesia caliente" porque tenía el privilegio de dar refugio a los perseguidos por la justicia. A su lado se halla la **iglesia de Nuestra Señora de la Altagracia,** que conserva una ventana gótica y un arco mudéjar.

Si se es muy aficionado a visitar monumentos e iglesias antiguas, aún hay otros lugares en la calle del Padre Bellini que se puede visitar, como la **iglesia de Santa Clara** (mediados siglo XVI, estilo andaluz o extremeño), la **capilla de la Orden Tercera** (siglo XVIII), la **iglesia de las Mercedes★** (siglo XVI), donde habitó por espacio de dos años, y escribió su famoso *Don Juan,* el gran escritor español Tirso de Molina (Fray Gabriel de Téllez) y cuya devoción se confunde, en el pueblo dominicano, con la de su propia independencia, la **iglesia Regina Angelorum** (siglo XVI, elementos románicos y góticos) y la **capilla de San Andrés** (siglo XVIII, estilo andaluz), en el interior del hospital del Padre Billini, antiguo hospital para los indios, casa correccional de prostitutas, cárcel de sacerdotes y posteriormente pública.

El **Palacio Borgellá,** que está situado en la calle de Isabel la Católica, es el único edificio que data de la época de la ocupación haitiana. en la actualidad, alberga la **Escuela Nacional de Bellas Artes.**

La Zona Moderna

Este área tiene varios puntos de interés, como la **plaza de la Cultura★,** situada entre las calles de Nicolás Pensón, Henríquez Ureña y Máximo Gómez, que alberga varios museos (véase *Museos y yacimientos arqueológicos,* [→pág. 138]), la **Biblioteca Nacional,** la **Galería de Arte Moderno,** el **Teatro** y el **Palacio Nacional.**

Otra zona interesante es el **Mirador Parque Sur★,** un magnífico espacio verde a orillas del mar Caribe, ideal para pasear, montar en bicicleta y admirar la naturaleza.

En cuanto a los monumentos, es obligado referirse a un proyecto cuyo comienzo se sitúa en el año 1852: El **Faro a Colón.** Sin embargo, no fue hasta 1923, en la Quinta Conferencia Internacional Americana, reunida en Santiago de Chile, cuando cristalizó este proyecto con la recomendación a los gobiernos de los países americanos de que "honraran la memoria de Cristóbal Colón con la construcción de un faro monumental que se denominara de Colón, en la ciudad de Santo Domingo". Poco después, se celebró un concurso internacional para adjudicar la obra, ganado por un arquitecto inglés, J. L. Gleave, que presentó el proyecto de un faro con forma de cruz, de 237 m de largo y 51 m de ancho. El propio arquitecto manifestó que el diario de Colón le había proporcionado la idea: "Pongan cruces en todos los caminos y senderos para que Dios los bendiga". Pero diversos avatares nacionales e internacionales hicieron que el proyecto cayera en el olvido hasta 1986, cuando el gobierno dominicano decidió rescatarlo y comenzó a construirlo como manifestación de la solidaridad americana, inaugurándolo en el año 1992 para conmemorar el V Centenario del Descubrimiento de América. El enclave donde está situado es una privilegiada área del Parque Mirador del Este, en la margen oriental del río Ozama, el primer lugar donde se levantó la ciudad.

El faro alberga los polémicos restos de Cristóbal Colón, para lo cual se trasladó el monumento funerario de la Catedral hasta la llamada capilla del Almirante, que recibirá la luz del faro desde arriba. La luz del faro consiste en un haz de rayos láser –uno por cada país americano– lanzado hacia arriba para formar una enorme cruz, aunque es posible que, dado lo precario de la instalación eléctrica del país, no funcione más que en días señalados. A este respecto cabe citar que en 1988, cuando estaban haciéndose diversas pruebas de iluminación, parte de la ciudad se quedó sin luz.

El faro a Colón ha recibido numerosas críticas, por lo que entre una cosa y otra, los trabajos finales fueron llevados a cabo con mucho sigilo. Desde el faro, los visitantes pueden ver un universo de luz y claridad por encima de la cruz, y si miran a Santo Domingo, verán la ciudad con su Capitolio en el mismo eje del faro. En el primer piso se ha instalado un **Museo de Iconografía Colombina** y diversas exposiciones dedicadas a las distintas naciones americanas.

Faro de Colón, moderno mausoleo en honor del Descubridor de América.

En el segundo, un museo con la historia del faro, la **Biblioteca Colombina** y una sala de cartografía, mientras que el tercer piso albergará el **Museo de Rescate Arqueológico Submarino.** Del centro de la cruz parten diversas avenidas, orientadas una a cada país americano.

El **Obelisco,** que conmemora el cambio de nombre de la ciudad por el de Ciudad Trujillo, construido por el dictador en honor propio en la Avenida Jorge Washington, y hoy día dedicado a la memoria de las hermanas Mirabal, tres hermanas asesinadas en el año 60 por secuaces de Rafael Leónidas Trujillo por oponerse a él. Patria, Minerva y María Teresa hoy día están inmortalizadas por la artista Elsa Núñez en el mural denominado *Un canto a la libertad.*

Jardín Botánico, un auténtico oasis de verdor dentro de la ciudad. ⇒

Otros de lugares de interés

El **Jardín Botánico*** se encuentra situado a las afueras de la ciudad entre las avenidas de Los Caciques y los Restauradores en la prolongación de la avenida de Abraham Lincoln, que parte del Malecón hacia en interior a la altura del hotel *Santo Domingo.* En este jardín pueden contemplarse miles de especies vegetales, tanto autóctonas como importadas, y su visita constituye un agradable paseo por una zona boscosa y fresca de lo más tropical, sin necesidad de salir de la ciudad. Dada su extensión, constituye un auténtico oasis de verdor dentro de la ciudad. Para su visita, si se desea, hay un pequeño trenecillo que recorre en cuarenta minutos lo más destacado del parque, con comentarios de un guía y buenos conocimientos de botánica local. Cierra los lunes.

Los Tres Ojos, curioso complejo geológico formado por tres cuevas con lagos subterráneos.

Parque Zoológico Nacional. Se encuentra situado muy cerca del anterior, en el sector de Arroyo Hondo. Pueden verse los animales en libertad, en una gran extensión de terreno. Hay una planicie africana y un zoológico infantil.

Acuario Nacional. Inaugurado en el año 1990, muestra una amplia variedad de fauna marina, donde destacan las tortugas gigantes, los tiburones y los delfines. Ofrece unos progamas de divulgación destinados a la conservación de los recursos naturales, dirigidos, sobre todo, a los más pequeños. Se encuentra ubicado en la Avenida de España.

Los **Tres Ojos***. Saliendo de la ciudad por la avenida de Las Américas camino del aeropuerto, en el interior de un descuidado parque, hay una curiosa formación geológica compuesta por **tres cuevas** con **lagos subterráneos** en los que se mezclan las estalactitas y estalagmitas con árboles, lianas y raíces tropicales en un espectacular conjunto de rocas, agua y vegetación. Estas particulares cuevas son iguales a los famosos "cenotes" sagrados de los mayas, en la península de Yucatán. Para llegar allí hay que tomar una de las *guaguas* que llevan a Boca Chica y pedirle al conductor que deje en la puerta.

Las Playas

Es el único defecto de esta ciudad. Carece de playas. La auténtica playa popular de Santo Domingo es la de **Boca Chica** –situada a 20 km por la avenida de Las Américas–, de la que se tratará más adelante (véase la sección *La costa al este de Santo Domingo,* [→pág. 57]).

SANTIAGO y LA COSTA NORTE

SANTIAGO DE LOS CABALLEROS

Conocida como la *ciudad-corazón,* es la segunda ciudad del país y la capital de la próspera región agrícola de *El Cibao,* nombre de origen taíno, que significa alturas o montañas. Se encuentra situada en una zona montañosa de extensos y fértiles valles –alguno de los cuales, como el Valle Nuevo, se encuentra a más de 1.000 m de altura–, en la que predomina el cultivo del tabaco –la marca de puros *La Aurora* tiene una calidad comparable a la de los mejores habanos–. También es la cuna del ron, así como de grandes artistas, y la ciudad que ha proporcionado más presidentes a la nación. Su folklore es rico y variado y en ella se fecha la aparición del merengue. Tiene cerca de 280.000 habitantes y se halla situada en la orilla oriental del río Yaque. Su superficie urbanística es irregular, con diversos núcleos separados entre sí, como La Rinconada, La Rosaleda, Cerros de Gurabo, La Joya y Parte Alta. Cuenta con un área industrial de cierta importancia, dado que la mitad de las industrias del Cibao se encuentra instalada en ella. Además del tabaco y el ron, sobresalen las fábricas de textiles en la zona franca, con destino al mercado de Estados Unidos, las fábricas conserveras y algunas instalaciones recientes que elaboran productos químicos y farmacéuticos. Asimismo hay fábricas de refrescos, licores y cemento, cuya producción se destina al mercado nacional.

Historia

La ciudad de Santiago, "el primer Santiago de América", como afirman orgullosos sus habitantes, fue fundada en 1497 por Bartolomé Colón, hermano del Almirante. El 6 de diciembre de 1506, Fernando el Católico le concedió el título de ciudad con el sobrenombre de los Caballeros, dado que se habían avecindado en ella numerosos hidalgos de la primitiva Isabela que conservaban el privilegio de llevar ceñidas sus espadas en todos los actos públicos y religiosos, al igual que lo hacían en España los caballeros de la Orden de Santiago para diferenciarse del pueblo llano.

Se desconoce el primitivo enclave sobre el que fue fundada, ya que en 1564 un terremoto destruyó la ciudad, y los supervivientes se trasladaron hasta un lugar cerca del Yaque donde se asentaron definitivamente. No sería éste el único desastre que los habitantes de la ciudad tuvieron que afrontar, ya que fue saqueada e incendiada varias veces por los bucaneros franceses en sus combates contra las tropas españolas. También Santiago de los Caballeros realizó un papel destacado en las guerras con Haití que se declararon tras sus diversas independencias y en la restauración de la República, tras la efímera incorporación a España.

Extensas plantaciones de tabaco dominan el paisaje de la región interior del Cibao.

Recorriendo sus calles, pueden contemplarse excelentes muestras de la arquitectura colonial y típica dominicana. Aunque no posee la monumentalidad de la capital de Santo Domingo, tampoco tiene muchos de sus inconvenientes, como la afluencia masiva del turismo. Es una ciudad relajada y tranquila, que aún parece dormir el sueño de un pasado esplendoroso. Carece de interés turístico, aunque es paso obligado entre la capital y Puerto Plata.

Espectacular cascada del salto de agua El Limón.

Llegada

A pesar de contar con aeropuerto propio, dados los 160 km que la separan de la capital, no merece la pena recurrir a la vía aérea, pues por tierra se llega en unas tres horas y media. La carretera se va haciendo cada vez peor conforme nos vayamos alejando de la capital y en algunos tramos los baches y el tráfico recomiendan acentuar al máximo la prudencia, sobre todo si se viaja en un coche alquilado. Si se recurre al bus, las empresas *Caribe, Terra Bus* y *Metro* ofrecen varios servicios al día.

El paisaje que puede contemplarse en el camino es bastante variado, alternando llanuras de cultivos y pastos con laderas donde la vegetación se espesa hasta convertirse en una selva. En los restaurantes de la carretera se puede comer bastante barato el *lechón asado a la vara.* En el trayecto se atraviesan las pequeñas ciudades de **Villa Altagracia** y **Bonao;** antes de llegar a esta última,

la carretera se bifurca en dos direcciones: hacia Santiago y hacia **San Francisco de Macorís, Sánchez** y la **bahía de Samaná,** en cuyo cruce se halla el mejor restaurante de comida criolla del interior del país, llamado *Restaurante Típico Bonao* (km 83 de la autopista Duarte; telf. 525 39 41), repleto de dominicanos a la hora del almuerzo, el lugar perfecto para comer en ruta, y finalmente está el pueblo de **La Vega,** conocido como *la ciudad Olímpica.*

VISITA

Como ocurre con otras ciudades iberoamericanas, es un placer poder visitar ésta en un coche de caballos, no muy caro si se sabe regatear. Para ello hay que dirigirse al **parque Duarte,** el primer parque de Santiago diseñado por Ulises Franco Bidó, con su glorieta de estilo victoriano, donde se levanta el **Monumento a los Héroes de la Restauración de la República,** de 67 m de altura y decorado con **murales** pintados por Vela Zanetti. Ya sea en esos coches, llamados "victorias", cuyas capotas malogra la publicidad, o a pie, los lugares de interés son pocos:

Catedral de Santiago Apóstol★. Fue construida por Onofre de Lara en 1868, siguiendo los estilos neogótico y neoclásico. En su interior destaca un bellísimo **altar★** de caoba y las vidrieras.

El Museo del Tabaco, un lugar esencial para comprender la historia de la ciudad.

Museo del Tabaco★, donde se muestran todos los instrumentos tradicionales para el cultivo y la elaboración de los cigarros. No sin razón se dice que el tabaco del Cibao es uno de los mejores del mundo. Se encuentra situado en la calle del 30 de Marzo, esquina con la del 16 de Agosto.

También resulta interesante la visita del **Centro de Cultura,** con salas de teatro y exposiciones. Alberga entre sus diversos edificios el **Museo de la Villa de Santiago,** alojado en un suntuoso **palacio** del siglo XIX. El **Museo de Arte Folclórico Tomás Morel** expone obras de arte popular dominicano.

La **Universidad Católica Madre y Maestra** es una de las mejores del país. Cuenta con una editorial magnífica con innumerables títulos. Por su parte, en la **Fábrica de Ron Bérmudez** se puede contemplar cómo se elabora esta bebida, desde la melaza de caña hasta su envejecimiento en barricas de roble. Por último, en el **Mercado Central** se ofrecen las más variadas frutas tropicales.

JARABACOA

A 155 km al noreste de Santo Domingo y 50 km antes de llegar a Santiago, está Jarabacoa. Es un lugar ideal de descanso para los amantes de las montañas. Emplazado entre bosques de coníferas *(pinus occidentalis)*, uno puede pensar que en realidad está en otro país y no en medio del Caribe. A este paisaje hay que añadir algunas **casas** construidas al estilo suizo y tirolés, con lo que esta sensación se intensifica. Los dominicanos conocen la zona, un poco exageradamente, como "Los Alpes"; aseguran que aquí hace frío y que incluso hiela en las cumbres. Desde Jarabacoa se pueden hacer excursiones al **Pico Duarte,** el más alto de Las Antillas.

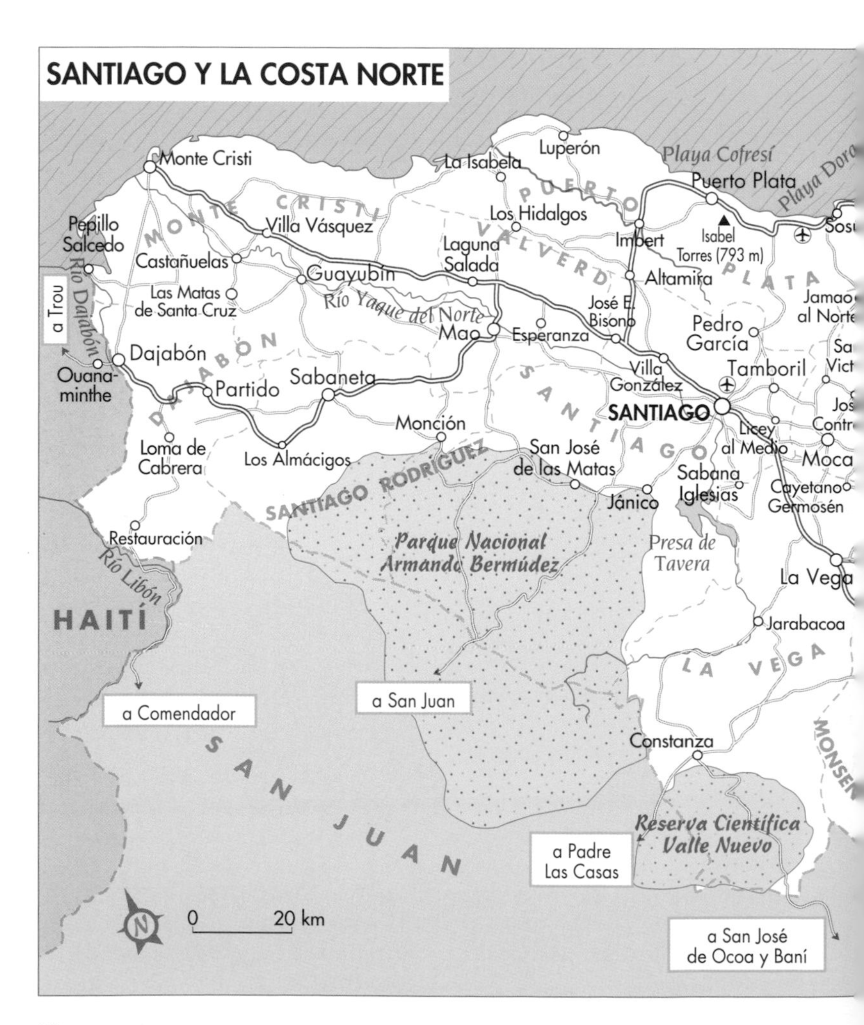

Cómo llegar

Para llegar hasta aquí, además de utilizando un coche alquilado –tomando la carretera Duarte entre Santo Domingo y Santiago–, puede utilizarse el autobús, es decir, la *guagua,* que parte de Concepción de la Vega y recorre una carretera en buenas condiciones, rodeada de paisajes pintorescos.

Vista de Pico Duarte, el más alto del país.

Alrededores

Además de los numerosos y relajantes paseos a pie que se puede emprender por los alrededores de esta localidad, entre el olor que desprenden los pinos y el aire fresco, se puede –y se debe– visitar las **cascadas★** y los saltos de agua que salpican toda la zona.

Entre los más espectaculares e importantes de estos saltos se encuentra, en primer lugar, el **salto de Jimenoa★** –con una poza donde el viajero podrá bañarse, si no le asusta el agua fría–, seguido del **salto de Baiguate** y el **Balneario de la Confluencia.**

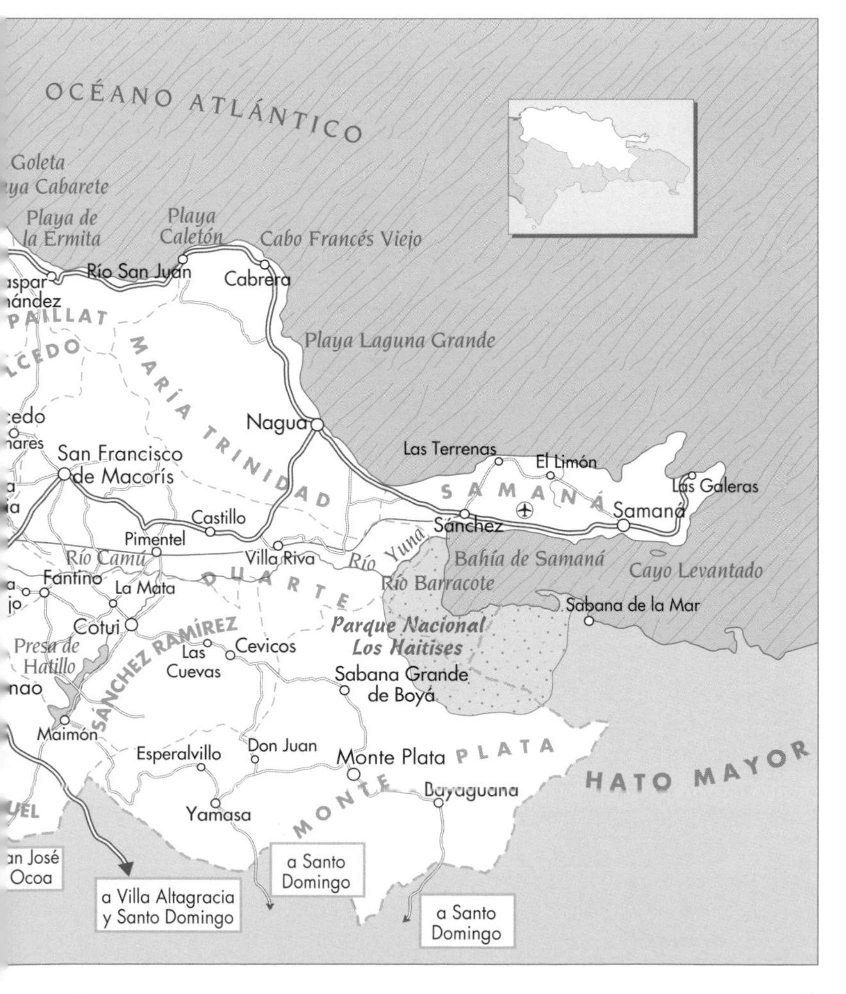

La denominada "Novia del Atlántico" es el centro turístico por excelencia del norte del país. El 11 de enero del año 1493, arribó a sus costas Cristóbal Colón, quien, admirado de su puerto natural y el reflejo argentino de sus aguas, la bautizó con su denominación actual.

La ciudad, como tal, fue fundada por Bartolomé Colón, hermano de Cristóbal, en 1496, al pie de la montaña Isabel de Torres, pero fue fray Nicolás de Ovando, en 1502, quien impulsó su desarrollo como la ciudad que controlaría el norte de la isla. Un siglo más tarde, fue destruida y abandonada por Real Orden Española en nombre de la lucha contra el contrabando y la piratería, tardando 150 años en ser rehabilitada y repoblada con la llegada en 1746 de numerosas familias canarias.

Se encuentra situada en una bahía bordeada de altas montañas, de las que destaca la **cumbre Isabel de Torres,** de 800 m de altura. Tiene aproximadamente 70.000 habitantes, aunque en temporada alta llega a duplicar su población.

Vive de la pesca, la ganadería y la agricultura, fundamentalmente de la caña de azúcar, que, traída por los españoles en 1493 hasta este lugar, fue cultivada por primera vez en todo el continente. Por su puerto se exporta la mayor parte de los productos cosechados en El Cibao. Hoy en día su economía se ve reforzada, fundamentalmente, por la industria turística, que comenzó su desarrollo en 1980 con la construcción del *Complejo Playa Dorada* y otros complejos internacionales, para turistas norteamericanos y canadienses.

Todo el litoral del que Puerto Plata es la capital se conoce como la **costa del Ámbar,** debido a los riquísimos depósitos de resina fósil de los pinos miocénicos.

Llegada

Por carretera. Está situada en el litoral Atlántico, al norte del país, a 235 km de la capital y a 70 km de Santiago. El viaje viene a ser de unas cuatro o cinco horas en coche por una carretera que mejora a ojos vista, pero que también se deteriora a la misma velocidad. Más o menos la mitad del recorrido es de doble vía, aunque nunca se encuentran más de 10 km en los que no aparezca un desvío, un socavón o un parón por obras. También hay que tener en cuenta que ésta es la

Plaza Duarte, en Puerto Plata, con su bonito templete de música.

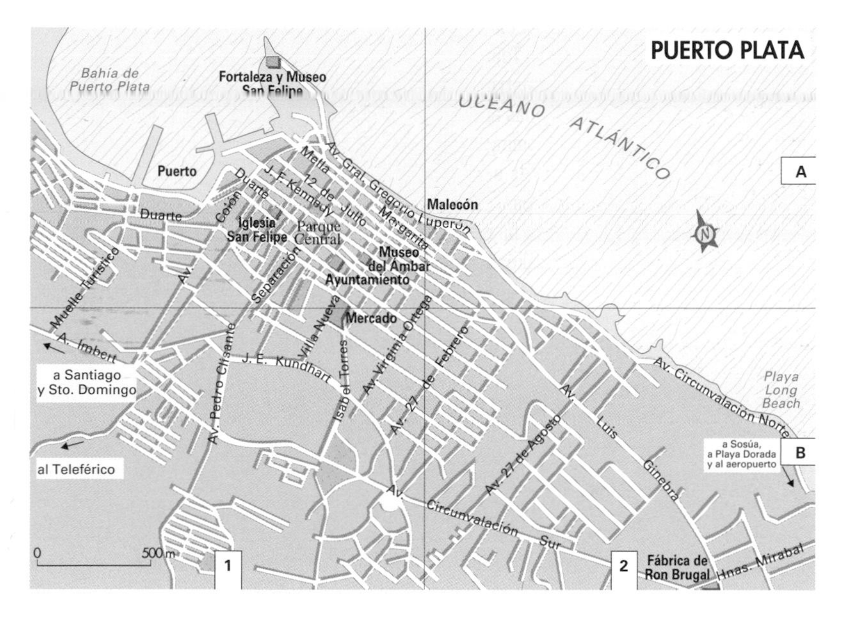

carretera más transitada del país. Desde Santiago hay dos posibles rutas: la llamada carretera turística, más corta y con menos tráfico, que lleva hasta el aeropuerto, entre Sosúa y Puerto Plata, y la general, que va dando un rodeo por Villa González, El Limón e Imbert; ambas son tortuosas y con fuertes pendientes, debido al macizo montañoso que hay antes de llegar a la costa.

En autobús. El servicio regular es bastante bueno y frecuente, servido por las líneas de la compañía *Metro Mota Saad,* la mejor y más cara, pero la más rápida y cómoda. También por *Caribe Tours,* lenta y con muchas paradas, salvo los autobuses con servicio *express.*

En avión. Desde el aeropuerto de La Herrera, situado en Santo Domingo, salen varios vuelos diarios hacia el aeropuerto internacional de Puerto Plata, Gregorio Luperón, que a su vez recibe vuelos de Miami, San Juan de Puerto Rico y Toronto. El aeropuerto internacional de Puerto Plata está situado a 22 km de Puerto Plata y a 7 km de Sosúa.

La compañía *Columbus Air* (Plaza Playa Dorada, telf. 320 69 50), ofrece excursiones en avionetas pequeñas con las que se puede visitar Samaná, Isla Saona y los Altos del Chavón, incluso las Bahamas y Haití.

VISITA A LA CIUDAD VIEJA

Está formada por construcciones de dos plantas de estilo victoriano y republicano, y por calles rectilíneas; la **plaza Duarte★,** que configura el parque central, en la que se puede ver un bonito **templete** de música, constituye su centro. Por la noche la iluminación pastel de las farolas que rodean a aquél (es decir, las noches en que hay luz) le dan un toque mágico. El **Malecón,** que discurre desde el **castillo de San Felipe★★** (1540-1577) hasta el **Parque Costero,** con varios kilómetros de palmeras a lo largo de **Long Beach,** que, aunque bastante mala, es la playa de la ciudad. Por lo demás, las mejores playas están fuera de Puerto Plata.

Puerto Plata fue un centro político y cultural importante en el pasado, lugar de origen del padre de la patria, el general Luperón, y donde en el año 1873 se editó el primer diario del país, *El Porvenir.*

Desde el punto de vista turístico, la ciudad ha venido a menos. La fuerte competencia de Playa Dorada y de Sosúa le han hecho perder casi todos los turistas que antaño se alojaban en ella. Hoy en día sólo vienen en excursiones organizadas por los hoteles a visitar

Desde el Fuerte de San Felipe se domina una hermosa vista sobre la bahía. ⇨

el **fuerte de San Felipe,** el **Museo del Ámbar** y la **fábrica de ron,** para volver inmediatamente a sus puntos de origen, por lo que muchos buenos restaurantes y comercios han ido perdiendo clientela y cerrando paulatinamente sus puertas.

Fuerte de San Felipe★★ *(visita, de 9 h a 12 h y de 15 h a 17 h, excepto los miércoles).* Situado al principio del Malecón, coronando el puerto, fue construido entre los años 1540 y 1577, y tiene una hermosa **vista**★ sobre la bahía. Aunque es pequeño, constituye una buena muestra de la arquitectura militar española de la época, que tenía como misión defender la ciudad de los ataques piratas. Permanece iluminado durante los días festivos.

En la actualidad, el fuerte es un **museo** lleno de leyendas y toda clase de objetos relacionados con la historia de la ciudad, y la **celda** donde estuvo preso el Padre de la Patria, Juan Pablo Duarte.

Museo del Ámbar★★ *(visita, de 9 h a 17 h, excepto los domingos),* con magníficas piezas, alberga algunos **fósiles** de insectos del Mioceno perfectamente conservados.

El Malecón, largo paseo litoral enmarcado por palmeras, donde se puede tomar el pulso a la vida ciudadana.

La película de Spielberg *Parque Jurásico* se basó en el descubrimiento de un animal con toda su dotación genética dentro de un trozo de ámbar sacado de este museo. De hecho, los guionistas estuvieron en el museo para documentarse y hacer la película más verosímil. Se encuentra situado en la calle Duarte, en la confluencia con Villanueva, cerca del Parque Central. Ofrece servicio de guía. La **tienda** del museo tiene buenas piezas de ámbar, aunque son un tanto caras.

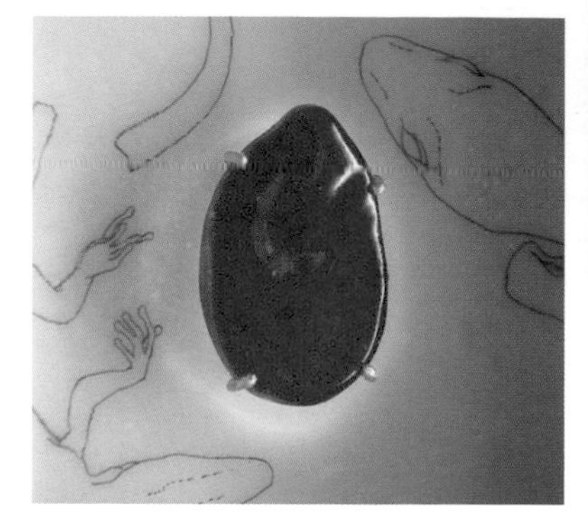

Fósil de lagartija en el Museo del Ámbar de Puerto Plata.

Teleférico al pico Isabel de Torres *(de 8 h a 17 h),* con una magnífica **vista**★★ de toda la costa. El pico es un **parque natural** y una reserva científica, y en su cima hay un **restaurante, tiendas** de regalos y un pequeño **jardín.**

En la cumbre puede verse la imagen de **Cristo Redentor.** Se recomienda utilizar el teleférico temprano, ya que, a medida que avanza el día, las magníficas vistas que ofrece de toda la costa pueden quedar cubiertas por la niebla o bien la propia cima cubrirse de nubes, lo que suele ser muy habitual..

Fábrica de Ron Brugal★ *(visita, de lunes a viernes, de 9 h a 12 h y de 14 h a 17 h)* es una de las más antiguas del país. Durante la visita, la dirección obsequia con un buen daiquiri. Se halla frente a la plaza de Turisol.

Parque Central, con un magnífico **templete**★ victoriano restaurado y un **kiosko** de madera que alberga la heladeria-cafetería *Los Mesones* junto con el **Malecón** son dos de los puntos donde se puede tomar el pulso a la actividad de la ciudad, tanto de día como de noche.

El Santuario del Banco de la Plata★. Este santuario se encuentra situado a unos 140 km de la costa atlántica de la República Dominicana, y es uno de los lugares privilegiados para la **observación** de las **ballenas** jorobadas, que junto con el manatí antillano son de los mamíferos marinos de mayor tamaño y atractivo.

Este lugar está administrado por un organismo multi-institucional denominado *Comisión rectora del santuario de ballenas jorobadas del banco de la Plata,* que regula las actividades que allí se realizan.

El banco es una plataforma submarina de origen coralino y forma parte de un sistema de bancos que se extienden desde las Bahamas hasta el Banco de la Navidad.

La vida marina en esta área es muy rica, siendo tradicionalmente una importante zona de pesca; sin embargo debido a los arrecifes, la navegación aquí es arriesgada y abundan los naufragios. Uno de los más importantes, ocurrido en 1641, fue el de la *Nao Concepción,* que iba cargada de oro y plata, lo que le da nombre a la zona.

Tanto la ballena como el manatí están en peligro de extinción, por lo cual la comisión prohibe la caza y el hostigamiento en todas sus formas y dedica la actividad turística a fines educativos.

El viaje dura ocho horas desde la costa, pudiendo partir de Puerto Plata, Luperón y las islas Turcas.

Hacia el Oeste

Costa del Ámbar. A 4 km está la urbanización *Costámbar,* con hotel, playa, piscina, apartamentos, campo de golf, pista de tenis y caballos (telf. 586 29 11). Playa abierta, protegida por un arrecife de coral.

Hay varios hoteles: **Bayside Hill Resort Beach Club** (el mejor y más caro, telf. 586 52 60), el **Aparthotel Las Caobas**, el hotel **Atlantis** o **Villas Marlenas.**

Playa Cofresí. Es una pequeña ensenada con una playa bordeada de cocoteros, ideal para la práctica del *windsurf* al estar protegida por un arrecife de coral. Está situada a 5 km al oeste de Puerto Plata.

Es posible alojarse en el **hotel** *Cofresí* (telf. 586 28 98, fax 586 80 64), el más conocido de la zona, especializado en sistema *full.* Otras posibilidades son el *Club Paradise,* el *Cofresí Cove* y el *Aparthotel Elisabeth. Hacienda Resorts* ha construido cinco hoteles-villas de más o menos lujo, con todas las posibilidades de alojamiento y estancia en un clima de vacaciones y descanso adecuado para los deportes acuáticos, y la búsqueda de los tesoros de los piratas que le dan nombre a la zona. Telf. 586 57 24, fax 586 85 37. Para comer, son recomendables los **restaurantes** *Blue Merlín* (en el hotel *Elisabeth), El Papillón* y, sobre todo, *El Sombrero,* especializado en cocina española.

La costa dominicana ofrece lugares privilegiados para la observación de ballenas.

Luperón. A 43 km, se encuentra el pueblo de Luperón, conocido por "la guardia de los huracanes", a espaldas de la bahía del mismo nombre. El **camino** de acceso, aunque estrecho y con firme en mal estado, atraviesa un hermoso **paisaje** de valles poblados de palmas reales y cocoteros, con haciendas ganaderas y campos de caña.

El pueblo, aún no transformado por el turismo, ofrece al viajero la arquitectura típica del país: casas de madera con techos de palma, pintadas en vistosos colores. Es considerado como el paraíso de los pescadores de caña por la variedad y cantidad de peces, y un lugar seguro para las embarcaciones y yates de lujo. En los **restaurantes** *Dally* y *La Yola* se come muy bien; en este último el marisco es delicioso.

A unos 5 km se halla la urbanización de lujo de construcción reciente **Ciudad Marina,**

Ruinas de La Isabela, primera ciudad europea en el continente americano.

con el **hotel** *Marina Luperón Beach Resort* (telf. 571 83 03; fax: 571 81 80), uno de los mejores del lugar y, desde luego, el más conocido. Tiene de todo: piscina, playa, pista de tenis, habitaciones con aire acondicionado, posibilidad de practicar deportes acuáticos, campo de golf... además de tres restaurantes: *Da Vinci, Amazonas* y *Acapulco.*

Ruinas de la Isabela. A 29 km de Luperón, por una carretera muy mala, se llega a las **ruinas** de *Isabela,* primera ciudad europea en el continente americano, situada en el punto más septentrional de la isla a 19° y 16' de la línea ecuatorial. Su construcción fue ordenada en 1493 por Colón, durante su segundo viaje, y en ella se instalaron el primer gobierno, la primera Corte de Justicia y el primer Ayuntamiento. Hoy en día apenas se distinguen algunos restos de esta primera villa. Debido a la conmemoración del Quinto Centenario y la visita del Papa, se construyó un gigantesco y lujoso **altar** en el mismo lugar donde se celebró la primera misa en el Nuevo Mundo.

Monte Cristi. A 270 km de Santo Domingo, casi haciendo frontera con Haití, se halla Monte Cristi, pequeña ciudad, capital de la provincia homónima, fundada en el siglo XVI. Sus **edificios★** de los siglos XIX y principios del XX denotan un cierto estilo victoriano como resultado del período de esplendor que vivió la ciudad gracias a la exportación de productos agrícolas a Europa.

Históricamente, la ciudad de Monte Cristi está vinculada a la figura de Máximo Gómez, héroe de la Independencia de Cuba (que nació en Baní, en 1836), pues aquí firmó con José Martí un documento histórico para luchar contra España. Entre los escasos lugares de interés se puede destacar el **Parque central,** la **casa de Isabel Mayer,** el **Reloj** y el **Palacio de Justicia.**

El atractivo natural de la ciudad se identifica por el **Parque Nacional del Morro★,** bautizado así por el Almirante Cristóbal Colón, quien decía que le recordaba a un dromedario recostado. Otros atractivos de la ciudad

La región de Monte Cristi alberga numerosos atractivos naturales.

son las **salinas★**, extensos lagos donde se obtiene sal por desecación de las aguas del mar, el *Yatch Club*, Cayo Cabrita, Los Caños, y los Cayos Siete Hermanos.

Hacia el Este

Playa Dorada. Este complejo turístico, el más importante de la zona, está enclavado a unos 8 km del centro en una ensenada abierta, protegida por arrecifes de coral, cuyas playas de arena dorada finísima se hallan bordeadas por una exuberante vegetación.

Alrededor de esta maravilla natural se ha creado un complejo turístico de lujo, dotado de toda la infraestructura que demanda el turismo de lujo organizado: campos de tenis y golf con 18 hoyos, picaderos, deportes náuticos, esquí, pesca, bucco, hoteles, restaurantes, discotecas, bares, bancos, tiendas (hasta una pequeña reproducción del Museo del Ámbar), etc. Se pretende que el turista tenga todo a mano, sin necesidad de salir del recinto, algo similar a lo que sucede en Cancún, en la península de Yucatán en México.

SOSÚA★

Situado a 30 km de Puerto Plata y a 7 km del aeropuerto internacional, este pequeño pueblo merece una mención aparte por su belleza, su curiosa historia y su ambiente bohemio.

Dividido en dos núcleos urbanos, **Sosúa,** propiamente dicho, y **El Batey,** enclavados cada uno en el extremo de una preciosa **bahía,** con una pequeña **playa** en el centro bordeada de palmas y cocoteros. En El Batey, al este, se encuentra la zona turística, y al oeste, **Los Charamicos,** una típica aldea dominicana cuyo nivel de vida contrasta duramente con el nivel de las construcciones de alrededor.

La historia de Sosúa se inicia en el año 1938, cuando la República Dominicana se comprometió durante la *Conferencia Mundial para Refugiados Europeos,* celebrada en Francia, a acoger a los que huían de la persecución hitleriana. A partir de 1940, se instalaron en Sosúa numerosos judíos alemanes y austríacos, bajo los auspicios de la *United Jewish Appeal;* estos emigrantes, en su mayoría médicos, ingenieros y artistas, fundaron un proyecto de comunidad agrícola y ganadera que daría lugar a la *Cooperativa de Productos Lácteos y Cárnicos* más importante del país. Al ser en su mayoría hombres, los emigrantes se unieron rápidamente con las nativas, dando lugar a una mezcla de razas y produciendo un sistema de vida diferente al del resto del país.

El desarrollo turístico de Sosúa, acaecido durante los últimos años, se diferencia del existente en el resto de la costa, ya que no hay grandes instalaciones hoteleras, sino pequeños negocios de naturales del país y extranjeros afincados, entre los que se distinguen artesanos y artistas que dan un carácter bohemio y desenfadado a todo el pueblo.

El mayor atractivo de la villa es su **playa★**, en una bahía bastante cerrada y bien protegida por arrecifes, de arena muy fina, sombreada por cocoteros y uveros, en la que se puede pasar todo el día sin salir para nada. Se accede a ella por sus dos extremos, uno poco frecuentado y más dominicano, al que se llega a través de una escalera, desde la parte de Sosúa propiamente dicha, y otro desde El Batey, al que se accede por una estrecha calle, totalmente decorada con cuadros *naïf* hasta cuatro metros de altura, por la que se accede a una pequeña explanada donde hay un párking de pago. Bajo los árboles, muchos **chiringuitos** tienen la más variada oferta, aparte de los consabidos bares

Palmas y cocoteros bordean las maravillosas playas de la bahía de Sosúa.

y restaurantes. Aquí se pueden hacer las cosas más variopintas: comprar puros *Cohiba* cubanos en los estancos, hacerse la manicura o las típicas trencitas, llamar por teléfono a España, comprarse una botella de ron en una licorería o un CD de merengue en la tienda de discos, todo esto en bañador. La playa está llena de **tumbonas de alquiler,** en la que el propio dueño se encarga de traerle las cervezas o refrescos que desee. Una vez en el agua, de una transparencia total, entrando un poco mar adentro hay **arrecifes** a muy poca profundidad con bastante vida; hay que tener cuidado, pues en muchos de ellos se hace pie y están poblados de erizos.

Aparte de los turistas, en gran parte alemanes, una turbamulta de nativos recorre cadenciosamente la playa ofreciendo camarones, sombreros, cintas de cassette, gafas de sol, refrescos, ostiones, masajes, músicos ambulantes, etc., en un mercado al borde del mar, en el que, aunque no se compre nada, el espectáculo está garantizado. En el extremo más próximo al barrio de Sosúa se alquilan barcas, gafas de buceo, tablas de windsurf, esquí acuatico y el popular *banana-esquí.* Hay que tener cuidado con el sol, que quema. Se dice que su playa, rodeada de almendros y cocoteros, es la mejor de la costa atlántica, aunque en esta guía se recomienden otras.

LA COSTA DESDE SOSÚA A SAMANÁ

Las instalaciones turísticas tienden a extenderse hacia el este, a lo largo de la carretera:

Playa Goleta. Cuenta con el **hotel** *Punta Goleta* (telf. 571 07 00), situado a 12 km de Sosúa, 2 km antes de llegar a Cabarete; consta de 175 habitaciones, y está en una tranquila playa rodeada de cocoteros, en una finca de gran extensión con facilidades para deportes acuáticos, tenis caballos, golf...

Cabarete, más que un pueblo, es una sucesión de hoteles y restaurantes a lo largo de la carretera, que discurre paralela a una magnífica playa de 6 km, en la que se han celebrado los *Campeonatos del Mundo de Surf y Windsurf.* Para la práctica de ambos deportes es un lugar privilegiado, ya que en verano soplan los alisios y en invierno hay días con olas y vientos, y días sólo con magníficas olas.

Numerosos jóvenes dominicanos practican el surf en Cabarete.

En ella están instalados *Villa Taína* (telf. 571 07 22), al borde de la playa, una buena opción; *Casa Laguna Resort* (telf. 571 07 25), la cabañitas de *Surf Resort* (telf. 571 07 70) y el hotel apartamentos *La Punta* (telf. 571 08 97), en el extremo este de la playa.

Entre los hoteles más baratos: *Las Orquídeas* (telf. 571 07 87), *Nanny Estates* (telf. 571 07 44) y *El Pequeño Refugio* (telf. 571 07 70); *Hotel Cita al Sol,* (telf. 571 07 20).

En cuanto a **restaurantes,** a lo largo de la carretera, se puede elegir entre las cocinas de varias naciones; entre ellas:

La *Casa del Pescador* (Calle Principal, telf. 571 07 60), a un paso del mar y de ambiente muy familiar; *Pizzería Piccolo* (telf. 341 30 73), informal y barato; *Chez Cabarete* (telf. 571 08 95), especializado en *fondues,* y el restaurante *Otra Cosa,* pertenciente al hotel La Punta, algo más subido de precio y con vistas inmejorables. Lo mejor, sus exquisitas carnes.

A partir de Cabarete, la explotación turística decae, la carretera se estrecha y las playas, abiertas al Atlántico, tienen un fuerte oleaje y son muy solitarias, como sucede en la **playa de la Ermita,** junto al pueblo de **Gaspar Hernández.**

Unos kilómetros más adelante está surgiendo un nueva zona turística, en la que es pionero el hotel de lujo *Bahía Príncipe* (telf. 226 15 90), con villas que imitan un pequeño

La Laguna Gri-gri, poblada de garzas reales y otras aves.

pueblo español, casino, deportes acuáticos, piscina con bar en el agua, guardería infantil y *guaguas* a Cabarete y Sosúa. Funciona con el sistema de "todo incluido", aunque con ciertas limitaciones, como los deportes con motor, buceo con botellas y las bebidas alcohólicas sólo son por cuenta de la casa hasta cierta hora, a partir de la cual todo corre a cargo del cliente, y sale caro.

A continuación se llega a **Río San Juan,** municipio de la provincia de Trinidad Sánchez, que últimamente se está desarrollando bastante para el turismo. Para cualquier información sobre la zona, la **oficina de turismo** está en la calle Duarte 1 (telf. 589 28 31), junto al embarcadero de la laguna. Cerca de la playa Caletón y a la orilla de la laguna Gri-gri, se encuentras los hoteles: *Costa Verde* (telf. 476 84 44), Edén Bay (telf. 582 65 65) y *Hotel Caribbean Village,* en playa Grande (telf. 582 11 70), un poco alejado del pueblo.

Lo más famoso de la zona es la **Laguna Gri-gri,** que debe su nombre a un árbol homónimo endémico de la zona; surge por el afloramiento de un río subterráneo de agua dulce, que al mezclarse con la del mar, se vuelve salobre. Está bordeada de espesos manglares poblados en sus partes altas de garcillas, garzas reales y auras tiñosas (especie de buitres); y entre las raíces bancos de alevines que allí se protegen de los depredadores.

La visita se realiza con unas embarcaciones o *yolas* para 24 pasajeros, pertenecientes al sindicato de *boteros* que salen por riguroso turno.

Comienza la excursión pasando por un canal sinuoso que conduce hasta la desembocadura donde está la playita Gri-gri. Una vez en mar adentro, hay una zona de arrecifes de coral amarillo, y más adelante suelen hacer una parada estratégica en la playa Caletón, donde se puede tomar cerveza o comer pescado fresco en unos chiringuitos bajo las palmeras.

Reanudada la travesía, se visita la **cueva de las Golondrinas,** un **puente** de piedra excavado por las olas, una **roca** que semeja una cara de indio, y una **piscina natural.** Es recomendable llevar gafas de buceo para nadar entre arrecifes de muy poca profundidad, llenos de vida.

Río San Juan es un sitio delicioso y apacible, donde se puede encontrar esa tranquilidad perdida, entre una vegetación exuberante y una naturaleza prodigiosa.

En lo que respecta a los **restaurantes,** es recomendable *Le Café de París* (telf. 589 29 13), en la Laguna Gri-gri, muy cerca de los manglares. Aquí se preparan estupendos camarones de río, lambí, cangrejo y langosta, entre otros pescados y mariscos, a precios muy asequibles.

Siguiendo por esta solitaria costa, está **playa Grande,** donde se encuentra el *Caribbean Village Hotel* (telf. 582 11 70), del tipo "todo incluido"; aunque si se quiere simplemente tomar un baño, a la salida de Río San Juan en dirección hacia Nagua, a unos 4 km a la izquierda hay un desvío señalizado, que a través de un carril de tierra bastante deteriorado, lleva hasta la misma playa; conviene dejar el coche bajo los árboles, un poco antes de llegar a la playa, dado el peligro de quedarse atascado en la arena.

También las playas de **Puerto Escondido, La Preciosa** y **Bretón,** todas solitarias e inexplotadas turísticamente y en las que sólo se encuentran dominicanos.

Más adelante se llega al **cabo Francés Viejo★,** hoy Parque Nacional, junto al pueblo de La Catalina, con dos pequeños hoteles: *La Palmeral* y *La Catalina.* El paisaje está caracterizado por una costa abrupta y terrazas marinas muy elevadas, bajo las cuales la plataforma submarina desaparece a gran profundidad. Son los acantilados más altos del país. Allí está el municipio de **Cabrera,** con el pequeño *Hotel Dorado,* justo en la carretera, simple y sin aire acondicionado, y la **playa Laguna Grande.**

Siguiendo por la carretera, se atraviesa una de las zonas más bonitas del litoral norte, a la izquierda extensas playas vírgenes, pobladas de cocoteros y abiertas al Atlántico, y a la derecha campos cultivados y lagunas con extensos arrozales. Parajes como **La Virgen de la Piedra, La Entrada, Caño Azul** y **Playa Bonita,** de auténtico sabor caribeño, con pequeñas casas de labradores, de madera y de colores pastel que contrastan con el verdor del paisaje y el azul trasparente del mar.

Unos kilómetros más adelante se llega hasta **Nagua,** ciudad costera cuya extensísima playa carece de grandes instalaciones hoteleras por el momento, aunque existen grandes proyectos de lanzamiento turístico. Hoy funcionan los **hoteles** pequeños y familiares como *Gran Madrid* (telf. 584 71 71, junto a la playa Acapulco), *Sol de Oro* (autopista Nagua-Samaná, telf. 248 73 45), alejado del pueblo pero a pie de playa y con uno de los mejores restaurantes de la zona, y *Apart-hotel Central* (calle Emilio Conde, esquina Mella, telf. 584 42 55). Para comer, no hay que dejar de probar el pescado con coco típico del lugar; el *Comedor Chen* (ctra. de Nagua-Sánchez, telf. 584 35 41), en mesas compartidas y al aire libre, sirve el mejor cangrejo guisado del país.

La **Oficina de Turismo** en Nagua se halla en la calle Colón, en el Palacio de la Gobernación (telf. 584 38 62).

Continuando hacia el sur nos adentramos en la **península de Samaná,** con el municipio de **Sánchez,** situado en el golfo del mismo nombre. Sánchez, hoy en día, ha venido a menos, pero en el pasado fue un puerto de gran importancia en el que desembocaba el ferrocarril cañero, procedente de La Vega y San Francisco de Macorís, que fue construido por el escocés Mr. Baird. Junto con el que une Barahona con Neiba, son las únicas instalaciones ferroviarias del país. Es un buen lugar para degustar los **camarones** de la bahía –muy baratos–, de los que es muy abundante el golfo.

SAMANÁ

Más allá de Sánchez, siguiendo por una carretera llena de baches en perenne reparación, se llega a Samaná, preciosa y cerrada **bahía,** con dos pequeños **cayos** unidos a tierra por un **puente,** que, aunque facilita el paso, desentona un tanto con el hermoso paisaje.

Samaná, aún no explotada completamente por el turismo internacional, es un centro de vacaciones clásico del turismo nacional cuya población más importante es **Santa Bárbara de Samaná,** fundada en el año 1756 por el gobernador Rubio y Peñaranda para hacer frente a las incursiones francesas procedentes de la isla de la Tortuga.

Anteriormente, estuvo poblada por los indios ciguayos (taínos que habían asimilado a grupos caribes), que recibieron al Almirante Colón con gran hostilidad a su llegada en el año 1493, haciéndole exclamar al genovés: "Jamás he visto volar tantas flechas sobre una embarcación". Por este motivo, Cristóbal Colón la denominó *Golfo de las Flechas*.

De la ciudad antigua, excepto una **iglesia evangelista,** prácticamente no queda nada. Tiene una población de mayoría mulata y negra, debido a las emigraciones sureñas procedentes de los Estados Unidos durante la guerra de Secesión. Los propios estadounidenses pretendieron instalarse en la bahía, a la que siempre han otorgado una gran importancia estratégica, pero en 1870 la anexión no fue aprobada por el senado norteamericano. Durante la Segunda Guerra Mundial, se vieron varios navíos y submarinos por la zona, ya que la marina alemana pretendía controlar el cercano canal de la Mona. Actualmente, Samaná es una moderna ciudad de anchas y bien trazadas avenidas, rodeada de montañas, pobladas por miles de cocoteros, que son la gran riqueza de la zona, junto con el mármol, el pescado y el turismo.

La **Oficina de Turismo** de Samaná se encuentra situada en Santa Bárbara, 1 (telf. 538 23 32), detrás del parque, en las oficinas gubernamentales.

Llegada

Por carretera. Samaná está situada a 243 km de Santo Domingo y a 222 km de Puerto Plata.

En avión. Desde el aeropuerto nacional de La Herrera parte un vuelo, cuya duración es de 25 minutos, que llega hasta el aeropuerto Arroyo Barril, cerca de Sánchez.

En autobús. Desde la capital salen varios autobuses diarios que atraviesan San Francisco de Macorís y llegan a Samaná. Son de las compañías *Metro Mota Saad* y *Caribe Tours.*

En barco. Hay varios servicios diarios que atraviesan la bahía desde Sabana de la Mar.

Excursiones

Aparte del Parque Nacional de Los Haitises, del que se hablará posteriormente, la típica excursión marítima de un día es a **Cayo Levantado,** una pequeña isla en mitad de la bahía, dedicada en exclusiva al turismo de grupo.

Desde Samaná salen varios **barcos,** cuya frecuencia depende de los grupos de turistas que lleguen desde Puerto Plata y alrededores, por lo que conviene estar atento a las salidas. Para más información, las Compañías *Motomarina* (telf. 538 25 88) y *Transmarítimos Minadiel* (telf. 538 25 56), son las que realizan habitualmente la travesía. Los barcos parten del malecón, y la travesía dura una media hora. El billete que se adquiere es de ida y vuelta, pero sólo es válido para los barcos de

Cayo Levantado en la bahía de Samaná.

la misma compañía, por lo que antes de desembarcar en el cayo conviene informarse del horario de regreso. Otra opción, mucho más divertida, es alquilar un bote pequeño; en el propio malecón suelen abordar muchachos que ofrecen esta posibilidad; conviene ajustar mucho el precio y ver el bote antes de partir, dado que algunas veces la formalidad escasea. Si se dispone de vehículo propio, es mucho mejor adentrase hacia el este por la carretera que bordea la bahía en dirección a Las Galeras.

A unos 8 km está el pueblo de **El Cacao,** desde donde se pueden alquilar pequeñas **lanchas** para ir al cayo a precios muy baratos y sin horario fijo (ver *Las Galeras,* más adelante). Se desembarca en un pequeño muelle justo frente al citado hotel *Bahía Beach,* el cual tiene una playa, que aunque –como todas– es pública, sus accesos son complicados con el fin de que sólo accedan a ella los clientes del hotel. Cruzando al otro lado de la isla está la playa más frecuentada, llena de chiringuitos con mesas corridas con capacidad para 20 o 30 personas cada una, reservadas para grupos organizados. Lo más recomendable es comer antes, o bien mucho después, de que dichos grupos pasen por allí, lo cual suele suceder a las 13.30 horas, momento en el cual difícilmente atienden al turista que va por libre. Es mejor hacerlo antes, ya que después muchos platos ya están agotados y, lo que es peor, la cerveza caliente. La oferta gastronómica no es muy variada: pescado frito o a la brasa y pollo, y no se debe esperar encontrar otra cosa, aunque se cambie de chiringuito, ya que la comida es la misma para todos, al ser común la cocina. Todos los servicios turísticos de la playa, incluidos los vendedores ambulantes, salvo el hotel citado, están organizados en una cooperativa, para evitar competencia y malas artes.

PARQUE NACIONAL DE LOS HAITISES★★

En el fondo de la bahía se encuentra un área pantanosa, que se ha constituido en reserva nacional, a la que se puede acceder solamente en barco, partiendo de Samaná o bien de Sabana de la Mar. Está constituida por una serie de mogotes completamente cubiertos de exuberante vegetación –donde abunda una variada fauna de aves tropicales–, bordeados por canales navegables y, en muchos casos, surcados por cuevas que los atraviesan de parte a parte. Como en el parque del Este, algunas de estas cuevas contienen pictogramas en sus paredes.

Parque Nacional de los Haitises, de exuberante vegetación y aves tropicales.

Es una excursión obligada si se está en esta zona del país. Varias compañías y hoteles organizan excursiones en las que se ocupan de todo: desplazamiento, comida y guías. Si se va por libre, hay que prepararse bien en lo que respecta al agua y la comida, y contratar un guía con embarcación. Es recomendable llevar repelente para mosquitos y ganas de andar, ya que no hay vehículos. La recompensa es una experiencia única. En cualquier caso, hay que solicitar un permiso a la *Dirección Nacional de Parques,* apartado postal 2.487, Santo Domingo (zona colonial), telf. 682 76 28 y 685 13 16.

LAS TERRENAS-EL PORTILLO

Saliendo de Sánchez, hacia el norte, y atravesando la sierra por una nueva y cuidada carretera se llega a Las Terrenas. En el camino se contempla una **vista**★★ de la **bahía de Samaná** que por sí sola justifica el viaje, ya haya sido hecho en taxi o en camioneta. También se puede llegar en avioneta. Otra forma de acceder a aquéllas es, desde Samaná, tomando un desvío a unos 2 km y siguiendo a través de un camino sin asfaltar, pero en muchísimas peores condiciones que la vía de Sánchez, menos empinada; en estos momentos en vía de ser asfaltado. El recorrido se alarga en 15 km. Si se es amigo de la aventura, este camino es el adecuado; ahora bien, si ha llovido, no debe intentarse, pues las pendientes y los desprendimientos de tierra hacen el camino impracticable.

Una vez finalizada la aventura, la recompensa se tiene ante los ojos: un frondoso **valle,** absolutamente cubierto de **cocoteros** que van a morir en la **playa,** de dorada

Cascada de El Limón, de 40 metros de altura.

arena y aguas cristalinas, solitaria y tranquila, ideal para practicar toda clase de deportes acuáticos. Tiene varios kilómetros y está protegida por un arrecife de coral.

El **Portillo Beach Club** es un complejo turístico muy cuidado, con cabañas y edificios dotados de todas las comodidades (telf. 240 61 00, fax 240 61 04); 171 habitaciones, aire acondicionado, televisión, **restaurante** (llamado *Frutos del Mar),* discoteca, pista de tenis, picadero y deportes acuáticos. Es necesario reservar previamente, pues suele estar completo. Tiene un aeródromo privado. También está el **hotel** *Cacao Beach,* con 200 habitaciones y aire acondionado (telf. 240 60 00).

Siguiendo adelante, por la carretera que bordea la playa, a unos 7 km está el poblado de **Las Terrenas,** donde es posible alojarse en: **Escape Hotel Aligió** (telf. 240 62 55, fax 240 61 69) el más elegante de la zona, con la posibilidad de practicar cualquier deporte acuático, además de tenis, piscina, alquiler de caballos; **Hotel Residence Caribe** (telf. 240 63 25), correcto y con aire acondicionado. Bien situado en la carretera; **Hotel Los Pinos** (telf. 240 61 68), todo de madera, con mosquitero y ventilador. Sin lujos, en un ambiente familiar muy agradable, está **Atlantis Hotel** (Playa Bonita, telf. 240 61 11), en primera línea de playa; las **cabañas** de *Chez Paco,* económicas y con un restaurante francés con el mejor marisco del país.

En el mismo pueblo, frente al puesto militar, hay una pintoresca **discoteca,** en la que también se pueden comer mariscos muy baratos, al tiempo que se baila el merengue.

La **oferta gastronómica** es abrumadora. Uno de los lugares más auténticos es el **Pueblo de Pescadores**, formado por unas 20 casitas pintadas y acondicionadas como restaurantes. Destacan *El Cayuco, Pizza Playa y Casa Boga* (telf. 240 63 21), este último con una oferta basada en cocina vasca con toque criollo. En la Calle Principal, *Havana Café* (telf. 240 63 21) es una auténtica maravilla, con un bello emplazamiento, espectáculos y cocina italiana y española; *L'Entrance* (telf. 240 67 78), con excelentes almejas, y *La Vave à Vin* (paseo de la Costanera, telf. 240 67 13), un pequeño templo del vino, son también buenas opciones.

Hacia el oeste se encuentra la magnífica **playa El Cozón★,** frente al citado cayo Ballena, al que nos referimos en el apartado "Las Ballenas" dedicado a Samaná.

Pasado el Portillo, se encuentra la pequeña aldea de **El Limón,** con sus famosas **cascadas★.** Al área también se llega por la carretera Samaná-El Limón-Las Terrenas. Existen varias vías de acceso hacia la cascada, que se encuentran cerca de los puestos de venta o

Playa Las Terrenas, de dorada arena y aguas cristalinas. ⇨

paradas, que se llaman *Rancho Español, El Pino, Arroyo Surdido, El Café, Casa Ismael...*; en cualquiera de ellas se puede encontrar gente especializada que actúa como guía y enseña el camino. Se puede realizar a pie o a caballo, aunque al final hay que recorrer un tramo a pie. En total, son unos 2,5 km.

El **Salto del Limón★** es una **cascada** de 40 m de altura, con una poza de aguas cristalinas al fondo, donde se puede nadar. Es alimentada por el cauce del **Arroyo Chico,** al que se unen otros seis pequeños arroyos en las épocas de lluvia, rodeado todo ello de una naturaleza prácticamente vírgen, en la que destacan árboles y animales endémicos. Es un paseo delicioso, entre cultivos de cacao y café, cocoteros y árboles tropicales frutales como el mango, la toronja o la guanábana. Se recomienda ir acompañado por un lugareño, llevar protección para los mosquitos y calzado cómodo, así como respetar la naturaleza.

Para otras informaciones, hay que dirigirse a *CEBSE, Inc.,* telf. 538 20 42 y 531 78 03. En resumen, ésta es una zona solitaria y salvaje, con una belleza inigualable, en la que los naturales del país dicen que "a Dios se le fue la mano".

PLAYA LAS GALERAS

A unos 24 km de Samaná, siguiendo una buena carretera, se accede a esta playa, con escasas instalaciones turísticas hasta el momento, pero con un gran futuro, dada la belleza de su entorno, que la convierten en una de las mas bonitas del país, y por ser un lugar privilegiado para ver las ballenas cuando vienen a criar.

Las ballenas

Entre noviembre y marzo, a las afueras del golfo de Samaná y en las cercanías de Las Terrenas, frente al cayo Ballena, se puede ver el espectáculo que ofrecen las ballenas jorobadas, que, huyendo de las bajas temperaturas del invierno ártico y de los hielos, vienen a parir y a aparearse en las cálidas aguas atlánticas.

Desde el embarcadero de Samaná se pueden alquilar botes, con los que acercarse a las ballenas a corta distancia, y durante sus emersiones observar sus lomos de grandes proporciones. Es un gran espectáculo, que sólo se ve en estas aguas y en las de la Baja California en el Pacífico. Las aguas cristalinas de la zona están protegidas del fuerte oleaje y el viento por un denso arrecife que crea un ambiente ideal para la cría de los ballenatos. Se cuentan hasta 3.000 las ballenas que llegan para aparearse.

Saliendo de Samaná, a unos 8 km aparece el pueblecito de **Los Cacaos,** un buen punto de partida para acercarse a **Cayo Levantado** u otras islas de la bahía. A lo largo de la carretera se anuncian: *Transportes Eligio, Mechy, Simi Baez, Caletón...,* los cuales resultan más baratos que los que salen del puerto de Samaná, y hacen el horario y el recorrido que a uno más le convenga. Se puede uno alojar en el hotel *Gran Bahía Resort* (telf. 538 31 11), acogido al sistema de "todo incluido", con golf, tenis, alquiler de caballos y todas las comodidades de su categoría.

Más adelante, ya en la misma playa de las galeras, hay varios **hoteles** tranquilos, ideales para gente no entusiasta de los sistemas "full", como el hotel *Villa Serena* (telf. 538 00 00), precioso hotel de estilo victoriano; *Las Galeras (Todo Blanco Hotel),* a 50 m del mar y rodeado de un jardín tropical (telf. 223 00 49); y *Club Bonito,* semejante al anterior, con ambiente de gente amante de la naturaleza (telf. 538 02 03).

También existe un complejo turístico en la zona, un poco más alejado, continuando por la playa, denominada *Cala Blanca* (telf. 223 00 35), de gerencia italiana, espacioso y con facilidades para visitar los cayos, hacer safaris en jeep, o cualquier otro deporte.

Además de en los hoteles, en toda la zona hay pequeños **restaurantes,** que según sea la nacionalidad del propietario, están especializados en la comida de uno u otro país: *Chez Denise, Le France, Black & White* (en Santa Bárbara de Samaná), etc.

LA COSTA AL OESTE de SANTO DOMINGO

LA COSTA OESTE

Saliendo de la capital, hacia el oeste, se entra en una región abrupta cuyas costas están constantemente batidas por el mar Caribe. Es, sin duda, la zona más desconocida por el turismo y por tanto, quizá, la más auténtica. A lo largo de la carretera se encuentran los siguientes puntos de interés. Ver mapa [→pág. 54-55].

EL INGENIO ENGOMBE

A unos 15 km de Santo Domingo se encuentran las **ruinas** de un edificio construido a principios del siglo XVI, enclavado al borde del río Haina y que consta de un **palacio** de dos pisos, una **capilla** y el galpón para esclavos, muestra de lo que fue una explotación de caña de azúcar durante la primera época de la colonia.

SAN CRISTÓBAL

Situada a 28 km de la capital, fue fundada en la margen oriental del río Nigua y debe su nombre a la fortaleza de San Cristóbal, levantada por Colón a orillas del río Haina.

Es conocida como la "Ciudad Histórica de la República Dominicana", pues en ella se firmó el 6 de noviembre de 1844 la primera Constitución del país, y sobre todo por ser la cuna del dictador Rafael Trujillo, que gobernó férreamente el país durante treinta y un años.

Es interesante realizar una visita a la **iglesia de San Cristóbal★,** donde se halla la primera **tumba** de Trujillo, el **Palacio del Cerro** y la **casa de Caoba,** que fueron propiedades del dictador y conservan objetos de su uso personal. También se pueden ver las **cuevas del Pomier,** el **balneario de la Toma** y las **cuevas de Santa María.** En este último lugar, durante las fiestas, se puede disfrutar de un **baile de palo** y atabales de origen negroide. Durante las fiestas del Espíritu Santo, celebradas del 6 al 10 de junio, se puede ver el también el típico *carabiné.*

Cerca de la ciudad se hallan las **playas de Najayo, Nigua** y **Palenque,** no demasiado buenas, pero muy apropiadas para la pesca submarina.

Su proximidad a la capital hace que no sea un lugar aconsejable para pernoctar. El **hotel** *San Cristóbal,* construido por Trujillo en 1947 y de estilo *art-déco,* se halla en eterna reapertura. Alberga actualmente el Instituto de Formación Turística del Caribe.

BANÍ

Enclavada a 66 km de la capital, debe su nombre al cacique Baní, subalterno y general de Caonabo.

Fue fundada por inmigrantes canarios y se la conoce como la Ciudad de los Poetas. En este lugar nació el general Máximo Gómez, héroe nacional y artífice de la independencia de la vecina Cuba. Una ciudad bien cuidada y que parece próspera, y por la amabilidad de sus habitantes, también encantadora.

Se recomienda visitar la **iglesia de Nuestra Señora de la Regla★,** y no dejar de probar el *dulce de leche de cabra de paya,* que es exquisito.

Alrededores

Siguiendo por la carretera hacia el oeste, a unos 19 km, hay un cruce a la izquierda que conduce, tras 6 km, a **Playa Grande** y, tras

Iglesia de San Cristóbal, donde se conserva la primera tumba de Trujillo.

13 km, a **Playa Chiquita,** enclavada junto a la **bahía de Las Calderas,** que por su privilegiada situación es una base de la marina de guerra dominicana. Las playas son de guijarros, solitarias y de aguas transparentes.

Aquí se encuentra uno de los paisajes más sorprendentes: las **Dunas de Baní★,** que junto con el desierto de la Guajira, en Colombia, son los únicos paisajes desérticos del Caribe. La fina arena de color gris pálido surcada por estrías que dibuja el viento, al parecer procede de las arenas del río Nizao y está poblada por plantas de cambrones, bayahondas, cactus y guazábaras, que culminan en los manglares que se adentran en el mar. Una excursión por la zona es una buena opción para la que uno se debe proveer de cantimplora y calzado apropiado para deslizarse por las empinadas cuestas de arena.

A 16 km está el **Palmar de Ocoa,** punto de encuentro del turismo nacional fundamentalmente, donde se celebran torneos internacionales de pesca de altura. Las **salinas de Puerto Hermoso** son un punto de extracción de sal, donde se encuentra situada la **playa de las Salinas,** que cuenta con un hotel-restaurante, que también se llama *Salinas* (telf. 522 67 14).

Agua de la Estancia es una playa muy próxima a Baní, que cuenta con el complejo turístico *Boca Canasta Caribe.* A partir de Baní, el paisaje cambia, volviéndose seco, predominando la vegetación de sabana, con pitas, cactus y acacias.

AZÚA DE COMPOSTELA

Situada a 121 km de la capital, Azúa de Compostela fue fundada en el año 1504 por el conquistador de Cuba, Diego Velázquez, cuyo escudo de armas le fue concedido por el rey Fernando el Católico. También Hernán Cortés residió durante algún tiempo en esta ciudad, en la cual ejerció el oficio de escribano, antes de empuñar la espada y conquistar el Imperio Azteca.

La ciudad colonial se encuentra situada a las afueras, en lo que actualmente se denomina **Pueblo Viejo,** y donde se dice que está enterrado el gran cacique Enriquillo. Azúa de Compostela es sin duda la ciudad dominicana que ha sufrido un mayor número de incendios. El primero en el año 1805, a manos del general haitiano Dessalines, tras declararse la independencia del país vecino

Pueblo Viejo, ciudad colonial en las afueras de Azúa de Compostela.

de Francia. Más tarde, en el año 1844, tras la derrota haitiana, el general Hérald la incendió de nuevo mientras se batía en retirada. Finalmente, en 1849 el presidente haitiano Soulouque la quemó como venganza antes de retirarse, después de la derrota sufrida en El Número.

Contrariamente a lo que ocurre en otras localidades como es el caso de Baní, en este lugar parece que todo ha sido descuidado y la ciudad, cuna de destacados literatos y de algún presidente de la república, presenta una ausencia de infraestructura. La provincia, fundada en el año 1845, es fronteriza con Haití, de ahí muchos de sus males pasados, y se halla en el sur, en un terreno cálido y sin lluvias, de ahí sus males de siempre. El turismo no llega hasta ella, por lo que para visitarla hay que echar mano de taxis, coches de alquiler o autobuses de la *Metro.*

Alrededores

La **Playa de Monte Río,** como todas las de la región es de guijarros y arena oscura, aunque puede presumir de unas aguas muy limpias. Es espléndida la **vista★** de las montañas cercanas y de la **bahía de Ocoa,** con las **playas de Corbanito.** En Monte Río se encuentran dos pequeños **chiringuitos,** el restaurante chino *Prieto* y el *Turiscentro La Rueda,* donde se puede tomar un tentempié playero.

BARAHONA

Situada a 192 km de Santo Domingo siguiendo, probablemente, por la mejor carretera del país con buen firme y trazado.

Esta región, cuyas abruptas montañas fueron durante la colonización española el refugio de los indios, fue la patria de la cacique-poeta Anacaona y el área donde el indio Enriquillo mantuvo en jaque, durante años, a las tropas españolas. Posteriormente, pasó a ser refugio de esclavos cimarrones, que se escondieron en las montañas huyendo de su condición.

Su costa abrupta y escarpada fue, también, refugio de corsarios y piratas, de los que destaca el francés Cofresí, que navegó por estas costas a principios del siglo XIX, hasta que fue capturado y ejecutado en Puerto Rico en el año 1825.

Todavía hoy se cuentan leyendas de tesoros enterrados por Cofresí en esta costa, tesoros que sólo pueden ser rescatados si se hace lo que hacía él para enterrarlos. Es decir, llevar un ayudante que sustituya al que el pirata enterraba con el tesoro. Con semejante perspectiva, no es raro que aún no se hayan encontrado los cofres de oro y piedras preciosas de Cofresí.

La leyenda ha estado alimentada con hallazgos periódicos de monedas y objetos, como un tesoro encontrado cerca del poblado de **Juan Esteban** y unas monedas y alfileres con la efigie de Napoleón halladas en **La Ciénaga.**

Recolectores de caña de ázucar.

Barahona, que cuenta con unos 85.000 habitantes, es la capital de una zona de reciente colonización, cuya fundación data del año 1828. Se dedica a la producción de bauxita, sal, yeso, (en la ladera septentrional de la sierra de Baoruco están las minas de sal gema y yeso, y en la meridional, la bauxita, el ónice y el travertino), así como de azúcar, café, uvas y plátanos.

Con la explosión de la industria del azúcar, acaecida durante el siglo XIX, nacería Barahona, puerto a través del cual se exportaba el azúcar producido en el ubérrimo valle de

Las dunas de Baní son uno de los pocos paisajes desérticos del Caribe. ⇒

Neiba, auténtico circo rodeado por las montañas de la sierra de Baoruco y regado por infinidad de manantiales de aguas frías y limpias, muy apropiado para el cultivo de la caña de azúcar. Esta última está sembrada en la mayor parte del territorio, surcado por las vías del "tren cañero", que aún se halla en funcionamiento y acaba su recorrido en la ciudad, a orillas del mar, en el Ingenio Barahona, base de la economía de la ciudad.

Ruta en dirección a Barahona.

Por cuanto se refiere a **paisajes,** en Barahona tenemos una de esas sorpresas que nos reserva este múltiple y variado país. Desde la **sierra de Baoruco** las montañas descienden en picado hacia el mar, y aunque no hay playas, sino costas cubiertas de piedras, el paisaje, plagado de accidentes rocosos y pequeños ríos, tiene el atractivo añadido de que no hay turistas.

La **Oficina de Turismo** se encuentra situada en la carretera de Batey Central (telf. 524 36 50).

Alrededores

El **mirador de Santa Elena,** que se halla a unos 6 km, saliendo de la ciudad hacia el oeste, ofrece una magnífica **vista★** sobre el valle de Neiba y la costa. La **Playa Saladilla,** antes de llegar a la ciudad, como todas las de esta costa es de guijarros y poco visitada. La **playa Guarocuya** es la playa de la ciudad y se halla frente al hotel del mismo nombre. La **laguna de Cabral,** sitio de caza, y la **loma magnética,** uno de esos lugares donde el coche, en punto muerto, parece ir hacia arriba debido a un fenómeno óptico. Todo ello pertenece al Parque Nacional Sierra de Bahoruco.

EL LAGO ENRIQUILLO

Está situado en el interior del valle de Neiba, a los pies de la sierra de Baoruco. Sus aguas, a 42 m por debajo del nivel del mar, son el residuo de lo que fue un canal marino que unía la bahía de Neiba y la Islita. Es de aguas salobres y, con unos 265 km^2, es el lago de mayor extensión de las Antillas.

En su centro se encuentra situada la **isla Cabritos,** de 26,5 km^2 de extensión, en la que reside la mayor concentración de **cocodrilos** americanos *(Cocodrilus Acatus)*, bastantes iguanas, así como unas cincuenta especies de aves, entre las que se encuentra gran cantidad de garzas y flamencos.

Si se quiere ver tanto las aves como los reptiles, conviene pernoctar en la isla Cabritos, para lo cual hay que solicitarlo a la *Dirección General de Parques* con antelación y levan-

Pueblo de Cabral, famoso por sus carnavales.

tarse de madrugada, cuando estos animales se acercan a la orilla. Las otras dos islas que existen, más pequeñas, son la **Barbarita** y la **Islita.**

El lago está situado a unos 80 km de Barahona y se accede a él por la carretera de Neiba, continuando hasta **Villa Jaragua** y **La Descubierta,** pequeño poblado surcado por numerosos manantiales de aguas frías y cristalinas que confluyen en una piscina artificial.

Continuando por la orilla del lago, se llega a la población de **Jimaní,** casi en la frontera con Haití, y rodeando todo el lago, por los pueblos de **Duvergé** y **Cabral,** este último famoso por los Cachúas o *diablos cojuelos,* que salen desde el Viernes Santo hasta el Domingo de Resurrección, y desde donde se puede volver a Barahona.

Es una excursión obligada por la belleza del **paisaje,** la **fauna** y los típicos **pueblos** con casas de madera de diferentes colores: azules, verdes, etc., con techos de palma. Dada la proximidad con la frontera haitiana, la influencia francesa se deja notar en el idioma; la población de la zona denota el origen africano y los ritos de vudú están muy extendidos en los poblados, donde predomina la inmigración de braceros haitianos para la zafra.

POR LA COSTA HACIA LA FRONTERA

A partir de Barahona, la magnífica carretera se convierte en una pista de tierra, de tortuoso trazado, por la que, a unos 12 km, se llega a la **playa El Quemaíto,** que tiene algún chiringuito abierto los fines de semana. Es de guijarros y está protegida por un arrecife. A unos 17 km se halla el poblado de **Baoruco,** con una pequeña playa, y a 23 km se encuentra la **playa de San Rafael.** Toda la costa es abrupta, está rodeada por montañas y valles, y poblada de acantilados y arrecifes sobre el mar Caribe.

La playa de San Rafael se abre en una costa abrupta.

La **playa Bahía de Las Águilas★,** situada en el **Parque Nacional Jaragua,** es quizá la mejor de esta parte del país; enfrente de ella se encuentra situada la **isla Beata,** frente al cabo del mismo nombre, que es la cota más al sur de la isla, con una fauna típica, donde destacan las **iguanas.**

A unos 36 km de Barahona se encuentra el poblado de **Paraíso,** con la **playa de Los Patos,** y más adelante, en dirección hacia hacia la frontera, los pueblos de **Enriquillo** y **Oviedo,** hasta llegar a **Pedernales,** población fronteriza con Haití, en la cual hay una gruta llamada **La Cueva★** que alberga **pinturas rupestres** de los indios taínos, cuyo significado aún no ha sido interpretado.

Para los amantes de la arqueología, ofrece un gran interés el parque arqueológico de **Las Caritas★.**

LA COSTA AL ESTE de SANTO DOMINGO

MANTA RAY
BP- 852 SDG

LA COSTA ESTE

Saliendo por la avenida de las Américas, bordeando el mar Caribe, se continúa por una autopista bastante mal pavimentada; hay que prestar atención a la velocidad, pues dicen que la policía dispone de radar en esta zona (especialmente sensible si uno es turista).

La práctica totalidad de la autopista está llena de ***moteles*** *y* ***cabañas,*** *fundamentalmente destinados para los "encuentros sexuales" de los capitalinos. Rebasado el aeropuerto de las Américas, se llega a* ***la Caleta,*** *junto a la entrada del aeropuerto, donde se encuentra situado el* ***Museo Arqueológico*** *[→pág. 138]**, y el* ***Parque Nacional Submarino de La Caleta.*** *Ver mapa [→pág. 60-61].*

BOCA CHICA★

Situada a 28 km de la capital, es la gran **playa** de Santo Domingo. Se encuentra protegida por un arrecife y dos pequeñas islas, y es el lugar más popular y bullangero del país. Los fines de semana está atestada de capitalinos que buscan el refresco de sus aguas. Hasta que Trujillo decidió construir el *hotel Hamaca* y reservarse la mejor *suite* para los fines de semana, Boca Chica era un pequeño pueblo de pescadores. Tras Trujillo, llegó la clase alta, y después, las clases populares. La **playa** de Boca Chica está rodeada de cocoteros que llegan hasta el borde del agua y se caracteriza por sus arenas finísimas y blancas y sus aguas poco profundas, pudiéndose llegar hasta las islas sin perder pie.

Pasear por la playa, sobre todo en domingo, es todo un espectáculo, plagada de bañistas, vendedores de *ostiones* (ostras), langostas, camarones, chucherías, frutas, gafas de sol, sombreros de paja, cuadros *naïf* hechos con arena y todo lo que se pueda desear, pregonado a voz en grito. Hay multitud de pequeñas freidurías de pescado, donde se pueden degustar los frutos de la costa a precios baratísimos. Bañistas jugando a la pelota, vendedores de artesanía, músicos ambulantes rodeados de bailarines en traje de baño, magos vestidos de frac y sombrero de copa, culturistas, *drag-queens* y todo tipo de espectáculos tienen lugar en la arena, que viene a ser la pasarela dominical de Santo Domingo. Pero cuando se supera todo lo que se pueda imaginar es en Semana Santa, durante la cual la densidad de bañistas por metro cuadrado en la playa es parecida a la de la temporada alta en el Mediterráneo español. Las radios y casetes atruenan el aire de merengues y el ron y la alegría brotan por todas partes. Esta playa, sin duda, es lo más auténtico del país, pero muy poco recomendable para los que vayan buscando paz y tranquilidad.

Boca Chica, la gran playa de Santo Domingo.

Tomando como eje el hotel *Don Juan*, más o menos en el centro de la playa, según se mira hacia el mar a la derecha, está la zona más popular, repleta de chiringuitos que alquilan las sillas y la sombrilla como único lujo, ya que los clientes traen todo lo demás de

Embarcadero en la playa de Boca Chica.

casa. Sólo a última hora vende bebida o comida a los que se quedaron cortos de provisiones. En esta zona, la playa se estrecha e incluso tiene piedras y arrecifes, ya que las mejores partes están ocupadas por los negocios para bañistas de mayor poder adquisitivo. En la parte central de la playa, zona preferente para los turistas extranjeros, junto al citado hotel *Don Juan* hay una parte acotada por un pequeño muro de 30 cm de altura, reservada a los clientes del *Boca Chica Resort*, rodeada generalmente de vendedores ambulantes.

A la izquierda del mencionado eje, se encuentra la zona más bonita de la playa, en la que se suceden chiringuitos y restaurantes, de más o menos categoría, unos con tumbonas de máximo relax y otros con sillas de madera rústicas, en los que se aglomeran turistas y nativos en un revuelo delicioso, para finalmente tropezar con la barrera privada del hotel *Hamaca*. Las tumbonas del *Puerco Rosado* y las del *Colibrí* son particularmente cómodas y tienen buen servicio; si a esto le añadimos las canciones interpretadas por músicos ambulantes, se completa una deliciosa jornada de playa.

La parte propiamente dicha del pueblo de Boca Chica es un conglomerado de calles llenas de baches y barro, con sencillas casas de madera. El **Parque** y la calle **Duarte** son el ombligo de la zona; a partir de aquí salen otras calles, que según se alejan van teniendo menos vida. A veces la distancia a recorrer es grande para hacerla caminando, sobre todo con el calor, por lo que existe un servicio rápido y ventilado para desplazarse: los "moto-conchos" (moto-taxis), que por unos pocos pesos cumplen con eficacia su cometido.

PLAYAS DE GUAYACANES Y JUAN DOLIO

Situadas, respectivamente, a 30 km y 45 km de la capital. A partir de Boca Chica la costa se vuelve abrupta y con un fuerte oleaje, aunque hay pequeñas calas que albergan instalacio nes hoteleras. La **Playa Embassy** es un pequeño caletón de peralte abrupto y oleaje violento, cobijada de cocoteros, idónea para la práctica del *surf.* Junto a la playa se hallan el hotel *Embassy* y las *Cabañas D'Fiesta.* El primero funciona mediante el sistema *full;* ambos poseen aire acondicionado, piscina, sala de fiestas, restaurante y televisión por cable.

Las playas de la Costa del Caribe, de finísima arena, están protegidas por arrecifes.

Un poco más adelante, en la llamada **Costa Caribe,** se extiende una zona compuesta por playas de finísima arena y aguas tranquilas y cristalinas, protegidas por arrecifes, pobladas de cocoteros y, en general, muy solitarias, dada su distancia de la capital. Toda la zona está un poco venida a menos, con algunas instalaciones abandonadas, lo que le da al lugar un aspecto algo triste, aunque hacia el este se están construyendo hoteles más grandes y la zona poblada se desplaza hacia allá; también el resto de las actividades dedicadas al turismo, como restaurantes, alquiler de coches o bicicletas (interesantes en esta zona dispersa), centros de buceo y tiendas.

SAN PEDRO DE MACORÍS★

Es la ciudad más importante de la costa oriental y se halla situada a 75 km de la capital. Conocida como "la sultana del Este", San Pedro de Macorís fue fundada a principios del siglo XIX por inmigrantes alemanes, árabes, españoles, franceses e italianos. Esta mezcla, junto con las raíces africanas, hacen de San Pedro una ciudad cosmopolita. Está construida en la ría de la desembocadura del **río Iguamo,** que sirve de puerto a la ciudad.

San Pedro de Macorís conoció el florecimiento económico con la llegada de los crio-

San Pedro de Macorís una ciudad donde se mezclan aires europeos, árabes y africanos. ➪

ELI
ENGLISH
By Levels
INGLES

llos cubanos que huían de la guerra de independencia con España. Con los cultivos de caña y el alza de los precios del azúcar –en la llamada "Danza de los Millones"–, la ciudad experimentó un proceso de transformación, volviéndose próspera y señorial, y llenándose de palacetes y mansiones principescas de estilos neoclásico y victoriano.

Para levantar estas casas llegaron hasta San Pedro numerosos obreros cualificados procedentes de las islas inglesas, los llamados *cocolos*, que trajeron, además de la arquitectura, los sones musicales del *cainamés*, el *momise* y las *guyolas*.

Uno de los monumentos más importantes es la iglesia de San Pedro Apóstol, de aires góticos. Debido a que San Pedro de Macorís es sede de la **Universidad Central**, el gran número de estudiantes que la frecuentan proporciona a la ciudad un ambiente nocturno, alegre y juvenil.

Alrededores

A unos 14 km al este se halla la famosa **cueva de las Maravillas★★**, que contiene gran variedad de motivos de arte rupestre.

LA ROMANA

Esta ciudad, situada a 131 km de Santo Domingo y a 45 km de San Pedro de Macorís, está dedicada fundamentalmente a la producción de azúcar, con el **Ingenio Central Romana★**, uno de los más grandes del mundo. Enclavada junto a la desembocadura del río Dulce, fue fundada en 1502 por el conquistador de Jamaica, Juan de Esquivel. Hoy día es, junto con Puerto Plata, el foco turístico más importante del país.

Ingenio Central Romana, en La Romana.

LA CASA DE CAMPO

Es, sin duda alguna, la instalación turística más lujosa del país y una de las más chic del mundo. Enclavada a unos 5 km de La Romana, ocupa aproximadamente 2.800 ha entre las desembocaduras de los ríos Dulce y Chavón.

El **hotel** (telf. 523 86 98; www.casadecampo.cc) posee 794 habitaciones, distribuidas en casitas y lujosas villas a lo largo de toda su extensión. El conjunto dispone de dos campos de golf, de los más cuidados del mundo, con un diseño originalísimo, en el que, incluso, la salida de un *tee* está situada en un pequeño **arrecife** de coral en medio del mar.

También tiene 14 piscinas, 13 pistas de tenis, playas privadas, toda clase de deportes acuáticos, navegación, buceo, pesca, picadero y campos de hípica, con más de quinientos caballos, cuatro campos de polo y las instalaciones de tiro más completas del mundo, tanto de tiro al blanco, como foso, plato, pichón, etc., ocho restaurantes especializados *(Lago Grill* y *Tropicana),* seis bares, discotecas, cafeterías, gimnasios, saunas, agencias de alquiler de automóviles y motos, peluquería y un sinfín de servicios más. Todo un mundo de superlujo enclavado a orillas del Caribe.

LOS ALTOS DEL CHAVÓN★★

Están situados en el interior del recinto de la Casa de Campo, aunque merecen una mención aparte. Se trata de una pequeña y hermosa ciudad decorativa enclavada al borde de un acantilado, en cuyo fondo serpentea el río Chavón. Consta de pequeñas casitas rústicas, construidas con piedras de diferentes colores y ladrillos, imitando estructuras antiguas, rodeadas todas por exuberantes parques y jardines de flores y enredaderas, con

Reproducción de un anfiteatro en los Altos de Chavón.

sus balcones y puertas de madera y ventanas con verjas de hierro. Posee incluso una capilla y miradores orientados hacia el acantilado.

Se la conoce también como la **"Ciudad de los Artistas"**, pues en ella funcionan un **Taller de Artes Plásticas** y una **Escuela de Bellas Artes y Diseño,** afiliada a la *Parsons School of Design* de Nueva York. Si en esta última escuela se pueden admirar trabajos de serigrafía, pintura, diseño y cerámica, en el **Museo Arqueológico**★ se pueden contemplar diversos objetos de la civilización taína.

En realidad, los Altos del Chavón fueron un sueño de Charles G. Bluhdorn, presidente de la multinacional *Gulf & Western*. Fue en los años sesenta cuando Bluhdorn, un admirador de la cultura mediterránea, proyectó construir en este lugar una réplica de un pueblo del siglo XVI que recordara la luz y el color de los pueblos italianos o españoles. Para ello contrató a Tony Caro, un arquitecto dominicano, y Roberto Coppa, un decorador italiano que trabajó en el cine con Dino de Laurentis. Y desde luego, algo hay de decorado cinematográfico en el pueblo que construyeron sobre una pequeña colina a orillas del río Chavón, pero todo se perdona porque la perspectiva que se ofrece a la vista del anterior es magnífica y porque el resultado nunca llega ser artificioso, sino que destila buen gusto.

En resumen, un recinto hermoso, rodeado de una belleza natural extraordinaria. No hay que dejar de visitarlo. Además del propio pueblo, el olor de sus flores y las bandadas de garcillas blancas sobrevolando los cocoteros convertirán la excursión en una experiencia inolvidable.

Río Chavón, en los Altos del Chavón, la llamada "Ciudad de los Artistas".

BAYAHIBE

Enclavado a 155 km de Santo Domingo y a 25 km al este de La Romana, este pequeño pueblo de pescadores, pintoresco y auténtico, se encuentra saliendo de La Romana por la carretera de Higüey y cogiendo, tras unos 20 km, un desvío a la derecha.

La vida en él es apacible y tranquila y está determinada por las salidas y llegadas de los pescadores que capturan en este lugar, según se afirma, los mejores pescados y mariscos del país. Esa calma ancestral se va viendo modificada paulatinamente por el turismo. El pueblo está compuesto por pequeñas casas, junto al mar poblado de arrecifes, donde amarran los pescadores sus pequeñas barcas.

En los últimos años la infraestructura hotelera ha mejorado mucho: las pequeñas cabañas han dado paso a grandes complejos hoteleros. También hay restaurantes instalados en chiringuitos al aire libre, con ofertas marineras.

Según se sale del pueblo, a mano derecha, se encuentra situada la **playa de Bayahibe★**, de poquísima profundidad y arena tan fina que al pisarla bajo el agua semeja lodo. Está bordeada de palmeras, y se extiende a lo largo de más de 10 km, en el territorio delimitado por el **Parque Nacional del Este;** es un lugar magnífico para la **pesca submarina.** Desde esta playa, en bonitos catamaranes tricasco y otras embarcaciones de poco calado, parten los turistas procedentes de los hoteles de Punta Cana y Bávaro para visitar en un día las islas Saona y Catalina, dos pequeños paraísos de mar y palmeras donde bañarse, comer una langosta y tomar el sol.

En **Isla Catalina★** a veces hacen escala los cruceros internacionales, por lo que está más explotada. En cambio, **Saona★★** es un Edén, con sus pequeñas casas de pescadores que lucen techos de palma y muros de madera de colores chillones, salpicadas por la arena.

Isla Saona, un paraíso caribeño salpicado por casitas de múltiples colores.

Excursiones

Para ir a las islas, *Madrugadora Tours,* en el restaurante *La Punta, Casa Daniel* y *Get-Wet "the adventure Company",* que además ofrecen *rafting,* canoas, caballos, buceo y espeleología acuática.

SABANA DE LA MAR★

Enclavado a 153 km de Santo Domingo, 78 km de San Pedro de Macorís y 88 km de Higüey, se halla situado en el extremo meridional del golfo de Samaná. Es un pequeño y delicioso pueblo de pescadores, con magníficas playas y todavía poco conocido por el turismo internacional.

Al igual que Samaná y Las Terrenas, Sabana es un lugar propicio para admirar a las **ballenas** en invierno (véase el cuadro *Las ballenas* [→pág. 46]). También se puede hacer una **excursión en barco** a Samaná (varias salidas al día, desde el muelle).

Pescadores de camarón en Sabana de la Mar.

Alrededores

En las afueras de la ciudad se hallan las **cuevas de Caño Hondo★,** con profusión de estalactitas y estalagmitas. Al **Parque Nacional de los Haitises★** se accede en **barco** desde Samaná y Sabana [→pág. 42]. Es una zona pantanosa con grandes mogotes cubiertos de vegetación que ocultan preciosas **cuevas★,** y surcada por miles de **canales** que se ramifican entre manglares. La excursión se contrata en el puerto.

HIGÜEY

Higüey se encuentra situado a 166 km de Santo Domingo y a 37 km de La Romana.

Este antiguo cacicazgo taíno que llevaba el nombre del "lugar por donde salía el sol", se llama actualmente la Tierra Santa de América. Fue fundada en 1494 por Juan de Esquivel y, entre 1502 y 1508, vivió en ella el conquistador de Puerto Rico y La Florida, Juan Ponce de León, cuya casa está en San Rafael de Yuma. De Boca de Yuma, un cercano pueblo de pescadores, partió Ponce de León hacia Florida en su última expedición en la busca de la eterna juventud.

Basílica de Nuestra Señora de Alta Gracia, centro de devoción en Higüey.

El mayor atractivo de Higüey es la moderna **basílica de Alta Gracia★,** a la que acuden miles de peregrinos, sobre todo el día de su celebración, el 21 de enero. A su lado está la **iglesia de San Dionisio,** del siglo XVI. Higüey es semejante a Fátima y Lourdes, un lugar de peregrinación, a cuya Virgen se le atribuyen múltiples milagros.

LA COSTA DEL COCO

En el Este del país se extiende una inmensa playa de más de 40 km de extensión, de arena blanca y finísima, aguas transparentes e interminables cocoteros, que incluye las ***playas*** *de* ***Macao, Cortecito, Bávaro, Punta Cana*** *y* ***Punta Juanillo,*** *no todas ellas explotadas aún por el turismo; quedan prácticamente vírgenes las de los dos extremos, es decir, Macao y Punta Juanillo; en cambio, el centro es una de las zonas mejor dotadas de la nación.*

PUNTA CANA★

Se encuentra situada en lo que se denomina las Playas del Este, en el extremo más oriental de la isla, junto al canal de la Mona. En ella se encuentra el **Complejo Turístico de Punta Cana,** con hoteles de lujo y un aeropuerto al que llegan vuelos charter de Europa y América. Muchas veces estos turistas sólo ven de la República Dominicana el complejo turístico en el que se alojan, dos o tres excursiones programadas, y poco más. Sin embargo, este lugar es ideal como reposo absoluto de sol y playa y se adapta a los esquemas que tenemos sobre las playas paradisíacas. De hecho, según los estudios realizados por las Naciones Unidas, las playas entre Punta Cana y Macao han sido consideradas las más bellas del mundo. Aunque esa afirmación es discutible, el hecho es que en este lugar, ante tanta belleza, una persona puede olvidarse de todo. Lo peor es la sensación de aislamiento, pues la única manera de conocer el país desde Punta Cana es alquilar un coche y aventurarse por unas carreteras en muy mal estado.

Paisaje de cocoteros en Punta Cana.

Punta Cana está considerada como una de las playas más bellas del mundo.

PLAYA BÁVARO

Es el más nuevo complejo turístico del país y prácticamente todo está gestionado por empresas españolas como *Barceló, Sol-Meliá, Riu, Fiesta,* etc. Se ubica en la costa norte en una inmensa playa que va desde la población de Macao hasta la laguna Cabeza de Toro.

La empresas se han divido en territorio por parcelas, empezando de oeste a este, los primeros son los hoteles *Riu: Taino, Naiboa, Melao y Palace,* este último de cinco estrellas y los otros de cuatro; para información de todos ellos, llamar al telf. 221 22 90; *Hoteles Iberostar:* **Dominicana** y **Bávaro** (telf. 221 65 00); **Hotel Paradisus** de 5 estrellas (telf. 687 99 23; **Hotel Meliá Bávaro** de 5 estrellas (telf. 221 23 11); **Hotel Fiesta Beach Ressort,** también de 5 estrellas (telf. 221 81 49); **Hotel Carabela** de 4 estrellas (telf. 221 27 28); hoteles **Barceló** con el compejo *Bávaro Beach Ressort,* con un hotel de 5 estrellas y otros cuatro de 4 (telf. 686 57 97); por último **El Caribbean Village** (telf. 687 57 47).

Todos se encuentran situados en primera línea de playa, unos en enormes edificios con miles de habitaciones y otros en cabañas rústicas, rodeados por exuberante vegetación. Todos cuentan con piscinas, campos deportivos, instalaciones para actividades acuáticas, bares, restaurantes, discotecas, casino, tiendas, peluquerías, etc., es decir, lo propio de este tipo de complejos turísticos.

En Playa Bávaro se encuentran instalados los más modernos y lujosos complejos turísticos.

En general, funcionan con el sistema de "todo incluido", aunque algunos sólo ofrecen media pensión, por lo que en los alrededores han surgido restaurantes y chiringuitos de playa independientes, entre los que destacan el **White Sands,** con terraza, piscina y discoteca, entre el hotel *Meliá Paradiso* y el *Ibe-*

rostar, **Los Corales** y las Pizzerías **Antonio** y **La Taberna.** Para moverse por la zona, si no de dispone de vehículo propio, hay una línea de *guaguas* que, con bastante regularidad, recorre toda la zona; raramente es utilizada por los clientes de los hoteles, sino más bien por los empleados de éstos; pero resulta una opción barata y cómoda para los viajeros independientes.

Aparte de las **discotecas** que están situadas dentro de los hoteles, existen otras más animadas, como *Pachá* y *América Latina.*

EL CORTECITO*

En medio de todo este lujo, aparece el delicioso pueblo de El Cortecito. Se sitúa justo en el centro, entre Bávaro y Punta Cana, y forma un oasis del turismo independiente. Se puede acceder por carretera y por la playa desde los resorts y, desde luego, tiene mucha más personalidad que cualquiera de los grandes complejos que lo rodean.

El Cortecito, un lugar ideal para degustar pescado con todo su sabor criollo.

En El Cortecito existen algunos hoteles, que al lado de los anteriores parecen de bolsillo; son una buena oferta para los que viajen por libre y una mejor opción para conocer gente del país.

Hotel-Restaurante Cayacoa Bávaro (telf. 552 06 22), con el restaurante *Baleares,* está un poco alejado de la playa, en la carretera Meliá, en el centro comercial Plaza Bávaro; y **El Cortecito Inn** (telf. 552 06 39), con piscina y el restaurante en un ranchón con ventiladores y jamones colgando.

En la misma playa hay varios chiringuitos donde se puede comer bien, entre los que destaca el **Capitán Cook** (telf. 552 06 45), de dirección española, siempre repleto y con un sistema curioso: las mesas están en la arena, bajo las palmeras, y ofrece paella, fideuá, o si se prefieren mariscos, éstos se ofrecen al peso. Mientras se prepara el pedido, sirven aperitivos de patatas fritas y ensalada acompañados de sangría y cervezas. Tras la comida, que suele tardar bastante, sirven postre y café.

LA REPÚBLICA DOMINICANA A VISTA DE PÁJARO

Si Cuba es un enorme lagarto verde, la isla que Colón bautizó como *La Española* semeja a una irregular tortuga de elevado caparazón, una rara joya flotando en el azul mar de las Antillas. Dicen que Colón quedó fascinado por la belleza de sus paisajes deslumbrantes, la bondad de su clima y la inocencia de sus primitivos habitantes, los taínos. Tras descubrirla en su primer viaje, el 5 de diciembre de 1492, se convirtió en la primera isla poblada y colonizada por los españoles, que prepararon desde allí el asalto al continente americano. No quedaría, sin embargo, el nombre de *La Española* o *Hispaniola* (en la versión latina de Pedro Mártir de Anglería) para denominar el país que ocupa la parte oriental de la isla, sino el de la República Dominicana, llamada así por el nombre de su capital, Santo Domingo, que también dio nombre a la totalidad de la isla.

La República Dominicana se encuentra localizada entre los paralelos 17° 36' y 19° 56' de latitud norte y los 68° 19' y 72° 01' de longitud oeste, en el centro del archipiélago de las Antillas y muy próxima al trópico de Cáncer. Ocupa una extensión de 48.442 km^2 de un total de 76.192 km^2 que tiene la isla de Santo Domingo, lo que representa las dos terceras partes de ésta. El otro tercio pertenece a Haití, país vecino con el que limita por el oeste. El resto de sus límites son marítimos: al norte, con el océano Atlántico; al este, con el canal de la Mona, que la separa de Puerto Rico, y al sur, con el mar Caribe. Su situación puede considerarse como privilegiada, ya que ocupa un lugar estratégico en las rutas marítimas –y aéreas– entre América y Europa, y entre el canal de Panamá y los Estados Unidos, confirmando ese carácter de "portaviones" que comenzó a tener desde el Descubrimiento y los primeros tiempos de la conquista.

Casi 1.500 km de costas componen el irregular perfil de su territorio nacional, que cuenta asimismo con algunas islas menores. Esta costa es abierta y clara en muchos puntos del este y del sur, trasformándose en escarpada en algunos puntos del norte (Océano Atlántico) y del sur (Mar Caribe), en especial al oeste de la capital, Santo Domingo.

La frontera que le separa de su vecino Haití es política, ya que geográficamente ambos países pertenecen a la misma región. Los dos Estados comparten el dominio sobre algunas montañas, valles y ríos desde 1936, cuando con un tratado se zanjaron las disputas fronterizas.

En cuanto a sus dimensiones, tiene 390 km de las Lajas a Punta de Agua (O-E) y 265 km de cabo Isabela a cabo Beata (N-S).

Montes, valles y ríos de la Isla Encantada

La isla en la que se enclava la República Dominicana se encuentra dentro del grupo de las **Antillas Mayores,** junto a Cuba, Jamaica y Puerto Rico. Las Antillas son consecuencia de los pliegues surgidos de la América Central, la avanzadilla de una cordillera submarina emergida hace 140 millones de años por el desplazamiento de las placas de la corteza terrestre. Estas islas atravesaron después diversos períodos, desapareciendo bajo el océano y volviendo a emerger, como si fueran en realidad los residuos de la antigua *Antilia,* el continente apócrifo y encantado que estaba en la memoria mítica de los primeros descubridores y que según la leyenda medieval, habría desaparecido bajo las aguas hace 200 millones de años.

Si prescindimos de leyendas, lo que sí parece probado geológicamente es que en cada nueva aparición en la superficie las islas incorporaban materiales del fondo oceánico que han dado una gran variedad geológica a su suelo, formado por rocas volcánicas, calizas y coralinas. La composición del terreno es variable: las tierras altas están formadas básicamente por rocas metafórmicas y sedimentarias. Las zonas bajas son de origen fluvial reciente, excepto en la zona suroccidental, donde se encuentra la sabana, compuesta en general por depósitos sedimentarios de origen marino. Todo esto da como resultado un suelo fértil, con excepción de la provincia de Pedernales, en el suroeste, donde el suelo es sedimentario y pobre.

Si se observa con atención el mapa de Las Antillas, se puede apreciar un arco abierto, una curva que parecen trazar las tierras que

Monte Cristi
Bahía de Manzanillo
Parque Nacional Monte Cristi
MONTE CRISTI
PUERTO PLATA
Puerto Plata
CORDILLERA SEPTENTRIONAL
VALVERDE
Reserva Científica Isabel de Torres
Reserva Científica Villa Elisa
ESPAILLAT
Río Yaque del Norte
Dajabón
Sabaneta
Mao
SANTIAGO
Moca
SALCEDO
San Fran de Maco
Salcedo
SANTIAGO RODRÍGUEZ
SANTIAGO
DAJABÓN
La Vega
DUART
CORDILLERA CENTRAL
Parque Nacional La Vega Vieja
HAITÍ
ELÍAS PIÑA
Parque Nacional Armando Bermúdez
Cotuí
Reserva Científica del Ébano Verde
Pico Duarte (3175 m)
Bonao
LA VEGA
Comendador
San Juan
MONSEÑOR NOUEL
Reserva Científica Valle Nuevo
SAN JUAN
SIERRA DE NIEBA
del Sur
AZÚA
SAN CRISTÓB
INDEPENDENCIA
Lago Enriquillo
BAHORUCO
Isla Cabritos
Neiba
Río Yaque
Azúa
PERAVIA
Jimaní
Parque Nacional Isla Cabritos
Reserva Científica Laguna Rincón
Bahía de Ocoa
Baní
Parque Nacional Sierra Bahoruco
Bahía de Neiba
Barahona
SIERRA DE BAHORUCO
Pedernales
PEDERNALES
BARAHONA
Parque Nacional Jaragua
Cabo Falso
MAR CARIBE O DE LAS ANTIL
Cabo Beata
Isla Beata
N
0 25 km 50 km

OCÉANO ATLÁNTICO
Parque Nacional
abo Francés Viejo
Nagua
Cabo Cabrón
Cabo Samaná
SAMANÁ
Samaná
Bahía de Samaná
Parque Nacional
Los Haitises
HATO
MAYOR
Reserva Científica
Laguna Redonda y Limón
CANAL DE LA MONA
CORDILLERA ORIENTAL
Monte Plata
El Seibo
Hato Mayor
ONTE PLATA
SAN
PEDRO
DE MACORÍS
EL SEIBO
LA ALTAGRACIA
Higüey
Cabo
Engaño
SANTO
DOMINGO
San Pedro
de Macorís
LA ROMANA
La Romana
ristóbal
Parque Nacional
del Este
Cabo San Rafael
Isla
Saona
Florida
Islas
Bahamas
Cuba
México
Belice
Jamaica
Haití
Puerto Rico
República
Dominicana
Honduras
Nicaragua
Costa Rica
Panamá
Colombia
Venezuela

finalmente emergieron, desde Trinidad hasta las Bahamas, y que semeja en realidad un reguero verde, como si Dios hubiera sembrado de gemas el mar Caribe para que no se le olvidara el camino del paraíso terrenal. Porque realmente las condiciones de la República Dominicana están muy cercanas a las que cualquier europeo que sufre la contaminación y las nubes grises consideraría como las de un paraíso tropical. La situación de sus valles y montañas, que se alternan en armonía, así como la extensión de los primeros y la altura de las segundas hacen posible unas inmejorables condiciones hidrográficas, climatológicas y de fertilidad.

La **cordillera Central** es el eje orográfico de la isla alrededor del cual se articulan otras dos unidades orográficas de menor altitud y que, como la primera, se elevan en dirección longitudinal este-oeste, dividiendo el territorio en diversas regiones naturales. La Cordillera Central es el espinazo montañoso de esta isla, a la que no en vano los indígenas denominaban *Haití* o "Tierra Montañosa". Es, pues, un territorio con paisajes de altura, con cumbres abruptas y extensas planicies costeras. En la Cordillera Central, que tiene una longitud de 190 km (en Haití, donde penetra, se denomina Massif du Nord), se hallan los picos más altos de las Antillas. Tiene su origen geológico en el período cretaceo de la era secundaria.

Salto de Jarabacoa, en el valle de Cibao.

Hacia la mitad de su extensión la Cordillera Central se divide en dos ramales: uno que sigue la dirección primitiva hacia el noroeste y otro que toma la del suroeste. El enclave de esta división se caracteriza porque en él la cordillera alcanza su mayor amplitud y mus mayores alturas, considerándose esa parte como el macizo central de todo el sistema orográfico antillano. Las alturas principales de esta cordillera son: loma del Maco (2.287 m), monte Gallo (2.500 m), monte Tina o alto de la Bandera (2.893 m), Entre dos Ríos (2.440 m), pico del Yaque (3.045 m), La Pelona (3.068 m) y el pico Duarte, la montaña más alta de las Antillas, con 3.175 m.

Al norte de la Cordillera y entre ésta y la Septentrional se abre el hermoso **valle del Cibao,** que da nombre a la región del noroeste del país y cuya parte oriental recibió el nombre colombino de valle de la Vega Real. De este hermoso valle dijo el padre Las Casas que podría dar comida suficiente a Castilla y todos sus dominios, y fue el que arrancó a Colón la célebre exclamación: "¡He aquí la tierra más hermosa que ojos humanos hayan visto!". El valle del Cibao es el más extenso de la isla, con una superficie aproximada de 6.500 km^2 y una longitud de 230 km y se extiende entre las bahías de Monte Cristi y Manzanillo, en el norte, y la bahía de Samaná, en el extremo oriental.

Aunque el resto del país es muy feraz, destaca el mencionado valle del Cibao, donde se enclava el mayor número de pueblos y ciudades. Está cubierto por una capa de humus de hasta varios metros de espesor en algunos casos, en el que se desarrolló un espeso bosque húmedo que fue talado por el hombre para disponer de tierras de cultivo. Este suelo lleno de limos, propio de los aluviones de las montañas cercanas, hacen que más que fertilidad, lo que allí se produzca sea exuberancia, alimentada por multitud de ríos y arroyos. A todos estos factores se suma su situación, expuesta a las brisas marinas del este que mantienen una temperatura deliciosa en toda la extensión del valle. El límite septentrional del valle del Cibao es la **Cordillera Septentrional,** que recorre una longitud de 200 km desde la bahía de Monte Cristi hasta el Gran Estero, cerca de Samaná.

Sus picos más altos son Diego de Ocampo (1.249 m) y el Murazo (1.013 m).

Otro sistema orográfico es el de la **sierra de Neiba,** que discurre paralela al sur de la Cordillera Central, con picos como el de Neiba (2.262 m), el Monte Bonito (1.842 m) y la loma Jayaco (1.472 m). Es bastante árida, con formaciones de carácter xerófilo estepario, y en su vertiente septentrional hay frondosos bosques de pinos. Entre la sierra de Neiba y la Cordillera Central se halla el **valle de San Juan,** segundo en extensión de la isla tras el de Cibao, con 2000 km^2, y muy fértil también.

En la parte suroccidental se halla la **sierra de Bahoruco,** que alcanza alturas entre los 1.300 m y los 1.450 m, y que es célebre en la historia dominicana porque en ella se hizo fuerte durante mucho tiempo el cacique Enriquillo, el primer indio que se rebeló contra el poder español en América. En honor del caudillo indígena se bautizó una de las regiones naturales más peculiares de la isla: la **hoya de Enriquillo,** situada entre las sierras de Neiba y Bahoruco. En el centro de ella se encuentra el **lago Enriquillo,** de 265 km^2 de aguas saladas y 44 m por debajo del nivel marino. Muestra un paisaje cárstico, testimonio de una época en la que la zona estuvo sumergida bajo el mar.

En lo que respecta a los ríos, la Cordillera Central representa la fuente de los cuatro principales que existen en el país. En las vertientes septentrional y meridional nacen dos ríos: el **Yaque del Norte,** que desciende de la cordillera, atraviesa el valle del Cibao y después de un recorrido de 300 km y de recoger en su curso las aguas de numerosos afluentes, desagua en la bahía de Manzanillo. En dirección contraria nace el **Yaque del Sur,** de 183 km, que recorre el valle de San Juan y desemboca en el mar Caribe, en la bahía de Neiba. Existen otros ríos menos importantes, como el **Ozama,** de 148 km, a cuyas orillas se construyó la capital de la República.

En el mismo macizo central, pero en la vertiente nororiental de los montes Banilejos, nace el caudaloso **Yuna,** de 209 km, que se desliza hacia el este hasta desembocar cerca de la población de Sánchez, en Samaná. Una de las características de esta cuenca es la extraordinaria facilidad que tiene para desbordarse, dando a las tierras de su alrededor una fertilidad asombrosa. En la vertiente occidental del macizo central nace el **Artibonito,** que en dirección occidental cruza el territorio dominicano y se interna en Haití. Es, además de caudaloso como los anteriores, el de curso más largo, 320 km, de los cuales sólo 68 km discurren a través de la República Dominicana.

La Hoya Enriquillo, por su microclima árido, es una de las regiones naturales más peculiares de la isla.

Playas, costas e islas

La República Dominicana cuenta con 1.500 km de costas, que comprenden desde la bahía de Manzanillo, en el norte, lindando con Haití, hasta Pedernales, en el sur, también haciendo frontera con el país vecino, pasando por el cabo Engaño, en su extremo más oriental.

La parte meridional de la isla es, en general, la más escarpada, con montañas que descienden muy rápidamente hasta el litoral, mientras que en el norte, aunque las sierras están muy cerca de la costa, se hallan los anfiteatros de los llanos costeros. Estos llanos costeros septentrionales, como el de **Bajabonico,** donde se fundó La Isabela, el de **Puerto Plata,** el de **Yásica** o el de **Nagua Boba,** son consecuencia de elevaciones isostáticas de los fondos marinos y dieron lugar a la formación de suelos de aluvión o lacustre que alternaban con ciénagas en proceso de desecación. Estuvieron cubiertos de una espesa vegetación, que fue talada para aprovechar la madera y cultivar diversos productos agrícolas.

El norte, en general, abierto al Atlántico, está bajo el efecto de los alisios, y en muchos puntos es ideal para la práctica del *wind-surfing*. Tiene grandes playas y recoletas ensenadas, que se alternan con tramos de abrupta costa, como el cabo Francés Viejo. De todas maneras, si se desea acudir a las playas, las más famosas son las del este. Las comprendidas entre **Punta Cana** y **El Macao** (cerca de cabo Engaño, frente al canal de la Mona) son las mejores del país y están consideradas entre las más bellas del mundo.

Otro llano costero de gran extensión superficial –importante en el desarrollo económico– es la **llanura suroriental,** al sur de la Cordillera Central y que se extiende entre ésta y el mar. Su anchura supera los 100 km y su longitud los 250 km. Su vegetación es de sabana y de bosque seco xerófilo, con grandes pinares, algunos de los cuales han sido talados para cultivar caña de azúcar. Aquí se encuentran los **grandes complejos azucareros,** que comprenden desde el de La Romana al oeste al del río Haina al este.

En el sur, sobre todo a partir de Santo Domingo hacia el oeste, la costa es abrupta y no existen planicies costeras. La sierra de Bahoruco baja hasta el mar y deja poco espacio para las playas, pero es una zona de gran interés para los amantes de los paisajes abruptos y románticos.

Aunque la isla ofrece algunos accidentes geográficos tipificados claramente como penínsulas, las que están mejor delimitadas dentro de la República son las de **Manzanillo** y **Samaná.** La primera, en la costa noroccidental, está formada por un extenso brazo de tierra que separa las bahías de Manzanillo y Monte Cristi. La península de Samaná es mucho más extensa. Mide 52 km de largo y 16-20 km de ancho y está unida a la isla por un istmo arenoso que riegan varios caños naturales. El lugar, de gran belleza, con su afamada bahía, fue objeto durante el siglo XIX de la política anexionista de los Estados Unidos, pues la marina norteamericana le otorgó una importancia estratégica excepcional como posible base naval.

En cuanto a las islas, el país no tiene el impresionante cinturón de arrecifes de Cuba ni la importancia de las islas de Tortuga y Gonave del vecino Haití, pero por su valor ecológico, de flora y fauna, deben mencionarse el pequeño grupo de islas que se pueden denominar arrecifes costeros. En la costa meridional se encuentra la **isla Beata,** a 5 km del cabo Beata; mide 12 km de norte a

La llanura suroriental es donde se extienden las mayores plantaciones de caña de azúcar.

La sierra de Bahoruco baja hasta el mar, creando paisajes abruptos y románticos.

sur y 5 km de oeste a este. Visitada por Colón y con posterioridad refugio de piratas, actualmente sólo es frecuentada por pescadores.

De las tres islas restantes destaca, en primer lugar, la **isla Saona** por su superficie, 117 km^2. Mide 24 km de largo, 5 km de anchura media y dista 3 km de la costa. Está habitada por pescadores que se agrupan en el poblado de Mano Juan y en menor medida en las aldeas de Adamanay y Punta Gorda. Tiene un buen puerto y en ella abundan aves y animales, así como numerosas y molestas nubes de mosquitos. Las formaciones rocosas del arrecife tienen un gran interés científico para los naturalistas y biólogos, no en vano fue declarado Parque Natural. Cerca de la isla Saona se encuentran los pequeños arrecifes de la **Catalina** y la **Catalinita.** El primero, a 3 km de la costa, mide 10 km de largo y 5 km de ancho, con tierras fértiles, y el segundo sólo tiene una superficie de 1 km^2. Ambos están compuestos por rocas de origen calcáreo.

Una exuberante vegetación tapiza la República.

Flora

En cuanto a la flora, la República Dominicana es un país privilegiado, lo que se puede relacionar con la diversidad de los recursos naturales del terreno, el paisaje montañoso que cubre una buena parte de su superficie y la profundidad de sus valles, donde discurren numerosos ríos y hay varios lagos. Todo ello, junto con la bonanza del clima tropical, es la causa directa de la exuberancia de la flora, que en términos generales presenta mayor relación con el área orinocoamazónica que con la de Centroamérica. Se han catalogado al menos 5.600 especies de plantas, de las cuales el 36 por 100 son originarias del país. Muchas de sus montañas presentan una gran variedad de flora propia de los climas templados, mientras que en los lugares donde es escasa la presencia del agua abundan las plantas xerófilas. En las vertientes montañosas más húmedas se encuentran bosques mixtos de coníferas y árboles de hoja ancha con ejemplares de sotobosque tropical. Asimismo, dentro de esa variedad climática de diversos hábitats y espacios a los que hemos hecho referencia, en la República Dominicana se puede encontrar desde flora de clima desértico o subdesértico –en las vertientes montañosas de sotavento y en la región suroccidental–, hasta la exuberante vegetación de tipo tropical de las tierras bajas y los valles. Por desgracia, más de la mitad de la masa forestal que existía en la isla a la llegada de Colón ha desaparecido. Sin embargo, aún se encuentran amplias zonas forestales de pinos y árboles de hoja caduca. Aproximadamente un 12 por 100 de la superficie total del país está cubierta de bosque.

Dentro de las especies originarias del país, propias de las Antillas Mayores, se encuentran la **caoba,** el **cedro,** el **guayacán,** la **palmera real,** la **chirimoya,** la **yuca,** el **maní,** el **tabaco,** el **maíz,** la **batata,** la **guayaba,** así como existe una variada flora frutícola de carácter endémico.

La iguana es uno de los animales emblemáticos de la isla.

A partir de mediados del siglo XIX se talaron muchos ejemplares de árboles de maderas preciosas. La mayor parte de la cubierta vegetal de la isla subsistió hasta esa época, aunque se habían desforestado amplias áreas para dedicarlas al cultivo de la caña de azúcar. La presión sobre la madera –y no sólo sobre la preciosa– de los bosques se acentuó entre 1880 y 1930, como consecuencia del colapso económico de cultivos como la caña de azúcar que no pudieron sobreponerse a la abolición de la esclavitud y a la consecuente crisis de precios. Si a finales del siglo XVIII los bosques de caoba llegaban hasta la costa, hoy apenas pueden encontrarse ejemplares en el Jardín Botánico de Santo Domingo y en lo más profundo de los bosques del interior.

Los restantes tipos de flora existentes, no autóctonos, fueron introducidos por los primitivos pobladores, los taínos, que procedían de la cuenca orinoco-amazónica, como las **ceibas,** y por los españoles, que aportaron ejemplares de la flora del continente europeo. Así, también se han desarrollado el **aguacate,** el **níspero,** las **naranjas** y los **limones,** la **lima,** el **café,** el **mango,** el **arroz,** los **plátanos** y la **caña de azúcar,** traída por Colón en su segundo viaje.

No es de extrañar, pues, que el árbol más común hoy día en la República Dominicana sea el hermoso *Pinus Occidentalis,* al que siguen cedros, nogales, ciruelillos o capás, vegetación arbórea de hoja ancha.

Mención aparte merecen esas maravillas del reino vegetal llamadas **orquídeas.** Las orquídeas son flores caprichosas, exquisitas, de mil formas, variados colores y delicados aromas, que florecen en ambientes húmedos, cálidos y umbríos. En el país se han clasificado 67 géneros y 300 variedades de orquídeas, que engloban desde ejemplares milimétricos hasta gigantescos, con toda una gama de fragancias. Entre las de gran interés para los coleccionistas figuran: la *Oncidium Variegatum,* la "Angelito"; la *Oncidium Henekenií;* la *Polyradición Lindenií,* que tiene forma de sapo; la *Leochilus Labiatus,* la "Monjita", y la *Broughtonia Domingensí,* que florece por mayo y abunda en la costa. Los orquidófilos no deberían perderse ni el Jardín Botánico ni el Museo Histórico Natural en Santo Domingo. Además, existen muchos establecimientos dedicados al cultivo, la reproducción y la venta de orquídeas.

Fauna

Cuando los españoles exploraron y colonizaron las Antillas, el cuadrúpedo de mayor tamaño que encontraron fue el llamado "perro mudo", hoy extinto, como se extinguió también la foca tropical *(Monachustropicalis),* la única especie emparentada con las focas monjes del Mediterráneo y Hawai. Lo ocurrido con la foca tropical ilustra muy bien el proceso de deterioro de la fauna mamífera en las Antillas, proceso comenzado ya por los indios taínos que estaban al borde de la superpoblación y que habían extinguido a seis especies de perezosos, cinco de primates y varias de roedores gigantes. La foca del Caribe era muy abundante, pero fue exterminada por la acción de los europeos –sobre todo, de los piratas y bucaneros que infestaron la región en los siglos XVI y XVII–, que las perseguían por la grasa, la carne y la piel. Hans Sloane, que escribió en 1707 *Historia Natural de Jamaica y otras islas del Caribe,* afirmaba: "Algunas veces los pescadores capturan 100 focas en una sola noche. Las desgrasan y llevan su aceite a las islas como combustible para las lámparas". Las últimas focas supervivientes fueron avistadas en 1866 en unos pequeños cayos al noroeste del Yucatán.

Otras estrellas de la fauna dominicana que sí han perdurado –aunque estén al borde de la extinción en muchos casos– han sido la **jutía** *(Solenodon Paradoxus),* un mamífero insectívoro parecido al almiquí cubano; un ave, la **cigua palmera,** dos reptiles, el **cocodrilo americano** *(Cocodrylus Americanus Acatus)* y la **iguana de las rocas** (del género *Cyclura),* además del **manatí,** mamífero marino que los taínos cazaban con arpón y al que los marinos de la época, incluido Colón, confundían con sirenas: "En una bahía de la costa de *La Española* vi tres sirenas, pero no eran ni con mucho tan hermosas como las del antiguo Herodoto..."

También son de destacar algunas especies de aves tropicales como la **cotorra nativa** *(Amazona Ventralis),* a la que se conoce en la isla como *cotica.* Estas cotorras fueron los primeros ejemplares de pájaros con los que los taínos obsequiaron a los primeros españoles. Como habilidad especial las coticas reproducen con gran fidelidad el lenguaje humano e incluso remedan canciones populares. Otras aves características son el **flautero,** el **zumbador,** el **guaraguao** y el **barrancolí.** Solamente en el parque de Monte Cristi hay censadas 160 especies de aves. Entre esta gran variedad de aves tropicales de la isla abundan los patos y las aves migratorias que viajan desde el sur de Estados Unidos.

Contrariamente a lo que ocurre con la gran variedad de flora, la fauna antillana compren-de pocas especies, siendo rica sin embargo en individuos. En cuanto a su distribución, ofrece mucha más variedad en insectos, peces y quelonios. En resumen, numerosas especies inferiores, aves y pocos mamíferos: 6 géneros de tortugas, 11 de reptiles, 44 de aves y 9 de mamíferos. Éste el resultado de un proceso que comenzó hace 20.000 años, cuando existían 76 especies de mamíferos terrestres. De ellos, se han extinguido 67 especies.

En opinión de un experto como Raymond M. Gilmore, los ejemplares más importantes son ciertos tipos de murciélagos, algunos roedores arborícolas y terrestres, insectívoros, ciertos pájaros especializados, grandes lagartos terrestres, peces marinos locales y moluscos de tierra y agua. No son muy abun-

Una colonia de flamencos rosas habita en la reserva de lago Enriquillo.

dantes los animales salvajes, aunque hasta hace poco las cabras y los toros cimarrones, introducidos por los primeros colonizadores, ocuparon las praderas y las zonas áridas.

Los **reptiles** (serpientes, caimanes, iguanas, lagartos, salamandras) son abundantes en los arrecifes y los litorales de los ríos Yaque del Norte y del Sur y en el lago Enriquillo. Al ser la mayoría especies en vías de extinción, están protegidas, aunque bien es cierto que ésta es mucho más nominal que efectiva.

La **ballena jorobada** no es una especie propia de la República Dominicana, pero sí es cierto que, procedente del Ártico, procrea frente a sus costas. En el banco de la Plata se la puede ver entre diciembre y marzo, constituyendo todo un espectáculo que no se pierden muchos turistas.

Parques naturales y nacionales

Dos de los más importantes espacios naturales, el de **Los Haitises,** de 206 km^2, situado al sur de la bahía de Samaná, y el de la **Isla Cabritos,** de 24 km^2, en el lago Enriquillo, ya han sido descritos, pero la República Dominicana tiene otros parques igualmente interesantes.

Manglares en el Parque Nacional los Haitises, uno de los espacios más interesantes para visitar en la República.

Para empezar, podríamos hablar del primero, que fue fundado en 1956: el **Armando Bermúdez,** de 780 km^2. Junto con el de **José del Carmen Ramírez,** de 770 km^2, que se encuentra junto a aquél, engloban una serie de bosques, valles y montes de la Cordillera Central, entre los que está incluido el pico Duarte, de 3.175 m, el más alto del Caribe. Se puede visitar tras obtener un per miso en la Dirección Nacional de Parques (Zona Colonial, apartado postal 2.487, telfs. 685 13 16 y 682 76 28. Santo Domingo) o en el pueblo de La Ciénaga, paso obligado para visitar los parques. No se debe olvidar la ropa de abrigo, ya que las temperaturas son muy bajas, sobre todo de noche. También es imprescindible contratar un guía y proveerse de pertrechos y alimentos, así como avisar al ejército al paso por Jarabacoa.

El **parque del Este** fue fundado en 1975, un año después de la creación de la Dirección Nacional de Parques, que impulsó la formación y protección de diversos espacios naturales, jardines botánicos y reservas científicas y que entre sus cometidos tiene también el cuidado y el desarrollo de las áreas recreativas, históricas, indígenas y naturales. El parque del Este, en el sureste de la República Dominicana (cerca de La Romana y Bayahibe) tiene una extensión de 430 km^2, incluyendo **isla Saona** [→pág. 67].

Lo más destacado del parque es la gran cantidad de animales que se encuentra por cielo, tierra y mar. Lo peor es que junto con estos animales hay también mosquitos, que en verdaderas nubes impiden que se acerquen a la zona demasiados turistas. En cualquier caso, es un paraíso para los amantes de las aves, ya que está registrado más de un centenar de especies. También están presentes todos los mamíferos de la isla y hay una abundante pesca y vida marina en los alrededores de isla Saona (que tiene una pequeña, pero significativa, población de pescadores de más de un millar de personas).

Por ultimo, el **parque de Monte Cristi,** tal y como se explica en *El medio natural,* es un paraíso para las aves. Declarado en los últimos años Parque Nacional, sus paisajes son los típicos del bosque subtropical, más bien secos. Se encuentra situado en la provincia de Monte Cristi, junto a la ciudad de su mismo nombre.

Monte Cristi, declarado en los últimos años Parque Nacional, comprende una rica avifauna.

Es, sin duda, uno de los acontecimientos más importantes de la humanidad: en la madrugada del 12 de octubre de 1492, las carabelas *La Pinta, La Niña* y la nao *Santa María* –como se había bautizado a la *Marigalante* o *La Gallega*– avistaron tierra, después de una travesía que había comenzado el 3 de agosto de 1492, tres meses después de que cayera Granada. Posteriormente, Colón recorrería las islas antillanas, llegando a la actual Santo Domingo, donde desembarcó (en el puerto de San Nicolás) el día 5 de diciembre.

La isla, que era conocida como *Haití* ("Tierra montañosa") o *Quisqueya* ("Madre de la tierra") por los taínos, fue bautizada como *La Española* por el almirante, que tomó posesión de ella en nombre de los Reyes Católicos el 12 de diciembre.

"La más hermosa tierra"

En el mismo lugar donde Colón y sus hombres vieron "las más hermosas y mejores tierras del mundo", el Almirante sufriría el embarrancamiento de la *Santa María,* no teniendo más remedio que fundar un fuerte, llamado *Navidad,* y dejar a 39 hombres al mando de Diego de Arana, alguacil de la armada y pariente de su amante Beatriz Enríquez. Muchos de los hombres, ante ese paraíso de clima y mujeres, tras las penalidades sufridas en la travesía, le pedirían quedarse. El Almirante les recomiendó que se cuidasen de "hacer injurias o violencia a las mujeres, por donde causasen materia de escándalo y mal ejemplo para los indios e infamia para los cristianos". El abuso por parte de los españoles de las indias de los poblados vecinos, así como sus exigencias de comida, provocaron una rebelión entre los indígenas, que acabaría con la vida de todos los españoles que permanecían en el lugar. Colón descubriría el desastre en el segundo viaje, tras llegar con 17 navíos y más de 2.500 hombres, por lo que decidió cambiar el emplazamiento del fuerte para fundar más al este (cerca de la actual Monte Cristi) la ciudad de *La Isabela* el 27 de noviembre de 1493.

A pesar de que los indios eran pacíficos, ya en el primer viaje hubo algunos enfrentamientos que degenerarían en guerra y exterminio años después. En Samaná se produjo la primera escaramuza entre Colón y los indios. Fue el 13 de enero de 1493, cuando algunos marineros españoles trataron de obtener mediante trueque arcos y flechas de un grupo de indios ciguayos que se habían acercado con evidente curiosidad. Estos últimos rehusaron cambiar más de dos arcos y trataron de hacer prisioneros a los españoles, quienes se defendieron propinando una cuchillada a un nativo y disparando un dardo de ballesta a otro, tras lo cual los indios emprendieron la huida. Recogen las crónicas que los indios eran al menos 55, frente a 7 españoles, y que Colón, cuando supo del altercado, bautizó el lugar como el "golfo de las Flechas".

Ruinas de La Isabela, primer asentamiento de los españoles, hoy declarado Parque Nacional Histórico.

Taínos: los indios buenos

A la llegada de los españoles a *La Española,* la isla estaba poblada por aborígenes procedentes de las cuencas de tres grandes e importantes ríos sudamericanos: el Orinoco, el Tapajós y el Xingú –los dos últimos, importantes afluentes del Amazonas–. Eran excelentes navegantes que poblaron Las Antillas, quizá en busca de alimento, en cuatro oleadas migratorias. Eran de color cobrizo, altos, de ojos negros y pelo lacio y en la actualidad no queda ningún descendiente suyo. Su estado de desarrollo cultural se encontraba en el llamado "Neolítico americano", que se caracteriza por el uso de la piedra tallada, la agricultura y la pesca en régimen de comunidad colectiva. Tenían una organización social basada en tribus y dividida en cinco cacicazgos.

Cuando llegó Colón, había cinco caciques principales: **Guacanagarix,** en Marién, cacique de carácter pusilánime y temeroso, que prestó grandes servicios a los españoles; **Guarionex,** cacique de Maguá, que fue hecho prisionero por los conquistadores, devuelto a su tribu y apresado de nuevo por Ovando, que lo envió a España, en cuya travesía la flota en la que viajaba fue destruida por un huracán en 1502; Cayacoa, que fue el primer cacique de Higüey, y después el valeroso **Tucobanamá,** que tomó el nombre del capitán

Las caritas, figuras de simbolismo mágico religioso, talladas por los indios taínos.

español Juan Esquivel, de quien fue amigo en un primer momento, para después luchar contra los españoles, que lo hicieron prisionero finalmente en la isla de Saona ahorcándolo en la plaza de Santo Domingo; **Caonabo,** cacique de Maguana, que fue embarcado hacia España y murió durante la travesía, y **Bohchío,** cacique de Jaragua, hombre prudente del que se cuenta que murió de tristeza y cuya hermana fue la bella y célebre Anacaona. De esos cacicazgos dependían las provincias o **nitainatos,** gobernados por *nitaínos,* caciques menores.

La mayoría de la población gozaba de gran libertad, una vida pacífica y de moderada opulencia. No pagaba tributos a los caciques, pues estaban los llamados **naborías** o siervos, que mantenían con su trabajo a la sociedad. Por lo general –excepto en el caso de los caciques–, los taínos eran monógamos, y la sociedad patriarcal, aunque se gozaba de una gran libertad sexual.

La estructura social estaba basada en la solidaridad, y apenas existían luchas entre las diversas tribus, uniéndose todas contra el común enemigo caribe. De esta manera fueron frenadas las incursiones caribes a la isla, sobre todo en el norte y el este. En dichas áreas, algunos individuos de esa feroz etnia se fueron mezclando con los taínos, llegando a abandonar sus costumbres antropófagas e incluso su lengua. Fruto de esta fusión fueron los **ciguayos,** los primeros indígenas con los que Colón mantuvo enfrentamientos en Samaná.

El término *taíno* no define en realidad una raza indígena, sino una sociedad, una cultura, una evolución. Emiliano Tejera traduce taíno como "hombre de bien", e incluye una cita en su obra sobre las palabras indígenas de la isla de Santo Domingo en la que se refiere a que algunos indios gritaron a los españoles "que eran taynos, es decir, nobles y buenos, no caníbales".

Descendientes del tronco aravaco, los taínos practicaban una religión animista y habían llegado a un alto grado de desarrollo de la artesanía. Construían canoas ahuecando y quemando el tronco cortado de algunos árboles –tal y como hoy día se hace en el Orinoco y el Amazonas–, con las cuales salían a pescar, llegando a Cuba y a las islas vecinas. Tejían hamacas de algodón, tallaban la madera y esculpían la piedra. En cuanto a la cerámica, moldeaban vasijas y platillos de barro, grababan también dibujos en el granito, así como fabricaban amuletos con conchas, piedras, barro y huesos. Su artesanía tenía motivos religiosos y espirituales, en relación con su representación del mundo y sus rituales de tipo animista.

Estos indígenas no tenían, a diferencia de los grandes imperios de los aztecas en Centroamérica y de los incas en los Andes, grandes y ordenadas explotaciones agrícolas, pero en su suelo cultivaban con éxito algodón, tabaco, batata y yuca (con el que hacían el pan de casabe). La agricultura se basaba en la explotación del **conuco,** parcelas de tierra distribuidas regularmente, en las cuales se cultivaban los distintos frutos. Su dieta alimentaria la completaban con la caza (con arco

"Homenaje a los Héroes", mural de Zanetti en Santiago.

y flechas cazaban la jutía) y la pesca (con redes y arpón). Para adornarse utilizaban el oro que extraían del fondo de los arroyos. Eran comerciantes, sabían contar hasta diez y su calendario era lunar. Uno de sus juegos favoritos era el de la pelota o **batei,** hecha de raíces machacadas con la goma del *copey,* que le daba elasticidad. También conocían la poesía y el baile, los llamados **areitos,** en donde había un danzante que marcaba el ritmo y al cual seguían hombres y mujeres, solos o en grupo, normalmente enlazados por los brazos. El grupo repetía como un coro las historias que recitaba el danzante, yendo al compás e imitando los movimientos con los que las subrayaba.

Para los taínos, las aguas y los bosques tenían un sentido mágico-religioso. Siempre situaban sus poblados cerca de las fuentes de agua, ya fuera en las costas o en los fértiles valles. Alrededor de sus **bohíos** (viviendas hechas con *yagua,* madera de palma, y cubiertas con *guano* u hojas) dejaron huellas de su panteísmo mágico, esculpiendo y pintando símbolos y signos, no sólo en las rocas de las quebradas y en las lajas pétreas con que circundaban ceremonialmente sus poblados, sino incluso en el tronco de los árboles. Ambos, peñas y árboles, eran sagrados, porque en ellos moraban algunos espíritus. Creían, sin embargo, en un ser supremo, *Yocajú,* el dios protector, y en una diosa femenina, la Tierra, a la que denominaban al menos con cinco nombres.

Los taínos, primeros habitantes de la isla, eran diestros artesanos.

Yocajú y la diosa Tierra concibieron otros dioses menores que representaban a las diversas potencias de la Naturaleza. Todo tenía su dios, a excepción del Universo, que, según los taínos, había existido siempre.

Todos los dioses y seres sobrenaturales, así como sus antecesores, los caciques divinizados después de muertos, y los ídolos que los representaban, eran denominados **cemíes.** Por ejemplo, guardaban los huesos de estos caciques divinos en recipientes de madera, y los brujos se servían de ellos para consultar sobre asuntos de guerra y predecir el futuro. En cada **yucayeque** o poblado los cemíes más importantes se guardaban en la casa del cacique. Éste último era el encargado de dirigir las ceremonias religiosas, a las que asistían sus consejeros en asuntos como la guerra.

En este tipo de ceremonias se usaba la **cohoba,** un polvo alucinógeno que les permitía entrar en contacto con los dioses. La llamaba cohoba es en realidad lo mismo que el *yopo* o *epena* utilizado por los indígenas del alto Orinoco, un polvo entre verde y marrón hecho a base de las raíces y corteza de la *Piptadenia Peregrina,* un árbol que aún existe en la República Dominicana, llamado Tamarindo de Teta o Candelón de Teta, cuyas semillas debieron llegar con los primeros indios que arribaron a la isla. Varios días de ayuno ayudaban a que se potenciaran los efectos de la droga ritual, que en forma de polvo se disponía encima de las figuras de madera, talladas con un plato en la cabeza. Desde esos platos, la inhalaban por la nariz. No todos tomaban la cohoba, puesto que en principio era algo reservado a los principales, los caciques y los consejeros, que de la mano del **behique,** una especie de sacerdote, médico y augur, alcanzaban la comunicación con los dioses.

El *behique* era el encargado de atender a los enfermos. Exorcizaba a los espíritus malignos y, si el paciente moría, recibía una paliza a manos de la familia del muerto, a pesar de ser un personaje influyente.

El período colonial

El primer período de colonización estuvo caracterizado por la guerra, las *razzias* de los españoles contra los indios –los taínos fueron sometidos casi totalmente tras la batalla de la Vega Real, el 25 de marzo de 1495– y la turbulencia en las relaciones entre los colonos y la administración de los Colón. El Almirante y sus hermanos, Bartolomé y Diego, quisieron implantar un **sistema de explotación** parecido al de las factorías portuguesas de la costa de África, en el que los indígenas eran reducidos a la esclavitud. Por otra parte, los primeros colonos de *La Isabela* no hallaban el paraíso prometido por los Colón y, por el contrario, se encontraban con unas condiciones de vida muy duras, escasez de alimentos y medicinas, hechos que causaron numerosas bajas en una población compuesta en su mayor parte por campesinos inadaptados al lugar. Este descenso de la población, sumado a la pérdida de los animales de carga y a la desconfianza de los indios, que ya se oponían al avance de los españoles, motivó que Colón decretara la igualdad de todos en cuanto al trabajo. Los hidalgos se enfurecieron, pues además de ver que sólo los Colón se enriquecían con las minas, les parecía indigno que tuvieran que trabajar con sus manos junto a los restantes colonos en las obras comunes de *La Isabela.* A las sucesivas conspiraciones, castigadas con el ahorcamiento de un cabecilla, siguió la deserción de gran parte de estos hidalgos.

Los años siguientes estuvieron marcados por el avance español en la región del **Cibao** y la penetración en toda la isla, donde además de levantar varios fuertes, fundaron la ciudad de **Santiago de los Caballeros.** Colón regresó a España dejando a Bartolomé al mando. Los colonos, que querían tener una serie de privilegios reservados a los Colón, como el reparto de tierras e indios, se alzaron en una revuelta encabezada por **Francisco Roldán,** antiguo criado del Almirante. Colón no tuvo más remedio que ceder e implantar el sistema de **encomiendas** a su regreso, el 30 de agosto de 1498, aunque fuera contra sus intereses. **Francisco de Bobadilla** –que mandó a Colón a España cargado de cadenas– sustituyó al Almirante, pero su política resultó igualmente nefasta, produciéndose desórdenes de todo género entre los colonos y las primeras mortandades entre los indígenas, a los que obligaba a trabajar en las minas. Posteriormente, los reyes confiaron el gobierno de la isla a **Nicolás de Ovando.** Ovando fue el verdadero artífice de **Santo Domingo,** ciudad que había fundado Bartolomé Colón en 1496. Ovando fue el que diseñó la primera ciudad de piedra del Nuevo Mundo. Hombre severo y enérgico, acabó con los problemas internos, comenzó a desarrollar la agricultura, a construir los primeros edificios de piedra y sometió a las tribus indígenas que aún quedaban libres. Cuando en 1502 Colón llegó a la isla, Ovando no le permitió el desembarco, a pesar de que iba a producirse un huracán. La tradición afirma que, tras morir en el olvido y la miseria en España, los restos del descubridor fueron enviados a *La Española,* donde descansan en la Catedral de Santo Domingo. Ese honor se lo disputan también ciudades como Sevilla y, seguramente, será un misterio que nunca se resolverá.

El hijo y heredero de Cristóbal Colón, **Diego Colón,** fue nombrado virrey de las Indias en 1509. Bajo su mandato se produjo en 1524 el traslado de la capital de *La Isabela* a Santo Domingo. Vivió rodeado de una pequeña corte, reproduciendo en parte los odios y las desavenencias que habían acabado con el gobierno de su padre y su tío.

Los privilegios políticos y económicos concedidos a Colón con carácter hereditario en las capitulaciones de Santa Fe fueron finalmente derogados. De todas maneras, el sistema económico que los Colón habían querido imponer estaba ya obsoleto, al agotarse los lechos auríferos de los ríos donde se había extraido el oro. Mientras tanto, la situación para los indígenas en la isla había sido desastrosa: el sistema empleado por los españoles en esta primera etapa de la colonización estaba basado en el empleo de mano de obra indígena para el trabajo de las minas y las plantaciones mediante el sistema de la enco-

Jardines del alcázar, residencia del virrey de las Indias Diego Colón.

mienda. Consistía éste en que los indios debían trabajar para los colonos a cambio de su evangelización y educación en las costumbres españolas. Para los indios, diezmados por la guerra, los trabajos, un pobre régimen alimentario y, en especial, por la incidencia de las enfermedades contagiosas para las que no estaban inmunizados, muy pronto su situación fue patética.

Numerosos recuerdos de la época colonial salpican las ciudades dominicanas.

Aunque la primera caña de azúcar parece que fue traída en el segundo de los viajes de Colón, realizado en 1493, no es hasta 1506 cuando empieza a introducirse en el país –proveniente de las islas Canarias–, dando lugar a grandes plantaciones que cada vez necesitarían mayor mano de obra, necesidad que fue suplida con la importación de esclavos negros capturados en África.

Hasta que fue finalmente destituido, Diego Colón, que tuvo dos períodos de gobierno con cinco años de ausencia en España –entre 1515 y 1520– para reclamar sus derechos, propició la conquista y colonización de **Cuba,** emprendida en 1511 por Diego Velázquez, así como la de **Jamaica,** y asistió a los primeros levantamientos de negros y a los últimos de los indios, que se sublevaron en 1521 capitaneados por **Enriquillo.** La rebelión del cacique Enriquillo fue un último gesto de dignidad, como un canto de cisne de una raza condenada al exterminio. Firmada la **paz de Bahoruco** con los españoles en 1533, los indígenas recuperaron su libertad, pero eran ya tan sólo varios miles, que fueron a establecerse en Boyá, gracias a la mediación de fray Bartolomé de las Casas.

Abolido el sistema de encomiendas, se pusieron medios para la manumisión de los esclavos negros y se impidió sacar gente aclimatada de la isla hacia tierra firme, medidas que fueron bastante impopulares y que se cumplieron sólo en parte, a pesar del celo de Bartolomé de las Casas, que ya había comenzado su lucha indigenista.

El declive español

La época dorada de la colonia empezó a declinar a finales del siglo XVI, cuando ya se hacía evidente que los españoles utilizaban la isla como paso previo al desembarco en el continente. Además de las citadas expediciones a Cuba y Jamaica, desde *La Española* se organizaron la expedición de **Alonso de Ojeda,** la de **Francisco de Montejo** al Yucatán, la de **Ponce de León** a Puerto Rico y luego a la Florida. En la isla ya se habían acabado los metales preciosos, y la conquista de México y Perú, con su rico botín de oro, aún conseguía movilizar a muchos de aquellos hidalgos pobres y arruinados que soñaban con encontrar fortuna. De nada serviría que la Corona hubiera reconocido la primacía de la isla sobre las demás, fundando en ella la primera Audiencia con soberanía sobre todo el Caribe y la costa septentrional de Venezuela. Aunque este hecho evitó que la isla fuera abandonada, como pasó con Jamaica y, en parte, con Puerto Rico, el proceso no se podría ya detener y se aceleraría con el ataque de los piratas que comenzaban a desgastar al Imperio español.

El punto de inflexión lo constituye el ataque de **Francis Drake,** cuando en 1586 tomó durante un mes la ciudad, la saqueó y destruyó a conciencia e impuso un fuerte rescate para su devolución. Francis Drake no fue el único: los piratas tenían tanta movilidad por el norte de la isla que en 1608 el gobierno destruyó varias poblaciones, entre las que estaban Monte Cristi y Puerto Plata, para detener el contrabando y las incursiones.

Aunque herida, España aún podía conservar parte de su Imperio, gracias al esfuerzo de los propios criollos más que al apoyo de la Península. Durante la guerra de Inglaterra contra España en 1656, Cromwell envió al almirante **Penn,** con 9.000 hombres a las órdenes del general **Venables,** para tomar Santo Domingo. Venables sufrió dos fracasos consecutivos en su intento de desembarcar y ocupar la isla y fue derrotado por las escasas fuerzas del gobernador **Sotomayor,** que hizo reembarcar a los ingleses tan sólo 20 días después de su invasión. Otro gobernador, **Pedro de Carvajal,** con 500 hombres, limpió la isla de franceses en 1663, arrojándolos de la parte occidental y de Samaná. Sin embargo, la falta de colonos y de una población que se asentara definitivamente sobre los puntos estratégicos de la isla hizo que, poco a poco, filibusteros franceses e ingleses volvieran a ocupar las partes no vigiladas ni pobladas del territorio, sobre todo en las ensenadas costeras del norte y el oeste. Estos piratas, tras ocupar la **isla de la Tortuga,** refugio por excelencia de corsarios, ocuparon paulatinamente la parte occidental de la isla, dedicándose primero a robar y luego a criar ganado cimarrón. Entre sus costumbres figuraba la de ahumar la carne y secar la piel. *Bucán* era el nombre del armazón de maderas sobre el cual los taínos ahumaban la carne para conservarla durante largos períodos. De ahí vino la palabra **bucanero,** que designó en principio a estos hombres, que se dedicaban al comercio de esta carne con contrabandistas y corsarios.

Esta presencia bucanera se vio incrementada a partir de 1640, cuando comenzaron a atacar las posesiones españolas con el respaldo francés e inglés. En 1691 Francia invadió la isla y luchó contra España hasta que la **paz de Ryswick** de 1697 acabó con las continuas represalias de uno y otro bando. El tratado asignó el occidente de Santo Domingo a los franceses, pero no acabó con los conflictos, ya que no se establecieron las fronteras, fuente de continuos enfrentamientos. En 1706 el gobernador francés de Haití quiso dar un golpe de mano y tomar la parte española de la isla. Con el pretexto de arreglar problemas fronterizos, envió barcos y hombres a Santo Domingo, aparentemente como negociantes. Sin embargo, un levantamiento popular obligó a la inmediata salida de los buques.

Cansados de la acción de los piratas, los propios dominicanos se armaron como corsarios y se dedicaron a hacer lo mismo que sus vecinos. Se inició un breve período de prosperidad cuando se abrieron los **puertos de Santo Domingo y Monte Cristi** al comercio con otras naciones, al tiempo que se suprimía la Casa de Contratación de Sevilla (12 de octubre de 1778). Se reedificó **Puerto Plata,** abandonada y destruida por las autoridades en la lucha contra el contrabando, y se fundó **Samaná.**

La historia de la isla cerraba la época de los **Capitanes generales,** que se prolongó 257 años prácticamente desde la época de Diego Colón hasta el **tratado de Basilea** (22 de julio de 1785), por el que se entregó la isla a los franceses, que tomaron posesión efectiva de ella en 1795. Sin embargo, esta soberanía francesa sobre la isla ya había nacido hipotecada, pues en 1789 una sublevación de los esclavos en la parte oriental había dado al traste con la colonia de Haití.

Desde fines del siglo XVI, piratas y corsarios intensificaron sus ataques a las fortalezas españolas.

Así pues, Francia sólo era dueña nominal y con su consentimiento, el 27 de enero de 1801, el general haitiano **Toussaint Louverture** tomó posesión de una isla reunificada.

Franceses y españoles se apresuraron a resistir en la parte española, mientras se esperaba ayuda de la metrópoli gala y se producía un gran éxodo de población hacia Cuba y Puerto Rico. En enero de 1802 arribaron a Samaná tres escuadras francesas con 16.000 hombres a las órdenes del general **Leclerc,** que reconquistaron fácilmente el territorio dominicano ayudados por los españoles. En Haití no tuvieron tanta suerte y la expedición fue un fracaso. El general Leclerc encontró la muerte y perecieron cerca de 25.000 franceses, debido a las enfermedades y el desconocimiento del terreno. Toussaint, que se llamaba a sí mismo el "Napoleón Negro", proclamó la independencia, pero fue traicionado y murió encarcelado en Francia. Su sucesor fue **Dessalines,** que asumió el mando el 1 de enero de 1804 y, tras proclamar de nuevo la independencia de la isla, invadió la parte española al frente de 25.000 soldados. Una vez más, franceses y españoles, con el gobernador francés a la cabeza, se refugiaron en Santo Domingo, donde esperaron la llegada de refuerzos. La retirada de Dessalines finalizó con crueles matanzas, y tras ella los españoles, que desconfiaban de los franceses, se sublevaron para reincorporarse a la soberanía española.

La República Dominicana fue proclamada en 1844.

Juan Sánchez, con el apoyo del Capitán General de Puerto Rico, inició el movimiento en **Azúa,** con un desembarco de pocos efectivos. En Palo Hincado, en Seibo, derrotaron a los franceses, mandados por el general **Ferrand,** que se suicidó. Sánchez ocupó el territorio y puso sitio a Santo Domingo. Tras la llegada de refuerzos ingleses –España e Inglaterra luchaban contra Napoleón–, el general **Dubarquier** capituló el 9 de julio de 1809. Santo Domingo volvía a formar parte de España.

España pudo haber aprovechado la ocasión, pero como en otros lugares, retornó a un régimen anterior que no contemplaba la libertad de comercio. Este período, que coincide con el de Fernando VII, es conocido como el de la **"España boba"** y se caracterizó por el abandonó a su suerte de la tierra que por sus propios medios había vuelto al seno de la metrópolis. Fue cuando los dominicanos se plantearon la independencia de España.

Las tres independencias

El 30 de noviembre de 1821 es la fecha de la primera independencia dominicana. La primera porque hubo otras. Hasta tres, con un retorno entretanto a la metrópolis, que España no supo aprovechar. La primera de estas declaraciones de independencia fue incruenta.

El citado 30 de noviembre de 1821, **José Núñez de Cáceres,** antiguo rector de la Universidad, se puso a la cabeza de los dominicanos y proclamó la independencia de una nueva nación que se estrenó en la historia con el nombre de **Estado Independiente de Haití Español.** En la misma acta en la que se constituía el nuevo Estado se estipulaba que entraría a formar parte de la Gran Colombia fundada por Simón Bolívar en 1819.

Esa independencia fue efímera. Sólo duró nueve semanas. En febrero de 1822, el presidente de Haití **Juan Pedro Boyer** invadió el territorio dominicano y lo anexionó a este país sin apenas resistencia. El primer acto de los haitianos fue decretar la libertad de los esclavos, imponiéndoles la orden de abandonar sus casas y a sus amos. Ninguna nación reconoció a la República Haitiana, excepto Francia, que exigió a Boyer 150 millones de francos como indemnización de guerra (hasta 1829 Francia llegó a cobrar unos 60 millones). Boyer obligó a la parte española a contribuir a este pago durante los 22 años de ocupación, lo que motivó que se incrementara aún más la agitación y las socieda-

Altar de la Patria, monumento a los héroes de la Indepencia en Santo Domingo.

des secretas que los patriotas dominicanos habían formado desde el inicio del período. El ambiente estaba en plena ebullición también en Haití y en ese caldo de cultivo florecieron sociedades secretas como la **Trinitaria,** fundada por Juan Pablo Duarte, uno de los héroes de la futura independencia.

Una sublevación en Haití acabó en 1843 con el régimen de Boyer, que huyó a Jamaica. Aunque el sucesor de Boyer, **Charles Herard,** quiso asumir el mando de la parte española, **Juan Pablo Duarte,** junto a **Ramón Mella, Francisco del Rosario Sánchez** y otros, proclamaron la segunda independencia, estableciéndose la **República Dominicana.**

El primer presidente fue el general **Pedro Santana,** que dio un golpe de Estado y se hizo con el poder, mientras que en El Cibao los liberales elegían a Duarte. Santana se impuso, hizo sancionar la nueva Constitución el 6 de noviembre de 1844 y fue nombrado primer Presidente Constitucional del país.

Fueron años de agitaciones políticas, luchas internas y temores de una nueva invasión haitiana. Santana, tras un primer período que se prolongó hasta 1848, dio paso a otros presidentes, a cada cual más tirano. Más tarde compartiría el poder con su colaborador **Buenaventura Báez** hasta 1856, año en el que ya eran encarnizados enemigos.

En 1861, Santana, que había vuelto a la presidencia, ante los continuos intentos haitianos de anexionar la parte española de la isla, volvió los ojos hacia la metrópolis, esperando que España concediera a la nueva colonia la libertad de comercio necesaria para su desarrollo y una cierta autonomía política. No fue así y aunque Santana logró la anexión y fue nombrado Capitán General y Gobernador, la rebelión estalló en 1863 en Capotillo. **Gregorio Luperón, Polanco** y **Pimentel,** junto con las guerrillas de Mella, lograron que después de dos años de lucha los españoles se retiraran de la isla y se restableciera la independencia el 11 de julio de 1865.

Con la restauración de la República, el país cayó, como otros en la época, bajo el signo del **caudillismo** protagonizado por el partido conservador o rojo, capitaneado por Báez, y el azul o liberal, al mando de Luperón. Se impuso Baéz en un período dictatorial que se prolongó de 1868 a 1874. En 1869 Baéz intentó la anexión a los Estados Unidos, pero el tratado, ratificado por el senado dominicano, fue rechazado por el norteamericano, que se hizo eco de las denuncias internacionales de Luperón y Pimentel, ambos liberales, que llevaban a cabo una guerra de guerrillas contra Baéz.

La situación económica a finales de siglo era catastrófica, principalmente a consecuencia de un préstamo solicitado por Baéz al Banco de Londres. En esta época comenzó el endeudamiento con el exterior y la empresa estadounidense *Santo Domingo Improvement Corporation* se hizo con el control económico y, en gran parte, también con el político.

De los 36 presidentes que se alternaron en el poder desde la independencia de España hasta 1916, el más corrupto y nefasto fue **Ulises Heureaux,** antiguo lugarteniente de Luperón.

Tras su paso por la presidencia, dejó al país endeudado debido a los empréstitos firmados en Londres y Nueva York, que pusieron en manos de los acreedores los ingresos de las aduanas, el único recurso financiero del Estado.

La ocupación norteamericana

En 1904, el presidente **Morales Languaso** propuso a Estados Unidos que asumiera el protectorado sobre su país y el control de los ingresos fiscales de las aduanas, hecho que se produjo en 1907. El desembarco de marines estadounidenses no ocurrió hasta 1916, y la dominación militar como protectorado se prolongó durante ocho años: de 1916 a 1924. En esta última fecha se celebraron elecciones y **Horacio Vázquez** fue elegido presidente, a pesar de lo cual los estadounidenses –cuyos últimos marines se habían ido en 1930– siguieron ejerciendo el control de las aduanas hasta 1941.

En 1930 fue elegido presidente el jefe de la Guardia Nacional que habían organizado los norteamericanos **Rafael Leónidas Trujillo,** que se autodenominó "El benefactor" y

Cronología

1492 Durante su primer viaje, Colón descubre la isla *Española,* primer enclave colonial en el Nuevo Mundo.

1506 Comienza el cultivo de la caña de azúcar en la zona de Concepción de la Vega.

1510 Llegada de los primeros esclavos negros.

1521 Primer cargamento de azúcar de exportación.

1586 Francis Drake saquea la ciudad de Santo Domingo.

1629 Bucaneros y filibusteros ingleses y franceses ocupan la isla de Tortuga.

1697 En la Paz de Ryswick se reconoce la soberanía francesa sobre la mitad occidental de *La Española*.

1777 El Tratado de Aranjuez fija los límites entre las partes española y francesa de la isla.

1791 Sublevación de los esclavos negros de Haití.

1795 En el Tratado de Basilea, España cede su mitad oriental a Francia.

1801 El General haitiano Toussaint Louverture ocupa la mitad de la isla de origen español.

1804 Tras destruir al ejército de Lecrerc se proclama la independencia haitiana en Gonaïves.

1805 Dessalines invade la mitad oriental de la isla. Asesinatos en masa en Moca y Santiago. Son rechazados en el sitio de Santo Domingo.

1809 España recupera su soberanía sobre la parte oriental.

1821 Sublevación dominicana encabezada por Núñez de Cáceres, quien proclama la independencia, para ponerse de inmediato bajo el protectorado de la Gran Colombia, lo cual resulta absolutamente ineficaz.

1822 El Presidente Boyer, haitiano, invade la actual República Dominicana. La unión entre ambos estados es proclamada y perdurará hasta 1844.

1844 Revuelta antihaitiana en Santo Domingo. Se proclama la Independencia de la República Dominicana.

estableció un régimen de despotismo durante varias décadas, en las que acumuló una gran fortuna personal. Acabó con la deuda externa, pero también con numerosos opositores, y en 1937, en una masacre sin precedentes, con unos 20.000 haitianos ilegales. Fue "reelegido" en 1934, 1942 y 1947. Le sucedió en la presidencia su hermano **Héctor Bienvenido Trujillo** en 1952 y 1957, más como cambio nominal que otra cosa. En 1961 un atentado acabó con la vida de Rafael Trujillo, lo que marcó un nuevo rumbo en la historia dominicana.

Después de que **Joaquín Balaguer** asumiera la presidencia, el hijo de Trujillo, **Rafael Leónidas Trujillo Martínez** se hizo con el mando del ejército y capturó a los militares que habían realizado el atentado contra su padre. Intentó un golpe de Estado, que resultó frustado y le obligó a abandonar la isla, con lo que el poder político volvió a Joaquín Balaguer, antiguo ministro con Trujillo. Establecido un gobierno provisional formado por un consejo de Estado de siete miembros, se dio paso a las elecciones de diciembre de 1962, en las que resultó elegido presidente **Juan Bosch,** del Partido Revolucionario Dominicano (PRD). Los temores de Estados Unidos a que la República Dominicana se convirtiera en una nueva Cuba, impulsaron un golpe militar en septiembre de 1963 llevado a cabo por **Wessin y Wesssin.** Seis partidos de derechas apoyaron el nombramiento de un triunvirato civil dirigido por **Emilio de los Santos.** En respuesta, el coronel **Francisco Caamaño** se sublevó en abril de 1965 y los Estados Unidos, que veían "Castros" por todas partes, realizaron

1856 Hasta este año se rechazan varias invasiones desde Haití.

1861 La República Dominicana retorna a la soberanía española.

1865 El ejército español abandona definitivamente el país.

1882 Tras dieciocho gobiernos constitucionales se inicia el primer mandato de Ulises Heureaux.

1887 Tras abandonar el poder en 1884, Ulises Heureaux vuelve al palacio presidencial. Es reelegido por cuatro veces consecutivas, manteniéndose en el poder hasta 1899.

1907 Ante los graves problemas financieros de la República Dominicana, Estados Unidos obliga a firmar la Convención fiscal; por ella se ponen las aduanas bajo el control de dicha potencia intervencionista.

1916 Los marines estadounidenses desembarcan en la capital Santo Domingo y nombran un presidente provisional, el contralmirante de la Armada de Estados Unidos, H.S. Knapp. Se inicia el período de ocupación americana.

1922 Se firma un acuerdo en Estados Unidos que pone fin a la ocupación de la República Dominicana. Los últimos soldados se reembarcan en 1930.

1930 Golpe de estado de Rafael Leónidas Trujillo, quien gobierna dictatorialmente hasta su asesinato, en 1961.

1963 Golpe de estado contra Bosch.

1965 Tras violentos conflictos civiles se produce la intervención de los "marines" de Estados Unidos, arropados por una fuerza de ocupación de la Organización de Estados Americanos.

1970 Tras haber abandonado el país los soldados de la Organización de Estados Americanos, en el año 1966, se suceden los gobiernos de Balaguer y Manuel Ruiz Tejedor. Tras el corto período interino de este último, Balaguer ocupa nuevamente la presidencia.

1986 Después, las elecciones libres llevarán al poder a Antonio Guzmán, Salvador Jorge Blanco y por último, en 1986, nuevamente a Balaguer.

un desembarco de marines para restaurar el orden. Esta intervención se hizo bajo el apoyo de las fuerzas de la *Organización de Estados Americanos* (OEA), que instalaron como presidente provisional a **Héctor García Godoy.**

En junio de 1966 se celebraron elecciones en las que Joaquín Balaguer, al frente del Partido Reformista, obtuvo el triunfo. El 20 de septiembre se fueron los marines y el gobierno de Balaguer fue reelegido en 1970. Hasta 1974, en que volvió a resultar elegido,

La reciente recesión económica se intenta paliar con los ingresos que deparan el turismo y la industria.

transcurrió un período de luchas intestinas entre los grupos de la oposición. En 1973 se declaró el estado de excepción. El capitán Francisco Caamaño, cabecilla de la revuelta de 1965, y varios de sus seguidores resultaron muertos.

El deterioro de la economía quebró la tradición presidencial de Balaguer en 1978, cuando resultó derrotado por el candidato de la oposición **Antonio Guzmán,** líder del Partido Revolucionario Dominicano. **Jorge Blanco** sucedió en 1982 a Antonio Guzmán, que se había suicidado. En 1986 Joaquín Balaguer volvió a ganar las elecciones e inició su quinto mandato. Dos años después, Jorge Blanco fue enviado a prisión bajo la acusación de corrupción.

Ese año de 1988 fue pródigo en huelgas, disturbios y manifestaciones en protesta por la carestía de la vida. Tras una semana de desórdenes que provocaron seis muertos, Joaquín Balaguer aumentó el salario mínimo en un 33 por 100. La situación económica recibió un duro golpe en diciembre de 1987, tras una drástica reducción a la mitad de las cuotas de importación establecidas por Estados Unidos. Antes, en 1985, ya se había registrado un descenso de un 33 por 100 en las exportaciones.

Durante 1989 y 1990 la economía dominicana fue una de las más dinámicas del área, gracias al aumento de las exportaciones y los buenos resultados de la industria y el turismo. Sin embargo, la inflación creció en un 100 por 100 y los precios de los artículos de primera necesidad y de los medicamentos se dispararon, continuando con ello los conflictos sociales.

A pesar de todo ello, en 1990, tras unas reñidas elecciones que recordaban el enfrentamiento entre viejos dinosaurios en vías de extinción, Balaguer fue reelegido frente a su oponente Juan Bosch por un margen de 18.000 votos. Ambos eran octogenarios.

Joaquín Amparo Balaguer tomó posesión de la presidencia el 16 de agosto de 1990, tras una huelga general que costó la vida a 13 personas y cuantiosas pérdidas a la economía del país. Por otro lado, se complicaron las relaciones con Haití al acusar su nuevo presidente Jean Bertrand Aristide –que posteriormente sería derrocado– al gobierno de Balaguer de que permitía que los braceros haitianos sufrieran condiciones casi de esclavitud. Estas acusaciones fueron rechazadas por el gobierno dominicano, pero, tras la presión ejercida por un comité de derechos humanos del Congreso de los Estados Unidos que visitó la zona, Balaguer ordenó que los haitianos menores de edad que fueran encontrados en las centrales azucareras fueran devueltos a su país.

Los años finales del siglo XX se caracterizaron por la recesión económica, a pesar del plan de austeridad y las privatizaciones. Las conversaciones con el *Fondo Monetario Mundial* se suspendieron en febrero de 1991 y la población, exasperada por el alza de precios, la penuria energética –el sector eléctrico no puede abastecer más que el 55 por 100 de la demanda del país y continuamente se corta el fluido– y de medicamentos, sigue realizando huelgas generales y aumentando su éxodo hacia Estados Unidos y Puerto Rico.

Población: cantidad y calidad

Se calcula en algo menos de un millón los habitantes de *La Española* a la llegada de Colón (Fray Bartolomé de las Casas llega a hablar de tres), aunque estas cifras son discutidas por otros historiadores, que las consideran exageradas y hablan de un número que oscila entre 200.000 y 400.000.

Dicen las crónicas que Colón quedó impresionado por la amabilidad, la generosidad y la nobleza de los pobladores de la isla, los taínos: "... Ellos son tanto sin engaño y tan liberales de lo que tienen, que no lo creería sino el que lo viese. Ellos de cosa que tengan, pidiéndosela, jamás dicen que no; antes convidan a la persona con ello y muestran tanto amor que darían los corazones, y cualquier cosa de valor...", llega a decir el Almirante en una de sus cartas a los Reyes Católicos.

Lo que no sería óbice para que Colón, el 24 de febrero de 1495, enviara cuatro naos cargadas con 500 indígenas para ser vendidos en Sevilla. La operación, concebida para sufragar los primeros gastos de su empresa, confirió al Almirante el dudoso honor de ser también el primero en traficar con esclavos en el Nuevo Mundo. No pudo enviar muchos indios más. Los taínos fueron extinguidos debido a diversos factores introducidos por los nuevos ocupantes, como las enfermedades, los trabajos y las guerras. Se estima que un tercio murió entre 1494 y 1496. En 1508 quedaban 60.000 taínos, 12.000 en 1512 y, siete años después, tan sólo 3.000.

Quince años después de la llegada de Colón, los indios que no habían sido vencidos en las devastadoras guerras o habían sucumbido al sistema de las encomiendas que les reducía a la esclavitud, se internaron en lugares impenetrables de los bosques de las sierras. El gobernador Nicolás de Ovando tuvo que importar unos 40.000 aborígenes de las islas Lucayas, que en 1514 ya habían quedado reducidos a 15.000.

El sarampión llegó a *La Española* en 1518 desde Europa o desde África por medio de los esclavos traídos desde la costa de Guinea. A partir de ese momento, aunque ya había empezado en pequeña escala en 1511, comenzó la introducción de esclavos negros, cuyo comercio ya habían inciado por su cuenta buques de todas las naciones. Es uno de los períodos más nefastos de la historia del Nuevo Mundo y de la Humanidad: los negros eran capturados por miles en el occidente de África, embarcados y hacinados como si fueran ganado y luego vendidos para trabajar en el campo, en la recolección de la caña de azúcar o en las haciendas.

Antes de que Colón introdujera la caña en *La Española,* el azúcar era un lujo en el viejo continente. En los cuatro siglos siguientes al primer viaje de Colón, casi 12 millones de africanos fueron esclavizados o murieron para que los europeos pudieran endulzar su café y su té. Si bien España no se salva de haber empleado esta mano de obra, no alentó en líneas generales ni su comercio ni su captura, que quedó en manos inglesas, francesas, portuguesas, holandesas y hasta danesas, que ya presentían la actividad mercantil precapitalista y el sentido del negocio, para el que desde luego, estaban mucho más dotados que los españoles, que en el Caribe sólo desarrollaron con rentabilidad la crianza de animales.

La población dominicana, alegre y vitalista, está compuesta en un 40 por ciento por niños y jóvenes.

En 1517, el año de la epidemia de viruela, se estimaba la población de *La Española* en unas 60.000 personas, pero después de aquélla se vio reducida a una cuarta parte. Hacia 1553 el número de los habitantes llegaba a 50.000, en su mayoría blancos y negros, ya que sólo quedaban algunos centenares de indios –500, según informaba en 1548 Fernández de Oviedo–, los últimos supervivientes de la etnia taína, que a partir de ese momento se extinguieron o fundieron su sangre con la blanca y la negra hasta que se pierde su rastro. La población continuó aumentando y en 1535 la ciudad de Santo Domingo contaba con 6.000

Casi la mitad de la población dominicana vive y trabaja en el medio rural.

habitantes. La tendencia a la recuperación pareció continuar algunos años más, pero ya se dejaban ver los efectos de la emigración hacia el continente por parte de los españoles, que hicieron descender los censos, y de las primeras incursiones piratas. Hacia 1564 –con anterioridad a un terremoto que asoló las ciudades de Santiago y La Vega– la colonia no llegaba a 30.000 pobladores y la capital había descendido hasta los 500 habitantes. Los bucaneros franceses e ingleses continuaron con sus ataques, sobre todo, en la costa septentrional, por lo que en 1608 el gobierno de la colonia destruyó las poblaciones de Monte Cristi y Puerto Plata, como medida para luchar contra el contrabando y las incursiones.

Sin embargo, la lucha contra la piratería sería una sangría constante, hasta que en 1683 y 1685 recibió la sangre nueva de dos grandes emigraciones canarias. Entre estas dos últimas, en 1684, un terremoto destruyó gran parte de Santo Domingo. La colonia, fuera ya del primer plano de importancia de las preocupaciones españolas y de la primera línea de la colonización, inició un declive demográfico que estuvo a punto de hacerla desaparecer en el siglo XVIII, pero la disposición del gobierno español, concediendo la libertad de comercio con el extranjero, consiguió que la tendencia se invirtiera. En 1785 el censo arrojaba la cifra de 152.640 habitantes, incluyendo 30.000 esclavos. Tras la independencia de Haití, las numerosas invasiones y los conflictos con la república vecina y los diversos avatares con la metrópoli, se llegó en 1819 a la cifra de 63.000 habitantes. Después de la segunda anexión a España, en 1863, ya existían más de 200.000 habitantes y desde entonces la población fue aumentando. En 1920 no se llegaba al millón de habitantes, pero desde entonces la curva de población se disparó hasta los más de siete millones y medio de personas que constituyen en la actualidad el censo de la República Dominicana, y que sigue creciendo a un ritmo cercano al 3 por ciento anual.

Su densidad de población es de 127 hab/km^2; se halla por encima del promedio iberoamericano (19 hab/km^2), si bien por debajo de varios países del área como Puerto Rico (395 hab/km^2), Nicaragua (221 hab/km^2), Haití (193 hab/km^2) o El Salvador (233 hab/km^2). La evolución demográfica tan intensa ha sido debida a varios factores, como la mejora de la sanidad, que ha reducido la mortalidad infantil, mientras que los índices de natalidad y fecundidad se mantienen muy elevados, aunque es cierto que parece que se están controlando. La esperanza de vida se sitúa en torno a los 66 años (71 años en Europa), pero hace diez años era sólo de 55 años. La mortalidad infantil se sitúa alrededor del 65 por mil (10 por mil en Europa), pero hace una década superaba el 100 por mil.

El dominicano, a pesar de las dificultades, sabe "gozar"de la vida en toda su extensión.

Estos factores han hecho que en la pirámide de población la juventud alcance el 41 por ciento. No es un dato difícil de imaginar, si se echa un vistazo a cualquier ciudad de la República: por doquier se verán niños y jóvenes, lo que le da al país un aspecto de alegría y vitalidad que contrasta con las poblaciones más envejecidas de Europa. Este hecho, que proporciona en principio una buena impresión, planteará a la sociedad dominicana problemas de difícil solución en un futuro inmediato, no sólo en los campos de la educación y la asistencia sanitaria, sino sobre todo en lo que se refiere al mercado de trabajo.

De la población, cerca de la mitad aún vive y trabaja en el medio rural, mientras que casi un 40 por ciento lo hace en los servicios y el resto en la industria. Este hecho, junto con su propia composición –el 75 por ciento son mulatos, el 15 por ciento blancos de origen europeo y el 10 por ciento negros–, han sido decisivos a la hora de fraguar el carácter de la gente dominicana. Durante el siglo XIX y el XX han llegado también pequeños contingentes de emigrantes libaneses, orientales y europeos.

La herencia de una sociedad agraria ha proporcionado al dominicano un concepto distinto del tiempo que es común a otros países del Caribe. No existe la prisa, y la naturaleza es fundamental a la hora de hacer planes, si es que alguna vez se hacen. En este sentido, se puede decir que el dominicano es como la isla: le gusta el color, lo cálido y caliente, conjuga perfectamente el verbo gozar –verbo nacional por excelencia– en todas sus acepciones y con todas las cosas; es suave como su clima, atemperado por los alisios, aunque puede explotar en un momento como un ciclón; variado y variable como su pluviometría, en la que nunca se sabe cuándo llega y cuándo se va la lluvia; dulce como la melaza de azúcar de la que se hace el ron; melancólico y alegre a la vez, como los merengues, todo música, compás, ritmo, tanto en la alegría como en la pena. Es ambiguo, cómico, comunicativo, romántico, creyente, familiar y con un sentimiento tribal, social, fatalista endémico y a la vez confiado en los golpes de suerte, en el azar que puede cambiar su vida. En este país se hace válido, como en otros países iberoamericanos, el dicho "Blanco con indio, melancolía; negro con indio, rebeldía; blanco con negro, alegría".

El dominicano vive el momento y es en general hospitalario, extrovertido y hablador: en esa actividad parece derrochar su vitalidad, que también se aprecia en las fiestas, las celebraciones, el baile, donde la sensua-

Los carnavales son la máxima expresión del carácter dominicano: alegre, divertido y amante del ritmo.

lidad y los ritmos calientes se perciben como algo lógico, como una prolongación de las cosas. Este pueblo alegre y divertido, bromista, amante de la fiesta y la danza, alivia así sus tensiones sociales, y hace de los comentarios humorísticos, siempre con doble sentido, un arte cotidiano.

Sin embargo, esa innata capacidad para el placer en una sociedad donde los valores sensoriales son tan importantes y el lenguaje del cuerpo es a veces más interesante incluso que el de las palabras, no puede hacer olvidar con su exotismo y su color que existen grandes desequilibrios sociales y que la mayoría de la población es de sustrato humilde. Vivir en el paraíso es para la mayoría de la población un drama interminable en busca de trabajo. La falta de oportunidades y las dificultades de encontrar trabajo para una población cada vez más joven han hecho que muchos dominicanos tengan que salir de su país. Se calcula que un millón de dominicanos –la capital, Santo Domingo, tiene dos millones de habitantes– vive y trabaja en el exterior, fundamentalmente en Estados Unidos y Puerto Rico. Los primeros son los llamados *dominican-yorks,* el tercer grupo de emigrantes hispanos en Nueva York, después de los mexicanos y los cubanos. Más de la mitad de ese millón vive en la capital de Estados Unidos, y el resto en Miami y en las ciudades cercanas. Como todo emigrante, el dominicano envía a su familia una parte sustancial del dinero que gana, lo que sirve para insuflar cientos de millones de dólares a la maltratada economía del país.

La salida del país, sin embargo, no es fácil. Un problema que aparece reflejado en una de las canciones de Juan Luis Guerra, *Visado para un sueño.* Los candidatos a emigrantes pueden verse en las colas ante el Consulado de Estados Unidos, rellenando el famoso formulario de consuelo y una foto 3 x 4 que se derrite en el silencio. Cuando se den cuenta de que sus posibilidades de conseguir un visado para entrar en Estados Unidos son nulas, lo intentarán sacando un pasaje en las *yolas,* frágiles embarcaciones que surcan el canal de la Mona, que les separa de Puerto Rico y donde naufragan muchas veces. Si consiguen no ser pasto de los tiburones y llegar a su anhelada meta, es posible que vuelvan a su país de vez en cuando, cargados de oro y de aparatos eléctricos, como nuevos ricos que escaparon de la miseria y buscan demostrar a todo el mundo su triunfo económico. La glorificación de la vida americana, que trae consigo y el desprecio del propio país, es una de las consecuencias más tangibles de esa emigración.

La fabricación de tabaco es una de las principales fuentes de ingresos de la República.

Mientras que los dominicanos se van fuera en busca de trabajo, acogen en su suelo la emigración de los haitianos, más pobres, que pasan la frontera para trabajar en condiciones durísimas, como cortadores de la caña de azúcar. Trabajan unas diez horas diarias por poco más de 200 pesetas (se llega a pagar a dólar la tonelada cortada). Haití es uno de los países más pobres del mundo, por lo que los braceros buscan la salida de trabajar en la zafra y se hacinan en los *bateyes* del sur, viviendo en condiciones muy precarias. Como lo que dejan atrás es peor, al final una gran parte se suele quedar y va desplazándose a otras zonas a trabajar en la agricultura o al cinturón que rodea la capital, donde ocupa el estrato social más bajo y los trabajos más duros y sufre el rechazo de los dominicanos, que nunca han perdonado a los haitianos los enfrentamientos de otras épocas de la historia. No existen cifras oficiales, pero se calcula que hay al menos medio millón de personas en esta situación.

Economía

La producción de azúcar es la principal industria del país. Se ha dicho que el azúcar, el café y el tabaco son la trilogía caribeña por antonomasia. A este trío habría que añadir la mano de obra barata y la actividad turística en alza y tendríamos una panorámica de lo que es hoy la República Dominicana en el plano económico. Por sectores, además de los citados, se puede hablar de la producción de ron y la extracción de minerales (entre los que destaca el ámbar, además del oro, la plata, la bauxita y el níquel).

La República Dominicana ocupa el cuarto lugar entre los productores de **azúcar** de Hispanoamérica. El abandono de la isla en el siglo XVII motivó la desaparición de muchos cañaverales e ingenios, que no volverían a ponerse en funcionamiento hasta después de 1868, cuando llegaron los cubanos que escapaban de la guerra con España. Ellos, junto con italianos y norteamericanos, pusieron en marcha el sector.

Las plantaciones y la actividad industrial azucarera se localizan en su gran mayoría en la parte suroriental de la isla, y en un 90 por ciento se halla en manos norteamericanas. El ejemplo más claro es el complejo de **La Romana,** propiedad de la multinacional estadounidense *Gulf and Western.* Además de las plantaciones de caña, el complejo se complementa con fábricas químicas y manufacturas en una zona franca industrial. Una parte de las industrias azucareras, que pertenecía a la familia del que fuera dictador del país, Trujillo, fue expropiada por el Estado después de la caída de la dictadura. Si esta industria sigue siendo rentable, es debido, entre otras razones, al bajo coste de la mano de obra haitiana.

Al azúcar le sigue en importancia el **café,** segunda cosecha del país, que desplazó de ese lugar al cacao. El café, cultivado en el Cibao y el valle de San Juan, se dedica fundamentalmente a la exportación, siendo en un 90 por ciento Estados Unidos el punto de destino. La República Dominicana es el segundo productor americano de **cacao,** que, como el **tabaco,** también se dedica a la exportación. El azúcar, el café, el cacao y el tabaco representaban hasta hace poco el 60 por ciento de las divisas obtenidas por exportaciones.

La fluctuación en los precios mundiales del azúcar dio lugar a períodos de bonanza (como en los años 70, cuando también la subida de la bauxita dio lugar a un crecimiento del producto interior bruto de un 10,8 por ciento), pero a la larga, como en toda economía que dependa de las materias primas, acaba condicionando el desarrollo de la misma. Confiados en la subida del café, el azúcar y la bauxita, los dominicanos comenzaron grandes obras de mejora de la infraestructura del país, como carreteras, hospitales y escuelas, aumentando con ello su deuda pública y privada sobre todo con los bancos de Estados Unidos. Después de 1977 los precios de los citados artículos cayeron y desde entonces hay graves problemas para devolver los créditos. El Fondo Monetario Internacional exi-

La República Dominicana es el segundo productor americano de cacao.

gió fuertes ajustes y comenzó una crisis que aún no ha tocado fondo. Por ese motivo, desde hace años se han intentado diversificar las fuentes de ingresos, aumentando el peso de la industria y los servicios en la economía.

"Libre de impuestos, sin sindicatos, mano de obra a 50 centavos de dólar la hora" reza el anuncio destinado a atraer las inversiones extranjeras en las **zonas francas,** unos 30 polígonos industriales que dan empleo directa o indirectamente a 300.000 personas. Es uno de los sueños del capital internacional –norteamericano, coreano, de Taiwan–, que tiene mano de obra barata, sin reivindicaciones de ningún tipo y al que no hay que indemnizar si se detiene la producción. De hecho, se utilizan las zonas francas para ensamblar piezas industriales fabricadas en el país de origen al ritmo que pide el mercado. No hay que almacenar *stocks.* Si no hay trabajo, se manda al operario –casi todas son mujeres– a casa, y no hay que pagar subsidios de desempleo. Las zonas francas funcionaron con anterioridad en Puerto Rico, y actualmente lo hacen en Méjico, Guatemala y la República Dominicana. El Estado no obtiene ningún beneficio, salvo el empleo de la población, pero eso sí, a precios bajísimos. Fue un proyecto de la administración Reagan que coincidió con la invasión de la isla de Granada y sus objetivos eran liberar de aranceles norteamericanos a un gran número de productos elaborados en la zona con destino al mayor mercado del mundo, los propios Estados Unidos.

El tabaco dominicano se dedica en su mayoría a la exportación.

Una industria pequeña, pero que nunca tendrá demasiados problemas en el Caribe es la fabricación de **ron.** El ron es el producto resultante de la destilación de las melazas del azúcar y, sin lugar a dudas, la bebida nacional del Caribe en sus tres clases: blanco, ámbar y añejo. En el caso de la República Dominicana la mayor parte de la producción se destina al consumo interno y sólo una parte a la exportación.

En lo que respecta a la industria forestal de las **maderas preciosas** de la isla (caoba, espinillo, guayacán, cedro, etc.), que comenzó en los siglos XVI y XVII con destino a Europa como materia prima para la elaboración de objetos de lujo como muebles, teclas de piano y tableros de ajedrez, sufrió un receso en 1967, a consecuencia de la preocupación del gobierno ante la pérdida de la masa forestal y el consiguiente peligro de desforestación y deterioro del suelo. Con posterioridad, se ha renaudado su explotación, sobre todo con vistas a la artesanía local, pero en mucha menor cantidad.

Otros tipos de industrias tienen el objetivo de atender a la demanda local, como el calzado, la producción textil y los sombreros, además de muebles, jabones, velas y la industria de la confección. Entre las industrias que, a pesar de su localidad, se están desarrollando a buen ritmo figuran la fabricación de cemento y hormigón armado, las baldosas y los materiales de construcción, que empiezan a exportarse a los países vecinos.

La venta ambulante es, para muchos dominicanos, un medio de ganarse la vida.

Se puede afirmar que la economía de la República Dominicana depende de las relaciones con Estados Unidos. Son su consumidor más cercano y siempre constituye el país de referencia. Hasta tal punto ocurre esto que la economía, como sucede en otros países de Iberoamérica, está "dolarizada", y el peso de la deuda externa, casi 4.500 millones de dólares, es una losa que impide crear suficiente trabajo para la población –el desempleo es del 30 por ciento–, que tiene que emigrar. La renta *per cápita* se cifra en unos 800 dólares anuales y es una de las más bajas de Iberoamérica. Su crecimiento medio anual desde 1980 ha sido inferior al crecimiento de la población, por lo que se puede afirmar que aún continúa el retroceso iniciado a finales de los años 70.

Como ocurre en otras partes de Iberoamérica, la República Dominicana es un país de profundos contrastes, que es un eufemismo para no decir que existen fuertes desigualdades sociales, pues el 13 por ciento de la población, que además es blanca en su mayoría, acapara casi el 50 por ciento de los bienes de consumo, lo que hace que cada vez sea mayor la conflictividad laboral, política y social. Sectores de clase media con cierto nivel han visto descender sus ingresos hasta llegar a límites de pobreza. La situación no parece tener una solución fácil y las actuales tendencias seguirán, probablemente, acentuándose.

La minería. *La Española* comenzó a ser conocida gracias al **oro** que los indios intercambiaron con los españoles en 1492. El áureo mineral, acumulado durante años por los indígenas, que lo extraían de los ríos mediante el procedimiento del lavado, fue el primer artículo que se exportó del Nuevo Mundo. Como si esta actividad hubiera marcado a la República Dominicana, aún hoy el oro sigue quitando el sueño a muchos, que se dedican a buscarlo por los ríos y las sierras de las torrenteras de la Cordillera Central, y que de vez en cuando, gracias a un descubrimiento afortunado, hacen reverdecer la fiebre del oro, como ocurrió entre 1938 y 1942, cuando un buscador del Seibo halló una pepita de 4 kg.

No hubiera imaginado Colón que además del oro aluvial, en *La Española* se encontrara un rico yacimiento aurífero y argentífero como es el de **Pueblo Viejo,** que comenzó a explotarse en 1975. Después del oro y la plata, los minerales que más se explotan en la República Dominicana son el **níquel,** la **bauxita** y el **hierro.**

La bauxita se halla en los grandes yacimientos de **Pedernales,** en la sierra de Bahoruco de la provincia de Barahona. Su explotación comenzó en 1967 y en la actualidad produce varios millones de toneladas, aunque su precio ha decrecido hasta niveles muy bajos. El ferroníquel, tercer mineral en importancia, se explota en la **sierra del Bonao,** en la mina de Loma Caribe, mientras que las reservas de hierro se encuentran en la Cordillera Central.

Menos valiosos que el oro, pero igualmente importantes, son los yacimientos de **sal** y de **yeso** que se explotan en la provincia de **Barahona.** El yeso se exporta a Puerto Rico y otros países antillanos. También se produce sal en **salinas,** como las que existen cerca del **lago Enriquillo** y las de **Monte Cristi.** Otros recursos minerales, que se sabe que existen pero que están poco o nada explotados son el carbón, el titanio, el azufre, el cobalto, el molibdeno, el estaño, el petróleo –existe un importante yacimiento descubierto en 1981 en Charco Largo, en Barahona- y el cinc.

El turismo. Es el sector que está dinamizando la economía de la República Dominicana, ya que sobrepasa lo que obtiene el país por la caña de azúcar y otros productos agrícolas como el café, el cacao, el tabaco, el maní y los plátanos. El fomento del turismo como principal actividad a la que está abocado el país se ha desarrollado, sobre todo, en una red hotelera que comprende **Santo Domingo** y dos o tres puntos del país, como **Samaná** y **la Romana** –donde se levantó el complejo **Casa de Campo,** un lugar de alto *standing* promovido por la multinacional *Gulf and Western*–. De hecho, de 6.000 habitaciones que existían en 1982 se ha pasado, diez años después, a casi 25.000. El incremento del número de turistas ha sido constante hasta pasar del millón por año. Las tres cuartas partes del total son estadounidenses, seguidos de canadienses y, en menor medida, por españoles, franceses e italianos, dado el esfuerzo de promoción y lanzamiento de la República Dominicana como país turístico que se está haciendo en Europa. A este respecto son innegables los atractivos turísticos de una isla que conjuga playas, sol, monumentos, gente hospitalaria, bajos precios, ambientes diversos y variedad de paisajes.

Sin embargo, el turismo está en manos de los grandes *tour operadores* internacionales, y el país ni siquiera se beneficia de los viajes, al no disponer de una línea aérea internacional de gran capacidad. Como en otros países del área, la mayor parte de las ganancias no se queda en el lugar. En realidad, el turismo está sirviendo para dar algo de empleo –unas 20.000 personas– y desarrollar una serie de industrias a su alrededor que comprenden desde la pesca hasta la artesanía, pero que aún no generan el suficiente trabajo como para paliar el grave desempleo del país.

Gobierno, Constitución y sistema político

La República Dominicana es una república presidencialista, regida por la Constitución del 28 de noviembre de 1966, que consta de 124 artículos, divididos en 14 títulos. El sistema puede ser definido como una democracia parlamentaria con separación de poderes. Como toda democracia, garantiza la seguridad individual, la inviolabilidad del domicilio, las libertades de tránsito, pensamiento, asociación, ciencia y culto, enseñanza, trabajo y empresa, y el derecho de propiedad y de huelga, excepto en los casos de los servicios de utilidad pública.

En cuanto a la división política y administrativa, el país está dividido en 29 provincias y un distrito nacional. Las elecciones se celebran cada cuatro años y pueden votar en ellas todos los ciudadanos mayores de 18 años. El Congreso Nacional es una institución bicameral, con una cámara compuesta por 120 diputados (uno por cada 50.000 habitantes o fracción mayor de 25.000) y un senado con 30 miembros (un senador por cada provincia y distrito). Actualmente el gobierno está presidido por el Partido Revolucionario Dominicano (PRD), socialdemócrata, que ganó las elecciones del año 2000, con su presidente Hipólito Megía. El resto de formaciones políticas de la República son el Partido de Liberación Dominicana (PLD), de ideología marxista, presidido por Juan Bosch; el Partido Reformista Social Cristiano (PRSC), de centro-derecha, encabezado por el presidente Balaguer; y el Partido Revolucionario Independiente (PRI), de Jacobo Majluta.

El senado es el que elige al poder judicial, representado por la Corte Suprema (9 magistrados y un procurador general), 9 cortes de apelación, 30 jueces de Primera Instancia y un juez y alcalde por cada municipio. Los ministros o secretarios de Estado, en número de 15, son nombrados por el Presidente, que es asistido asimismo por un vicepresidente.

LAS ARTES

ARQUITECTURA Y URBANISMO

Si los taínos, los primitivos habitantes de la isla, no han dejado más que algunos objetos ceremoniales y escasos vestigios de su civilización y cultura, los españoles, desde el primer momento de su llegada, comenzaron a construir sus casas, edificios civiles, religiosos y militares con piedra, de acuerdo con los parámetros y estilos de la época. El adjetivo "primero/a" surgirá por doquier al recorrer la isla. No en vano, la antigua isla de *La Española* conserva los primeros monumentos y construcciones coloniales de América, como la catedral de Santa María del Rosario, llamada la Menor; el primer hospital, el de San Nicolás; el primer Cabildo, el alcazár de Diego Colón, y las ruinas de La Isabela, la primera ciudad del Nuevo Mundo, fundada por Colón en 1494.

Santo Domingo: origen del estilo colonial del Nuevo Mundo

Diego Colón, hijo y heredero del Almirante, fue nombrado virrey y en el año 1524 trasladó la capital a Santo Domingo. Lo mejor de la arquitectura de la isla está presente en las construcciones de su capital. Se puede decir que la historia de Santo Domingo, su arquitectura y su urbanismo resumen la historia de toda la República Dominicana.

Lo mejor de la arquitectura dominiana está presente en las construcciones de su capital.

Después del asalto y la toma de la ciudad por parte de Francis Drake, Santo Domingo no se repuso de la tragedia durante toda la época colonial. Además de saquear e incendiar monasterios, iglesias y hospitales, los piratas quemaron cerca de 300 casas. Sólo se salvaron la Catedral, en la que se había instalado el cuartel general de aquéllos, las Atarazanas, las Casas Reales y las Casas del Cabildo. Si eso ocurrió en 1586, en 1606 la vida en la isla se reducía prácticamente a Santo Domingo, debido a la despoblación de ciudades que fue ordenada por la Real Cédula de 1603. Llegarían entonces unos años catastróficos, pues ninguna nave arribaría a la ciudad, cuyo puerto permaneció desierto, pero en cambio lo que sí llegarían serían ciclones y terremotos que destruyeron edificios civiles, religiosos y la tercera parte de las casas. Llegó también la guerra con Holanda y lo único que se reforzó fueron las defensas de la ciudad, mientras que sus habitantes vivían en casas derruidas, entre los escombros y la miseria.

Esta tendencia comenzaría a cambiar en el siglo XVIII, tras una cierta recuperación económica. Al tiempo que diversas oleadas de emigrantes peninsulares llegaron para instalarse en la ciudad, se construyeron en estilo barroco varias iglesias, de acuerdo al tipo difundido por los jesuitas en América. Pero tendría que llegar a su final el siglo XIX para que la ciudad saliera fuera del perímetro de sus murallas.

El trazado primitivo realizado por Ovando, en forma de cuadrícula, continuado después por el virrey Diego Colón, caracterizó Santo Domingo e imprimió un sello a todas las ciudades que posteriormente se construirían en el Nuevo Mundo –Felipe II, sin ir más lejos, oficializó este estilo en sus ordenanzas del año 1573–. A finales del siglo XIX dicho trazado, que obedecía a razones políticas y prácticas de su época, es copiado y aplicado cuatro siglos después sin tener en cuenta las condiciones topográficas del terreno. El resultado es aún evidente: se derriban las murallas en el norte y el oeste y se constituyen **cuadras** de dimensiones semejantes a las de la ciudad colonial, lo que hace que se fraccionen los barrios en la parte septentrional, donde se asienta la clase obrera, y que se creen las **cuarterías,** viviendas sin condiciones higiénicas o de habitabilidad, en las que se hacinan sus habitantes sin servicios de ningún tipo.

Algo parecido, en cuanto a la situación de caos, sucedería en el oeste, donde se divi-

Las calles del Conde y las Damas conservan buenos ejemplos de la arquitectura colonial.

dieron anárquicamente y sin criterio antiguas parcelas que habían sido objeto de especulación. Aunque estos barrios serían destinados a una clase social más alta y con recursos, tuvieron también grandes carencias de comunicación y transportes. La capital se dotó de una cierta infraestructura en comunicaciones y de algunos servicios básicos durante la ocupación americana ocurrida entre los años 1916-1924, sobre todo en lo que se refiere a escuelas.

En los años 30 apareció la figura del dictador **Rafael Leónidas Trujillo,** que dirigirá el país con mano férrea durante 31 años. El paso del ciclón de San Zenón el mismo año de 1930, que arrasó la ciudad extramuros, proporcionó al dictador una oportunidad única de iniciar su reconstrucción con cemento y hormigón armado, dentro de su concepción dictatorial y megalómana de la arquitectura.

Cambió el nombre de Santo Domingo por el de Ciudad Trujillo y destinó una tercera parte del presupuesto del Distrito Nacional –contemplado en el artículo 106 de la Constitución– para que fuera "la ciudad más moderna, limpia y ordenada del Caribe".

Casas típicas dominicanas, pintadas de alegres colores.

Durante este período se realizaría una política de vivienda construyendo nuevos barrios que favorecieron a un amplio sector de la población. Se rompió con la tradición cuadricular para aprovechar mejor las condiciones del terreno y aumentar la superficie de la ciudad, pues se trataba de viviendas unifamiliares con un jardincito y patio. El único problema fue que, como el alcantarillado no puede mostrarse en las imágenes de propaganda, fue obviado en los planes del gobierno.

En cuanto a los grandes edificios se refiere, se construyeron el **Palacio Nacional,** el **palacio de Bellas Artes,** el **palacio de Comunicaciones** y el edificio de **Correos,** algunos en estilo neoclásico y otros en la arquitectura que caracteriza a casi todas las dictaduras: gris, árida, pesada y monolítica. Se construyeron nuevas avenidas, hoteles y puentes, todo ello a consecuencia de esa fiebre constructiva común a todos los dictadores.

El asesinato de Trujillo en el año 1961, unido a los avatares políticos y sociales por los que ha pasado la capital, además del elevado índice de natalidad, tuvieron como consecuencia oleadas de emigrantes que han ocupado todos los flancos de la ciudad. Santo Domingo crece de forma anárquica y los sucesivos intentos para edificar en condiciones dignas, a fin de dar cobertura a la enorme demanda de viviendas, han sido superados por la propia dinámica en la que hoy día está inmersa la República.

LA MÚSICA

Música culta y popular: de la colonia al merengue

La Española, dado que fue la primera tierra colonizada por los españoles, fue asimismo la primera que recibió las canciones y a los músicos españoles.

En 1512 se constituyeron los cabildos catedralicios, que comprendían **chantres** y **organistas,** cargos que subsistieron hasta la independencia. **Cristóbal de Llerena,** nacido hacia 1540, es el músico más importante de aquella época colonial. Después, como en las demás actividades en la isla, se produjo un período de decadencia durante los siglos XVII y XVIII. La música culta volvió a florecer en el siglo XIX con **Juan Bautista Alfonseca de Baris, Jose María Arredondo** y **José Reyes,** que, por cierto, fueron autores de los sucesivos himnos nacionales. A finales del siglo, y mientras en la calle se iban fraguando los ritmos populares y calientes que se expandirían más tarde llevando la personal impronta de los dominicanos, la música de salón más estimada por la alta sociedad local era el vals, la polca, la mazurca y una recién nacida **canción criolla.** En el siglo XX la música sinfónica con raíces populares adquirió popularidad gracias a la labor de músicos como **Enrique Casal Chapí** y sus discípulos **Enrique Mejía, Manuel Simó** y **Antonio Morel Guzmán.**

Como sucede también en otras islas antillanas, este país no se entiende sin su música. Una música que está dentro y fuera de sus habitantes. Fuera, en los enormes radiocassetes que algunos llevan a la playa, sacan al porche de su casa o portan en sus paseos por la ciudad como obligado acompañamiento; fuera, también en el Malecón de Santo Domingo, a partir del viernes y hasta el domingo por la noche, emitida a todo volumen por los radiocassetes de los *carros;* fuera, en la cantidad de grupos musicales que amenizan la comida o la cena de multitud de restaurantes, ya sean o no turísticos, y fuera, por último, en cualquier momento y cualquier lugar.

Además, la música está dentro; dentro del cuerpo, de la cabeza, de la sangre: todo dominicano lleva un "merenguero" dentro, una especie de veneno dulce y sutil que puede hacer efecto –y de hecho lo hace a menudo– en cualquier momento y lugar. El carácter de su sociedad, mulata, ha hecho que la música esté presente en todos los niveles sociales.

Como en otras islas del Caribe, han confluido las corrientes musicales europeas y las africanas, que son en realidad las que más han marcado el estilo popular. Aunque existen canciones populares e incluso tunas que derivan de la época medieval española, las danzas más celebradas son aquellas con antecedentes africanos, sobre todo en el ritmo. Instrumentos típicos son las guitarras, además de las flautas y las *marimbas* de fabricación casera.

Hace siglos los dominicanos bailaban al ritmo del *cuatro* (que aún subsiste en Venezuela, tiene cuatro cuerdas y es más pequeño que la guitarra), pero con el tiempo este instrumento fue sustituido por el acordeón. Bailaban *guarapos, congos, cayaos, guyabines, chenches, yucas, sarambos, zapateos* y *merengues.* De todos ellos el único que de verdad está vivo y perdura es el merengue. Si casi todos los ritmos citados se han extinguido o convertido en especialidades locales, otro ritmo popular, como la *bachata,* nacido en los años cincuenta, se ha extendido a nivel nacional. Nació de una manera parecida al merengue, como una música de arrabal, y según la ha definido uno de sus padres y máximos exponentes, Víctor José Víctor, "es como un puñal, un vaso de ron y un chiste". Aunque se encuentra próxima al merengue, la bachata cabalga entre el son cubano, el bolero –que

El merengue es el baile nacional.

también tiene éxito en la República Dominicana– y la ranchera. Tiene un ritmo y una cadencia muy peculiares, y sus letras suelen ser un poco bastas, con frases que ni siquiera buscan el equívoco, sino el mensaje explícito. No obstante, se pueden encontrar otros ritmos que no sean merengues o bachatas. Por ejemplo, en Santo Domingo, los *congos,* en el barrio de los Mina, el *son,* todos los domingos en el barrio de Borojol, y los ritmos de los *palos* o *atabales* en muchos más lugares.

El merengue

Sólo se sabe que este ritmo nació en la República Dominicana entre 1844 y 1850, cuando comenzaron a retornar al país, aún en guerra con Haití, los emigrados, incrementando nuevamente su población, tendencia que no disminuiría hasta nuestros días.

Como el tango, el merengue tuvo un origen humilde y quizás vulgar, con letras impactantes que no hacían referencia precisamente al lado amable de la vida, en algunos casos, o bien en otros eran auténticas provocaciones sexuales. Tal vez por eso fue rechazado por las clases dominantes, que sin embargo, sentían la tentación de bailar ese ritmo caliente y sensual que poco a poco se fue imponiendo al menos en un determinado sector social de la clase media-baja. Fue la radio la que tuvo que ver en la difusión nacional e internacional del merengue, en su entronización como la música más popular de la República Dominicana. Su primer divulgador fue el **Compadre Pedro Juan,** que a través de dicho medio, en los años 40, se hizo famoso interpretando merengues. Tras él vendrían muchos "merengueros" famosos, como **Simó Damirón, Billo Frómeta** y **Negrito Chapuseaux,** que comenzaron a hacerlo oír por el Caribe y por todo el mundo, dandóle una categoría internacional. Tras ellos vinieron Raymond, Dioris Valladaris, Pancho, Julio Alberto Fernández, Rafael Petitón, Angel Viloria, Pablo R. Campos, Rafael Ignacio, Tirso Guerrero, Alberto Beltrán, Joseíto Mateo, Johnny Ventura, Fernandito Villalona, los hermanos Rosario, Jossie Esteban y la patrulla 15, Wilfredo Vargas y, sobre todo, **Juan Luis Guerra** y los 4:40.

De todos y cada uno han quedado composiciones inolvidables, merengues famosos que una y otra vez y en cualquier momento pueden ser escuchados en el país, ya sea en una gramola o en la radio. Como, por ejemplo, *Baitolina,* de Luis Rivera, *La Maricutana,* de Reyes Alfau, *Mai Pelao,* de Héctor J. Díaz, *El Ají Caribe,* de Manuel Sánchez Acosta, *Dedé,* de Julio Alberto Fernández, *Tato,* de Enriquillo Sánchez, *Si las vacas volaran,* de Negrito Chapuseaux, *La Niña del Rancho,* de Pablo R. Campos, *Si delincas, yo te mato,* de Pedro N. Pérez. Encontrar un disco o un cassette con alguno de estos títulos cantados por sus intérpretes originales es más que una rareza, una especie de milagro.

Vibrante, lúdico, atrevido y caliente son adjetivos que se han relacionado con el ritmo dominicano por excelencia. Y, además, habría que añadir, sobre todo después de Johnny Ventura, Wilfredo Vargas y Juan Luis Guerra y los 4:40, que el merengue, con tanto compás, con tanta música, no se ha olvidado de la letra, de la poesía y de la reivindicación social. Todo ello se puede ver en el mítico *Ojalá que llueva café,* de Juan Luis Guerra, un merengue con buena música y una magnífica, poética e imaginativa letra con matices sociales. Se ha dicho que Juan Luis Guerra ha elevado el merengue al mismo nivel que Rubén Blades hizo con la salsa y que, además, le ha dado algunas letras propias de la Nueva Trova Cubana. En cualquier caso, es algo que el viajero podrá comprobar *in situ,* puesto que si hay algo imposible, es ir a la República Dominicana y no bailar merengue, por muy torpe que se sea. Es más fácil de bailar que la salsa. Sólo hay que tener un poco de decisión y coraje.

Pero eso sí: para bailar el merengue se necesita... al menos un acordeón, una *tambora* y una *güira.* Si la tambora le proporciona un sonido muy característico, debido a la piel de chivo de que está hecha, la güira es un rallador de latón en forma de cilindro hueco, del que se obtiene un peculiar sonido zumbador acompasado al frotarse con un rascador. El *Perico Ripiao* es un grupo de tres personas, que es todo lo que se necesita para bailar merengue. También se le pueden añadir instrumentos de viento y percusión que enriquecen el ritmo.

Discos: el merengue y la bachata, las estrellas

El merengue, como todo género musical, se desarrolla a medida que pasan los años y los intérpretes. Después del período de afianzamiento representado por los antiguos y del relanzamiento internacional logrado por Juan Luis Guerra, una nueva generación de músicos ha irrumpido con fuerza, ha acelerado y ha hecho más alegres los ritmos.

Entre los rápidos, **Los Cocotuces** es el grupo que más éxito ha tenido últimamente en el país. Proviene de una escisión de otro más antiguo, Coco Band, y practica un merengue novedoso, alegre y muy rítmico. Ha desplazado del primer plano al ya mítico **Juan Luis Guerra y los 4:40**, que siguen siendo los reyes. El disco con el que debutaron y que ha batido todos los récords de ventas es *La Caravana de la Coco,* que como muchos otros de merengue pueden encontrarse en el sello discográfico Ringo Récords. **Jossie Esteban y la patrulla 15** también están de moda y lo estarán durante mucho tiempo. Se reco-

Fragmento de pintura mural en Sosúa.

miendan sus discos *Con lo qué está pasando, En su mejor momento* y *Los Exitasos,* en Ringo Récords. Un buen disco es también cualquiera de los **Hermanos Rosario** y de **Ramón Orlando,** como por ejemplo *El hijo de la Mazurca,* que se puede encontrar en el sello Fuga. Entre los merengueros más lentos están **Fernandito Villalona** y **Wilfredo Vargas.**

En lo que se refiere a la bachata muchos de los autores y grupos mencionados la tocan también, incluido Juan Luis Guerra. Uno de los autores más famosos, que lleva ya décadas en la bachata y el merengue es **Víctor Víctor.** Si de Juan Luis Guerra se ha publicado en España prácticamente toda su discografía desde los primeros *Como Abeja al Panal, Mientras más lo pienso...tú, Ojalá que llueva café, Bachata Rosa,* de Victor Víctor se ha publicado en España sus *Inspiraciones.*

También se oyen y se encuentran otros ritmos en la República Dominicana, como la salsa y en menor medida, el rock, el calipso, el bolero y el reggae. Por otra parte, un aviso a los aficionados a la música: no siempre es fácil comprar buenos discos en la República Dominicana. Lo que más abundan son las casetes, muchas de ellas piratas y de escasa calidad, a pesar de sus carátulas de imprenta y de que se vendan en las tiendas habituales. Si es posible, hay que pedir al vendedor que la ponga.

LA LITERATURA Y LA PINTURA

Los taínos, que desconocían la escritura, habían creado un método oral para contar historias de carácter épico que practicaban en sus danzas o bailes, los *areitos.* Desgraciadamente, no se conserva nada de ello. El descubrimiento, la conquista y la colonización de la isla en todos sus aspectos, hasta en el más nefasto, han quedado reflejados en las crónicas de Indias, desde el *Diario de a bordo* y las cartas de Cristóbal Colón, hasta Fernández de Oviedo, que escribió *Historia General y Natural de las Indias,* Pedro Mártir de Anglería y Fray Bartolomé de las Casas, famoso por su *Defensa de los Indios.*

Aunque la universidad de Santo Domingo, fundada en 1538, es la más antigua de América, la isla no tuvo ningún literato famoso hasta mediados del siglo XIX. Uno de los primeros que merecen ser citados es el fabulista **José Núñez de Cáceres,** que ocupó el cargo de primer presidente de la República. Se puede decir que la novela dominicana comenzó con la narración romántica *Enriquillo* (1878), de **Manuel Jesús Galván,** en la que se ensalza la gesta del caudillo taíno que luchó contra los españoles en el siglo XVI.

Tuvo que ser el romanticismo, con su exaltación de los valores nacionales e indígenas, el que diera los primeros frutos en la isla caribeña. Dentro de los románticos, **Manuel María Valencia** inició una corriente entre cuyos seguidores estaba **Francisco Carlos Ortea,** autor de la novela titulada *El Tesoro de Cofresí* (1889). El poeta **José Joaquín Pérez** buscó las raíces autóctonas en *Fantasías indígenas* (1877), mientras que la poetisa **Salomé Ureña de Henríquez,** mujer enciclopédica y patriota, compuso múltiples odas de carácter nacional, destacando su obra *Páginas íntimas.*

El único seguidor destacable de M.J. Galván fue **Federico García Godoy,** que escribió una trilogía de novelas históricas referidas a los inicios de la República: *Rufinito* (1908), *Alma Dominicana* (1911) y *Guanuma* (1914). También habría que citar como poetas a **Félix Mª del Monte** (1819-1899) y **Javier Angulo Guridi** (1816-1884), que escribió sobre motivos dominicanos en prosa y verso; costumbrista fue también **Francisco Gregorio Bellini** (1844-1898). Otra figura importante fue el erudito **Federico Henríquez Carvajal** (1848): fue poeta, pedagogo, dramaturgo y llegó a ser presidente de la Academia de la Historia Dominicana.

La consolidación y la expansión de la literatura dominicana se produciría con la generación posterior. Hombres y nombres como los de **Américo Lugo** (1875), crítico y sociólogo, **Fabio Fiallo** (1865), poeta y autor de cuentos, y **Tulio Manuel Cestero** (1877), novelista, influido por el modernismo de Ruben Darío, autor de *La Sangre* (1915). Si en un principio los hermanos Henríquez Ureña también escribieron versos modernistas, pronto los hijos de Salomé Ureña y Francisco Henríquez seguirían caminos diferentes.

Pedro Henríquez Ureña, ensayista de reconocido prestigio dentro y fuera de las fronteras del país, escribió *Ensayos Críticos* (1905), *Horas de Estudio* y *Obra Crítica* (México, Fondo de Cultura Económica, 1960); su hermano **Max Henríquez Ureña** se decidió por la novela histórica y fue autor de una trilogía denominada *Episodios Dominicanos;* el primero de ellos fue titulado *La independencia efímera* (1938), al que siguió *La conspiración de los Alcarrizos* (1941) y *El arzobispo Valera* (1944). También son destacables los dos tomos de *Panorama Histórico de la Literatura Dominicana* (en la colección Pensamiento Dominicano, Santo Domingo, 1966).

Del movimiento llamado **postumismo** surgieron escritores como **J.A. Cuello, D. Moreno Jiménez** y **R.A. Henríquez.** Como representante de la "poesía negra" cabría citar a **Manuel Cabral,** autor de *Antología tierra* (1949), *Los huéspedes secretos* (1951), *Pedrada planetaria* (1958) y *Antología clave* (1957), entre otros.

Dominan las expresiones pictóricas de estilo naïf, de colores puros y líneas sencillas.

Junto con Max Henríquez Ureña y Cabral, quizá sea **Juan Bosch** el escritor más famoso de la literatura dominicana, lo que quizá sea debido, más que a su realismo, a su faceta de político. Entre sus obras, centradas en la vida rural, habría que citar *La mañosa* (1936) y los libros de relatos *Indios* (1935), *Ocho cuentos* (1947) y *La muchacha de Guaira* (1955). Su rival político y varias veces presidente **Joaquín Balaguer** publicó varias obras sobre la literatura dominicana, entre las que cabría citar *Los próceres escritores* (Buenos Aires, Ferrari Hnos., 1947), *Semblanzas Literarias* (Buenos Aires, Ferrari

Hnos., 1948), *Historia de la literatura dominicana* (Santo Domingo, Librería dominicana, 1965) y *Discursos: temas históricos y literarios* (Santo Domingo, 1973).

Hubo también una novela que podríamos denominar social. A **Francisco Moscoso Puello** se debe una descripción objetiva y minuciosa de la vida en el medio rural de la República: *Cañas y bueyes* (1936). **Ramón Marrero Aristy** escribió *Over* (1939), que trata sobre las durísimas condiciones de vida en las plantaciones de azúcar. **Jose María Sanz Lajara** en su novela *Los rompidos* (1963) recoge los golpes militares y la actuación del ejército en la vida política. Por último, la tradición de lo social fue continuada por **Marcio Veloz Maggiolo** en la obra titulada *El buen ladrón* (1960).

En el campo de la pintura, las dos únicas figuras con prestigio internacional son **Jaime Colson** y **Paul Giudicelli,** cuyos cuadros se pueden actualmente admirar en la Galería de Arte Moderno de la capital Santo Domingo. Asimismo, en la capital se encuentra la interesante Academia de Bellas Artes, fundada por Abelardo Rodríguez Urbaneta, escultor fallecido en el año 1932.

En cuanto a la pintura *naïf* que se pueda encontrar en la actualidad, lo normal es que provenga de la República de Haití o bien que esté muy influida por un determinado estilo, muy difundido en el país vecino, en el que destacan los colores alegres, puros y vivos, junto con líneas y formas infantiles e igualmente puras.

Mercadillo de arte en Santo Domingo.

RITOS Y CREENCIAS: DEL VUDÚ A LAS JUSTAS

Vudú

En las zonas rurales del país persisten ciertos ritos mágico-religiosos en los que se practica una especie de sincretismo de varias creencias con fuerte influencia africana. A un turista que quiera asistir a un espectáculo convencional no le resultará difícil encontrarlo, lo mismo que en Haití, pero en cualquiera de los dos países de la isla, si se quiere asistir a un vudú auténtico es preciso buscar el rito practicado en grupos cerrados, donde se realizan la mayor parte de las ceremonias, algo privado entre el oficiante y el cliente que paga por sus servicios.

Historiadores como el dominicano Carlos Esteban afirman que el vudú significa la africanidad y la comunión con la naturaleza que a muchos pueblos del Caribe les ha sido burlada, en oposición a lo hispánico. Sin embargo, también en el sincretismo del vudú se han introducido algunos signos del catolicismo, como el signo de la cruz y el bautismo.

Aunque la influencia negra de la República Dominicana difiere de la de Haití, el vudú que se puede practicar en las áreas rurales es de importación directa de los descendientes de Dahomey. En Cuba y Brasil la cultura africana que dominó fue la *yoruba* y de ella –"todo mezclado", como escribió el poeta Nicolás Guillén–, nacieron respectivamente la *santería* cubana y el *candomblé* brasileño.

El vudú comenzó con la llegada de los esclavos a Haití, pero las primeras alusiones escritas de esta religión se encuentran en el siglo XVIII, cuando el culto comenzaba a arraigar. La mayoría de los esclavos provenía del golfo de Benin, de Dahomey y Nigeria, mientras que los que comenzaron a llegar a la República Dominicana provenían de la costa de Guinea.

Antropólogos como Alfred Metreaux sostienen que entre los primeros esclavos que llegaron debían de existir sacerdotes que mantuvieron vivas las creencias originales africanas como una forma de resistencia.

Desde luego, si el vudú pudo existir fue porque los sacerdotes transmitieron el rito, organizaron el clero e incluso llegaron a construir templos. Los adivinos *bokonó* y los practicantes del vudú no cautivos enseñaron a los esclavos los nombres de los dioses, los sacrificios que había que ofrendarles y las complicadas danzas y ritos que había que realizar en su honor.

Perviven en la República ciertos ritos mágicos de fuerte influencia africana.

El ritual del vudú es sumamente complejo en las tres ramas principales, **rada, congo, petro,** y no existe un estilo único y diferenciado, sino que depende mucho del oficiante, de la etnia circundante e incluso de los objetivos finales de la ceremonia.

Vudú significa Dios, espíritu, y en los ritos del culto se intercalan un número infinito de fuerzas y almas de los difuntos, así como también de parientes y personas vivas. Estas presencias sobrenaturales, las **loas,** moran en un plano sobre el que ejercen funciones de control y vigilancia de los vivos y sus asuntos, al igual que en cualquier momento pueden materializarse o ocupar el cuerpo de los vivos. Tienen su origen en la creencia de que el gran maestro o **Papá-Dios** al abandonar la Tierra creó una cadena de seres inmateriales a los que otorgó poderes y cuyo papel es el de ser intermediarios entre el hombre y la divinidad. Según sus acciones estos espíritus son **angelitos, zagnes** o **loas.** Conjuntamente con el alma se apoderan del individuo desde el útero materno y dirigen su destino.

Los amos de los esclavos, y sobre todo la religión católica, perseguían a los practicantes del vudú, pero la represión fue más fuerte por parte de los dueños de las plantaciones, que asociaban los ritos a la actividad de los **cimarrones,** los esclavos huidos. De hecho, los **papa-loa** incitaban a los negros a levantarse contra sus amos, con el convencimiento de que, si caían en la lucha, su espíritu reviviría en África. **Macandal,** el cimarrón haitiano más famoso, se presentaba como una especie de profeta, un *houngan* que expulsaría a los blancos. Su prestigio creció entre los suyos con la propagación de historias en las que el vudú era fundamental. Se decía que a una orden suya eran envenenados los hacendados y quemadas sus casas, asoladas las plantaciones y diezmado el ganado, y que los blancos no podían capturarlo porque con sus poderes se convertía en un insecto, *maringouin,* y salía volando.

Fruto de esta resistencia, disfrazada bajo formas católicas, es el resultado de algunos aspectos sincréticos del vudú. Así, este rito popularizó la imaginería y el santoral romano, superponiéndolo o identificándolo con sus dioses. **Legba,** por ejemplo, es San Antonio Abad, **Candelo** sería San Carlos y **Billie Bercán** es San Miguel. Invocar la loa de Santiago es invocar a **Ogún Balendyó.**

Para el vudú el hombre tiene dos almas, el **gran ángel bueno** y el **pequeño ángel bueno.** El primero representa la suma de la personalidad, el intelecto y la experiencia de un hombre, mientras que el segundo sería la conciencia sobre sí mismo y el mundo que le rodea.

También esta religión atribuye cualidades del hombre a los animales, las plantas y los minerales, y considera la posibilidad de que una persona viva o muerta se transforme en animal o planta. Son los llamados **zombies.**

El cuerpo sacerdotal del vudú está organizado como una jerarquía, con un colegio sagrado rodeado de misterio y que en el caso del vudú se divide en masculino **(Porta estandartes)** y femenino **(Hounsi).** Sus altares se encuentran en sus propias casas, y suelen estar rodeados de una iconografía variada, mezcla de elementos naturales, santos católicos y fetiches.

Los conjuros del sacerdote, así como los pañuelos de colores y los baños rituales son algunas de las formas externas del rito, que es acompañado de diversos toques de tambor u otros instrumentos que crean un ritmo propicio para el éxtasis, al que sucumben muchos de los que practican esta religión. También el oficiante, convertido en médico-sanador, recetará pócimas y hierbas para aliviar dolencias, tras la iluminación recibida por las *loas* durante el trance.

Asumido en Haití, donde todas las clases y los estratos sociales tienen relación con él, el vudú en la República Dominicana se reduce sobre todo al medio rural, donde se practica oculto y es díficil de contemplar en su estado más puro.

Gagá

Algo más fácil de ver es el *gagá,* un culto cuyos ritos públicos tienen lugar en Semana Santa, y que según se afirma, provienen del vudú. Lo que si parece demostrado es que el gagá tiene su origen en el culto *rará* de Haití y que se denominó gagá debido a la pronunciación francesa.

Son ritos que se mantienen todavía en las pequeñas poblaciones del interior y que funcionan a la manera de las cofradías, pero incluso, con un carácter más marcial. La esencia del rito gagá es la creencia de sus miembros de que tienen la obligación de defender el mundo durante los días en los que Dios ha muerto y la tierra permanece desprotegida. El rito comienza el primer sábado de Cuaresma, cuando todos los miembros del grupo renuevan su juramento, su compromiso contraído el año anterior –también juran los que se inician, aceptados por el grupo–, y finaliza unos días después de Semana Santa dando gracias a las *loas* por haber cumplido con su deber. En ese tiempo, y después de la invocación a los espíritus protectores que se realiza el Jueves Santo, saldrán a campo abierto, a ritmo del *palo,* el *pito* y el *bambú,* danzando según las indicaciones del presidente del grupo. El movimiento por los caminos y los campos es errático, sin rumbo ni indicaciones fijas. El objetivo es limpiar los caminos y defender al mundo de los espíritus malignos que lo acosan. Una vez cumplida su misión, ejecutados miles de bailes y danzas, los integrantes del grupo se dispersan hasta la preparación de los ritos del año siguiente.

Otros ritos

Según algún erudito local, el miedo al vudú y a la cultura de los muertos vivientes que proviene del vecino Haití ha creado una serie de mitos tradicionales en la República Dominicana. Uno de ellos es el culto al **Barón del Cementerio** –que según algunos es una *loa* o espíritu del vudú-, primera persona enterrada en un camposanto, que está encargada de velar por la tranquilidad del recinto. Existe, eso sí, un barón para cada cementerio: es el **Barón Samedí,** al que acompañan una segunda categoría de barones: **Barón Lacuá** y **Barón Sandé.**

Novenarios. En cualquier caso, el culto a los muertos es algo que está muy presente en la vida y la cultura tradicional de los dominicanos, hasta el punto que en muchos lugares, las primeras gotas de cada botella de ron son derramadas en honor a los amigos muertos que no están presentes para beber y brindar. Uno de los ritos más populares, común a todo el país, es el *novenario,* llamado así porque se realiza durante nueve días después de la muerte del individuo, tiempo que se emplea para sacar fuera las penas del difunto. Una vez realizado el rito, los asistentes, que han sido alojados en la misma casa o en las de familiares cercanos, disfrutan de auténticos banquetes para celebrar el fin del trabajo.

Baquiní

Baquiní se llaman los velatorios de los niños y desde luego, son todo un espectáculo: los deudos y amigos de los familiares entonan canciones alegres y ritmos dedicados a la criatura que ha fallecido, que es un angelito que ha dejado de sufrir y como tal se le trata. Representa el medio a través del cual llegarán hasta Dios las oraciones de los suyos. Esta condición es recordada con versos rítmicos y cansinos que se repiten machaconamente a lo largo del velatorio: "Cuando un niñito se muere, no se le debe llorar, sabiendo que se va a al cielo, a la gloria celestial". Es, pues, un velatorio donde se inventan juegos para el pequeño difunto, se ríe, se canta y se está alegre, ya que según la creencia, los gritos, lloros y lamentos empañarían sus ojos y harían que se extraviara en su camino al cielo.

Debido al preeminente carácter rural de la población, existen numerosos ritos relacionados con el campo y la agricultura.

Un carácter bien distinto tiene la muerte de un animal doméstico en casa –perros y gatos, sobre todo–, que se interpreta como si alguien se hubiera librado de una desgracia. El que cree que iba a ser el víctima de la tragedia exclama "que en él se envuelva", para alejar toda posibilidad de daño.

Ritos y costumbres agrarias

Dado que hasta hace muy poco era una sociedad rural, en este país perviven una serie de ritos y costumbres relacionados con el campo y la agricultura.

Una tradición importada por los españoles, dedicada a San Isidro, patrón de los labradores, y que aún subsiste, es la llamada los **Rosarios,** consistente en procesiones que el campesino realiza con los pies descalzos o de rodillas entre cantos y plegarias para pedir la intervención del santo y la lluvia en tiempo de sequía.

Relacionadas con el campo y también llegadas de España son las **Cabañuelas,** cálculos meteorológicos realizados por expertos que van anotando las variaciones climáticas durante todo el año para después realizar sus predicciones. Por ejemplo, los doce primeros días de enero determinan las lluvias de todo el año. Si llueve el primer día, lloverá en enero, si llueve el sexto, en junio, y así sucesivamente. Los cálculos y previsiones tienen carácter local, pero cada vez es más difícil encontrarse con un cabañuelista. Han desaparecido casi todos, o son ya muy viejos, con lo que está costumbre probablemente desaparecerá pronto.

Otro de los ritos que asimismo van camino de perderse son los **convites** o **justas** campesinas, un método de cooperación social mezclado con la música y la poesía y que sirve para ayudarse unos a otros y resolver problemas. Cuando un campesino necesita realizar una siembra o un desmonte, invita a sus vecinos y amigos a una justa.

El día señalado se reúnen hombres, mujeres y niños en la finca y, mientras las mujeres preparan una gran comida que corre a cuenta del organizador, los hombres trabajan en el campo a ritmo del *cantohachador* o *trovero,* cuya presencia es obligada en los convites o justas. Los *cantos de hacha* son alicientes fundamentales y se entonan mientras se va realizando el trabajo. Acabada la faena, todos se unen alrededor de una gran mesa o en el suelo para comer y celebrar la fiesta.

La solidaridad resultante de este y otro tipo de sistemas de colaboración se van perdiendo paulatinamente y sólo perviven, como testimonios de lo que fueron en otra época, en algunas comunidades rurales.

Tirso Mejía Ricart y **Luis Eduardo Delgado:** *Santo Domingo,* con fotografías de **Vicente Llamazares.** Ediciones de Cultura Hispánica, colección Ciudades Iberoamericanas, 1990. 246 páginas. Para los amantes de las buenas y grandes fotografías, éste es un libro imprescindible sobre la capital de la República Dominicana. Realiza un estudio histórico –levemente grandilocuente y con equivocaciones como decir que Colón partió del puerto de Palos de Moguer–, y otro –mejor– sobre las cuestiones estrictamente urbanas desde su fundación de la ciudad hasta la actualidad. Todo, como sustento de lo principal, que es la magnífica labor gráfica de Vicente Llamazares.

José Luis Luzón Benedicto: *República Dominicana.* Editorial Anaya, Biblioteca Iberoamericana, 1988. 127 páginas. Para quienes quieran una primera aproximación a diversos aspectos de la República Dominicana, este libro ofrece una buena panorámica que va desde el medio físico hasta la población, pasando por la economía, los recursos y el sistema administrativo y político.

Otros libros

Otros libros sobre diversos aspectos de la República Dominicana, se añade una pequeña relación:

Balaguer, Joaquín: *Guía emocional de la ciudad romántica.* Ediciones Alpa. Santo Domingo. Balaguer se manifiesta como un dominicano más, es decir, romántico, y como tal hace un recorrido por la ciudad.

Beras, Ramón Antonio: *Inmigración Haitianos. Esclavitud.* Santo Domingo, Biblioteca taller, 1983. Trata sobre el duro tema de la emigración de los braceros haitianos que cruzan a la República Dominicana para cortar caña.

Bosch, Juan: *Cuentos escritos en el exilio.* Editora Alfa y Omega, Febrero de 1970, Santo Domingo. Es curioso el pulso político y literario de Bosch y Balaguer, dos de los políticos que han protagonizado la historia de este país despúes de Trujillo. Bosch recuerda en esta obra a su patria y a sus gentes. Algún cuento merece la pena.

Cassa, R.: *Historia social y Económica de la República Dominicana.* Santo Domingo, 1983. Para los amantes de las ciencias sociales y económicas. Como todo va tan rápido en este país, se ha quedado ya un poco antiguo, pero sirve para conocer datos, cifras y personajes de la historia de la República.

Castillo, José del: *Ensayos de sociología dominicana,* Santo Domingo, 1983. Para quien quiera conocer el carácter de este pueblo.

Hoppe, Jürgen: *Los Parque Nacionales de la República Dominicana.* Colección Barceló, Santo Domingo, 1989. Un paseo por la naturaleza protegida del país.

Marrero Aristy, Ramón: *Origen y destino del pueblo cristiano más antiguo de América.* Editora del Caribe, C por A. El título lo dice todo. Ramón Marrero Aristy es conocido por su novela *Over,* que denunciaba las condiciones de vida en las plantaciones de las multinacionales.

Mejía, Gustavo Adolfo: *Historia de Santo Domingo.* Instituto de Investigaciones Históricas, Santo Domingo. Otra historia más de Santo Domingo. Recomendable como otras.

Moya Pons, Frank: *Historia Colonial de Santo Domingo.* Santo Domingo, 1977. Recomendable si se quiere profundizar un poco en la historia del país, escrito por un especialista. *Manual de Historia Dominicana.* Universidad Católica, Editora Corripio. Santo Domingo. El apellido Moya es un apellido de buenos historiadores, y éste es un libro básico para los quieran saber más cosas sobre la República Dominicana.

Partee, R.: *La República Dominicana.* Madrid, 1967.

Pichardo Moya, Felipe: *Los aborígenes de las Antillas.* Fondo de Cultura Económica, Méjico, 1956. Buen estudio sobre los taínos y los grupos del mismo tronco aravaco, como los lucayos y los ciguayos. También sobre los caribes.

Rodríguez de Moriziu, Emilio: *Música y Baile en Santo Domingo.* Librería Hispaniola. Santo Domingo, 1971. De lo poco escrito sobre estos temas, merece la pena si se es aficionado a la música. Otro libro es *De Música y Orquestas bailables dominicanas*, edición del Museo del Hombre Dominicano.

Rueda, M.: *Todo Santo Domingo.* Santo Domingo, 1980.

Schoenrich, O.: *Santo Domingo. Un país con futuro.* Santo Domingo, 1977. Ya se ha quedado un poco atrás en sus previsiones.

Troncoso Morales, Bolívar: *Manual de Geografía Dominicana.* UNIBE, Santo Domingo, 1990.

INFORMACIONES PRÁCTICAS

INFORMACIONES PRÁCTICAS

Para viajar por la República Dominicana

Antes del viaje, *117*

Durante el viaje, *118*

Servicios turísticos, hoteles y restaurantes

Índices

ANTES DEL VIAJE

En avión. La República Dominicana dispone de una red aérea bastante completa que la comunica con el resto del mundo, así como con las capitales del interior del continente.

Hay una gran frecuencia de vuelos a Europa y al continente americano con destinos como México, Venezuela, Miami, Nueva York y diversos países centroamericanos, y también entre las islas caribeñas, como Puerto Rico, Jamaica, Haití, Curaçâo y Cuba.

La forma más fácil y directa de llegar desde España es a través de la compañía *Iberia,* la única de Europa que cuenta con una línea de vuelos regulares a Santo Domingo con cuatro vuelos semanales los martes, miércoles, jueves y sábados. Santo Domingo es escala obligatoria para los vuelos de *Iberia* con destino a las capitales centroamericanas, como Guatemala, Managua, Panamá y San José de Costa Rica. Otras compañías regulares también ofrecen vuelos, pero siempre con escalas en otros países, como *Air France,* que para en las Antillas Francesas, o bien *Alitalia* o *Lufthansa,* que hacen escalas en Miami u Orlando. La empresa de vuelos charter *Air Europa* ofrece varios vuelos semanales con salida desde Madrid y llegada a los aeropuertos de Puerto Plata, Punta Cana-Bávaro y Santo Domingo.

Otras posibles vías indirectas serían a través de Nueva York, Miami o Puerto Rico, desde donde hay conexión diaria mediante las compañías *Dominicana de Aviación, Eastern* y *American Airlines* hasta la capital, Santo Domingo. Desde Nueva York y San Juan de Puerto Rico hay vuelos directos al Aeropuerto Internacional de Puerto Plata con la *Compañía Dominicana.* A Puerto Plata también vuelan compañías como *Eastern* y *American Air Lines,* pero solamente con vuelos desde Nueva York y Miami.

La temporada turística alta, durante la cual los precios son más elevados, comprende desde el mes de noviembre al de abril.

Una de las sensaciones que se tiene siempre en cualquier avión, es que de todos los pasajeros que van en el aparato, ninguno ha pagado el mismo precio por el mismo servicio. Basta echar un vistazo a las ofertas de las agencias de viajes, y compararlos con los que ofrecen las propias compañías aéreas. Las diferencias entre la tarifa más alta y la más baja pueden llegar a ser de hasta el triple.

Esto ocurre en cualquier trayecto que se haga, pero en el caso de la República Dominicana la oferta se multiplica; la tarifa de vuelo de cualquier compañía regular, llámese *Iberia, Alitalia* o *Air France,* puede duplicar el precio de una agencia de viajes, en la que además del vuelo, nos incluye una semana de "todo incluido" en un hotel de cuatro estrellas.

En temporada baja, los precios de última hora llegan a ser irrisorios; el problema suele ser que las ofertas las hacen con tanta premura de tiempo que no permite planificar las vacaciones con tiempo suficiente.

En caso de no tener que viajar necesariamente en una fecha concreta, se pueden conseguir ofertas excelentes: basta con mirar los anuncios de las agencias de viajes que se publican en los diarios de tirada nacional, en las que el margen de tiempo que dan para decidirse es, en general, mínimo (una semana o diez días como mucho); pero para las personas que, por sus condiciones de trabajo o por no tener obligaciones urgentes, puedan tomar la decisión de irse de vacaciones con tan corto plazo, el ahorro es evidente.

Las compañías de vuelos charter hacen una especie de "subasta" del tipo de las que se hacen en las lonjas de pescado, es decir, a la baja: cuanto más tiempo se tarda en pujar más baja el precio. Es una situación lógica; un avión a medio pasaje tiene casi los mismos gastos que un avión lleno, por lo que a última hora, con tal de completar los asientos, se ofrecen auténticas gangas. Esto lleva consigo el riesgo de quedarse en tierra si se llega tarde a la puja, pero así es el juego.

Las personas que tienen una fecha fija para sus vacaciones, es difícil que puedan aprovecharse de estas super-ofertas. Por regla general, las tarifas de las agencias de viajes suelen ser mucho mejores que las de las propias líneas aéreas; aun en el caso de que nuestro proyecto de viaje no coincida con la oferta, casi siempre merece la pena viajar con ellas antes que por libre, ya que, si no tenemos intención de quedarnos en el hotel los días incluidos en la oferta, se pueden fraccionar para aprovecharlos al inicio y al final del viaje; e incluso, si se pierden no pasa nada: el viaje sigue siendo más barato que el vuelo de línea regular.

Visados y trámites de entrada

Para entrar en la República como turista y por una estancia de menos de 90 días sólo se requiere el pasaporte en regla; para una estancia más prolongada hay que obtener una prórroga de otros 90 días en el Departamento de Extranjería de la Policía Nacional (telf. 682 21 51). Al entrar en el país, en el propio aeropuerto, hay que rellenar un impreso de entrada y pagar una tasa de diez dólares. El impreso debe conservarse durante todo el viaje y hay que presentarlo a la salida, por lo que es conveniente graparlo al pasaporte, para no tener problemas al final. No es necesario ningún tipo de certificado de vacunación, ni tampoco tomar precauciones especiales.

El permiso de conducir y la tarjeta de crédito son imprescindibles en caso de desear alquilar un automóvil o una motocicleta, siendo suficiente el carné de conducir español. También es válido el permiso de conducir internacional. El carné internacional de estudiante tiene poca utilidad, aunque la agencia de viajes *ODTE* ofrece descuentos en viajes internacionales, alquiler de vehículos, etc.

Compañías aéreas

Iberia
Santo Domingo. El Conde, 401;
telf. 686 91 91 y 689 91 76.
Dominicana de Aviación
Santo Domingo. Avenida de Jiménez Moya;
telf. 532 85 11 y 532 11 46.

Aeropuertos

Las Américas, Santo Domingo, telf. 549 00 81 y 549 04 80.
Arroyo Barril, en Samaná, telf. 248 27 66.
Cibao, en Santiago, telf. 587 67 66.
General Gregorio Luperón, en Puerto Plata, telf. 586 19 92.
Herrera, en Santo Domigo, telf. 547 34 54 y 567 39 00.
La Unión, Puerto Plata, telf. 586 02 19.
Punta Águila, La Romana, telf. 689 15 48.
Punta Cana-Bábaro, en Higüey, telf. 686 23 12.
La Romana, en La Romana, telf. 550 50 88.

Aduanas

El paso por la aduana no suele plantear ningún problema siempre que no se lleven productos prohibidos, como plantas, alimentos de origen animal y frutas, armas, drogas... El control de entrada no es muy estricto aunque suelen registrar superficialmente todos los equipajes. Legalmente, se pueden pasar por la aduana 1 litro de licor y 200 cigarrillos, y un máximo de 100 dólares en artículos de regalo. En caso de llevar algo más, los aduaneros no suelen ser muy estrictos.

Tasas de aeropuerto. Conviene tener en cuenta, para no tener problemas, que al salir del país, en el aeropuerto, hay que pagar 10 dólares de tasas y no se admiten pesos, además de los 10 dólarcs que ya se pagaron a la entrada (además de los 10 dólares por la tarjeta de turista).

DURANTE EL VIAJE

Clima

Cuando a los dominicanos se les pregunta por el clima de su país dicen que sólo hay dos estaciones: el verano y la vieja estación de ferrocarril actualmente en desuso. Tienen razón en parte. Aunque debido a su situación geográfica, algunos grados al sur del trópico de cáncer, se piensa que en la República Dominicana hace un calor sofocante y húmedo, propio del trópico, lo cierto es que el clima es como la isla, variado y en ocasiones algo variable, a pesar de lo cual tiene fama de ser el más agradable de los que caracterizan a las islas antillanas. De hecho, el clima está determinado no sólo por la posición geográfica de la isla, sino también por su accidentada oro-

Embajadas, consulados y otras instituciones

En Madrid
Embajada de la República Dominicana: Paseo de la Castellana, 30; telf. 91 431 53 95.
Oficina de Turismo: Juan Hurtado de Mendoza, 13; telf. 91 350 94 83.

En Santo Domingo
Embajada de España: Independencia, 1.205; telf. 533 14 24 y 535 16 15; fax 535 15 95.
Consulado General de España: telf. 562 22 82.
Centro Cultural Hispánico: Antiguo Colegio de Gorjón, Arz. Meriño, esq. Arz. Portes. Santo Domingo. Telf. 682 83 51 y 686 82 12; fax. 544 03 31.
Secretaría de Estado de Turismo de la República Dominicana: Av. México, esq. Av. 30 de Marzo, Edif. D Oficinas Gubernamentales. Telf. (809) 689 36 55; fax 682 38 06.

grafía. Esa posición tropical y el calor resultante se hallan moderados por la acción de los alisios, una serie de vientos frescos y húmedos, provenientes del Atlántico, que soplan durante todo el año.

Los vientos alisios –imprescindibles para el éxito del primer viaje colombino– recorren el océano desde las islas Canarias al Caribe y llegan cargados de humedad a la costa de la accidentada isla. Estas masas de aire, que ascienden debido a las características del relieve, generan la condensación del vapor de agua y numerosas lluvias, más abundantes en verano. Ésta es, sobre todo, la diferencia fundamental entre el verano y el invierno, dos estaciones definidas por la aparición de las lluvias.

A pesar de la abundancia de estas últimas, muchas zonas son semiáridas, ya que la humedad que aportan los vientos alisios sobre la isla se evapora rápidamente. El vapor de agua se condensa y descarga principalmente sobre barlovento, por lo que los alisios han perdido gran cantidad de sus nubes cuando remontan las cumbres. En general, la época de lluvias comprende de mayo a julio y de septiembre a noviembre, mientras que la estación seca transcurre desde enero a abril. Sin embargo, las frecuentes lluvias tropicales no sólo varían su intensidad según el período del año, sino también según la zona del país; por ejemplo, en Puerto Plata –al norte de la isla, en la costa atlántica– llueve con gran frecuencia en el período de octubre a febrero, y en cambio al sur, en la capital de Santo Domingo, el período lluvioso transcurre de mayo a octubre.

Sin embargo, no hay que preocuparse demasiado, pues las lluvias, aunque torrenciales, suelen durar un breve período de tiempo y después vuelve a surgir un sol espléndido. Como decía un amigo dominicano: "Éste es un país civilizado: hasta la lluvia es de agua calientica".

Los vientos y las corrientes marinas moderan el calor tropical derivado de la acción del sol y de su baja declinación. Por esta razón la

Los vientos alisios son los que provocan abundantes lluvias durante el verano.

isla mantiene una media de temperatura que oscila entre los 25 °C y los 27 °C, y por tanto de características más subtropicales que tropicales. El calor tórrido sólo se siente en las tierras bajas. En algunos valles situados en el centro de la isla, como el de Constanza, durante los meses de invierno la escarcha cubre las sabanas.

La temperatura media de 25 °C desciende a medida que nos adentramos en el interior y subimos en altitud, llegando a alcanzar en algunos valles elevados –cuya temperatura es muy agradable durante el verano– los 0 °C en diciembre y enero. Así en la carretera Duarte, en la Cordillera Central, la temperatura media de todo el año desciende a 18 °C y en los picos montañosos, como el propio Duarte o la Pelona, donde los hielos son persistentes, pueden registrarse temperaturas bajo cero.

Se producen precipitaciones intensas, sobre todo, en el noreste montañoso y en las vertientes orientales de las cordilleras, donde los valores pluviométricos alcanzan los 2.540 litros por m^2. Por el contrario, en las vertientes occidentales o de sotavento la lluvia alcanza anualmente valores inferiores a los 1.000 litros por m^2, o incluso menos si hablamos de las provincias semidesérticas de las regiones suroccidentales.

Las lluvias y el clima son, por tanto, variables y puede suceder que Samaná –al noreste– registre, como de hecho lo hace, los valores pluviométricos más elevados, y Pedernales –en el extremo opuesto– los menores, mientras que el valle de la Vega Real, situado entre montañas, es una de las zonas más fértiles de la isla, dada la abundancia de sus lluvias, y el valle de Barahona, a una distancia de unos 150 km, es prácticamente un desértico y pedregoso páramo.

La benignidad climática de la isla se torna en ocasiones furia desatada, cuando el cielo se vuelve de un color casi mineral, eléctrico, tiemblan casas y árboles y el agua golpea la tierra con furiosas andanadas. Es lo que los indios taínos bautizaron como *Huracán* o *Jurakán*, el dios de las tormentas.

Poco después de la llegada de Cristóbal Colón, en los primeros tiempos de la conquista, un huracán asoló la isla de *La Española* en el año 1502. Según relatan los cronistas, como Pedro Mártir de Anglería, nunca antes se había enfurecido tanto el viento, a decir de los indígenas taínos, que atribuyeron la catástrofe a la cólera de los dioses por la llegada de los españoles.

Estos ciclones, enormes depresiones atmosféricas acompañadas de vientos de enorme intensidad y de lluvia, se forman en un período de tiempo comprendido entre agosto y febrero. Se originan en los mares tropicales y se desplazan hacia la zona templada a razón de 20-50 km por hora, mientras que las corrientes que van formando el torbellino circular en torno a lo que se conoce como *ojo del huracán* pueden llegar a alcanzar los 200-300 km por hora.

Lo normal es que los ciclones pasen por la isla sin afectarla o que lleguen a ella con muy poca fuerza, pero a veces entran en el territorio isleño y sus efectos son devastadores. Cuando estos desastres naturales afectan al país, constituye una auténtica convulsión social que puede tener trascendencia política, como ocurrió en 1930, cuando en la noche de San Zenón un huracán devastó la capital de Santo Domingo. La destrucción ocasionada sirvió como excelente excusa al dictador Rafael Leónidas Trujillo para iniciar un programa de reconstrucción urbanística que reforzó su poder y sirvió para que una pequeña élite se enriqueciera con la especulación resultante. Después de aquel ciclón, el peor de éstos ocurrió en 1979. Bautizado como *David*, fue uno de los más violentos en los últimos años, dejando tras su paso una estela de 300 muertos, miles de heridos y centenares de miles de dominicanos sin hogar. El último huracán, George, quitó la vida a más de 300 personas.

Actualmente, los satélites atmosféricos y los centros meteorológicos del Caribe se encargan de detectar la aparición de estos fenómenos. Un centro de vigilancia enclavado en Miami avisa con la suficiente antelación para que, en caso de producirse una situación de alarma, la población se encuentre preparada. Para obtener **información meteorológica** detallada se puede llamar al telf. 682 79 84.

Compras

El regateo es algo aconsejable que debe ponerse en práctica desde en los taxis hasta en los pequeños hoteles y establecimientos, en especial en los mercados artesanales, donde se debe preguntar el precio en varios establecimientos antes de comprar. Ya se sabe que aunque se regatee, el vendedor va a obtener un buen beneficio, y si no se hace, ese beneficio será mucho mayor. No hay que ser tímido. Al turista, salvo en tiendas y hoteles de lujo, le están pidiendo mucho más de lo que vale. El regateo está dentro de las reglas del juego, y si se realiza con gracia, puede ser hasta divertido, pero como todo en este país, hay que tomárselo con paciencia, tiempo y humor.

Artesanía. La artesanía dominicana es muy variada, destacando fundamentalmente las figuras talladas en madera de caoba y guayacán, así como figuras en concha de caracol y de carey, cuero, objetos en acerina, cuerno y larimar. El larimar es una piedra semipreciosa, parecida a la turquesa, que fue descubierta en 1974. Su primer promotor, Miguel Méndez, la bautizó con el nombre de Larimar, en recuerdo su hija Lari y del color azul del mar que poseía la piedra. Los únicos yacimientos que se conocen en el mundo están en la provincia de Barahona, en la República.

Los sombreros de palma son muy típicos.

Son muy típicas, además de las **muñecas sin rostro** de cerámica, en diferentes colores y tamaños (las hay hasta de un metro de altura, y sirven de decoración en todos los lugares elegantes del país), las **mecedoras de caoba y guano,** perfectas para la siesta estival, que se venden ya desarmadas y empaquetadas, listas para el transporte aéreo. También merecen destacarse las piezas de alfarería, la orfebrería, los bordados y tejidos de algodón de bonitos diseños.

Los **sombreros** y las **sombrillas de palma** son de gran calidad, por su perfecto trenzado. También se pueden encontrar sombreros, cestos y canastas de paja.

Muy interesantes son las **pinturas** primitivas o *naïf,* que se venden por toda la ciudad a precios asequibles. En general, son de origen haitiano o imitan abiertamente ese modelo.

Mención aparte merece el **ámbar,** considerado como la joya nacional. Conocida como la gema de los siglos, esta resina fósil de árboles que vivieron hace 48 millones de años, apresa en algunos casos en su interior insectos de la época terciaria. Para los nativos tenía propiedades mágicas, dado que está cargado de electricidad positiva, que se manifiesta al frotarlo con un paño, tras lo cual atrae pequeñas partículas. La electricidad debe su nombre al ámbar, que en griego se llama *elektron.* Se utiliza como un amuleto y, para que sus propiedades benéficas surtan efectos, debe ser regalado por alguien querido. En la actualidad, sólo los países en el sur del Mar Báltico y la República Dominicana poseen minas de ámbar. En la isla se localizan en la Cordillera Septentrional, y en concreto el más duro procede de Palo de la Cumbre.

Si nos atenemos a su composición química, está formado por carbono, hidrógeno y oxígeno. El ámbar más común, el amarillo, debe su color al ácido isuccínico, mientras que el rojo lleva limonita, y el azul (mucho más raro), arcilla glauconita. El ámbar es duro, algo traslúcido y quebradizo y arde desprendiendo un agradable olor.

El ámbar pulido es una joya de gran belleza que se puede adquirir a precios muy asequibles en cualquier establecimiento del ramo o mercado popular. La del ámbar es una industria artesanal que produce gran cantidad de artículos y en las piedras a veces se encuentran fósiles de insectos de gran valor científico. En Puerto Plata está situado el Museo del Ámbar. La exportación de piedras de ámbar en bruto y sin pulimentar está prohibida y,

El ámbar es considerado la joya nacional.

aunque las venden en los mercados, es mejor no adquirirlas para no tener problemas a la salida del país.

Los **mercados de artesanía,** abigarrados y bulliciosos, son en sí mismos, un espectáculo: la música a todo volumen y los comerciantes ofreciendo sus productos a voz en grito. Destaca el **Mercado Modelo** de Santo Domingo, situado en la avenida de Mella, donde se puede comprar cualquier producto típico del país, además de hierbas medicinales, objetos de hechicería, frutos y vegetales. Otro punto donde se encuentra artesanía es la Plaza Criolla. En Santiago de los Caballeros se concentran en la calle del Sol.

La fruta, que se vende en puestos, suele ser de gran calidad.

Para realizar otras compras en Santo Domingo, hay que dirigirse a la arteria comercial, que es la calle del Conde, así como a las avenidas de Duarte y Mella, sin perder de vista el *Centro Comercial Naco,* el *Centro Comercial Nacional,* la Plaza Criolla, la Plaza Central, las *Galerías Comerciales y el Multicentro Churchill.* Allí se puede encontrar ropa, artículos de regalo y electrónicos. Pero si se está interesado en productos como licores, cigarrillos, cristalería, perfumes, relojes y una serie de artículos libres de impuestos, hay que acudir a las llamadas **zonas francas,** donde se paga en dólares y se recibe la mercancía al salir del país, en la misma escalerilla del avión. Hay tiendas de "zona franca" en el aeropuerto y en el *Centro los Héroes.*

Si se es amante del ritmo, es recomendable comprar discos o casetes de **merengue** (estas últimas son más fáciles de conseguir, pero conviene tener cuidado, porque hay una gran cantidad de copias piratas con la misma carátula que el original), con las que alegrar las fiestas o reuniones a la vuelta a casa (véase el apartado *Música y Discos,* [→pág. 104-107]).

Un regalo poco habitual y verdaderamente original son las **frutas.** El último día, antes de ir al aeropuerto, se puede pasar por un mercado de frutas y comprar las variedades más exóticas, de las que no se encuentran en nuestro país, u otras muchas, como las piñas, los mangos o los aguacates, que sí se encuentran, pero que son recolectadas muy verdes para su transporte y su sabor es completamente distinto al que se puede disfrutar en los sitios de cultivo donde se cogen en su plena sazón; es una forma de regalar un poco de sabor exótico a los que no han podido viajar. Una buena ensalada de frutas tropicales, regada con un generoso chorro de ron, a la hora de enseñar las fotos del viaje a los amigos, es la mejor promoción turística que se le puede hacer de este país.

Tabaco. Se encuentran toda clase de marcas de tabaco rubio americano, a un precio baratísimo, así como de tabaco rubio del país. El tabaco negro es muy escaso; no está mal la marca *Casino,* aunque, para los fumadores de negro, lo más recomendable es que vengan de su país provistos de las cajetillas necesarias para su estancia.

Los fumadores de puros están de enhorabuena, pues la calidad de los vegueros dominicanos no tienen nada que envidiar a los famosos puros habanos, como ejemplo la marca *Aurora.*

Correos y teléfonos

El correo no funciona muy bien, por lo que es recomendable echar las cartas en las centrales de correos; en caso de usar los buzones callejeros, el riesgo de desaparición de aquéllas es grande. En los hoteles de mayor categoría funciona bien el servicio postal, tanto para recibir como para enviar cartas. La tasa de franqueo del correo internacional es casi tan barata como enviar una carta interprovincial en España.

Teléfonos. Las llamadas internacionales están controladas por las **compañías privadas** *Codetel, Tricom* y *All American Cable.* Esta última es la más económica pero tiene menor presencia que las dos anteriores. Hace unos meses creció la competencia (sobre todo en lo que a telefonía móvil se refiere) con la llegada de otras dos compañías de origen europeo: *Centenal* y *Orange. Codetel* dispone de un servicio de operadoras bilingües, inglés-español. Dada la diferencia horaria (cinco o seis horas), es conveniente usar la tarifa nocturna, muy barata, por lo que se debe llamar hacia las 3 h o las 4 h de la madrugada, que son las 8 h o las 9 h de la mañana en España, con lo que el precio de la conferencia se reduce a la mitad.

En comparación con España, sale bastante caro llamar al extranjero, salvo a Estados Unidos, donde se hacen muchas ofertas debido al gran número de dominicanos residentes en el país vecino.

Durante muchos años las llamadas locales eran baratísimas. Era casi una costumbre observar al dominicano pegado durante horas a las cabinas públicas, pero en los últimos tiempos se han incrementado las facturas tanto de la empresa *Codetel* como de *Tricom* y la tendencia es a seguir subiendo.

Los dominicanos tampoco son ajenos a la fiebre de los **móviles** (atención, del mismo modo que un ordenador es una "computadora", un móvil es un "celular"); se ve gente por todas partes y a todas horas hablando sin parar. Un dato, al contrario que en España, el **busca** (allí "beeper") no ha desaparecido, en la República tiene una gran implantación. Para alquilar un móvil/celular, *Codetel* tiene un servicio bastante eficaz (telf. 220 11 11).

Prefijos y números de teléfono. Para telefonear **desde España a la República Dominicana** debe marcarse el prefijo internacional 00 y, tras un nuevo pitido de un tono más suave, el prefijo 1809 de la República Dominicana y el número del abonado.

Para llamar **desde la República Dominicana a España** hay que marcar 011, más el prefijo 34 (código internacional de España), seguido del número del abonado.

Telefónica dispone de un servicio llamado **España Directo** para llamar desde el extranjero; se paga aquí, con la particularidad de que hablan en castellano y que no se necesita dinero: si se llama desde un lugar privado no hay que pagar nada, y si es una cabina pública, se pone una moneda que luego es devuelta. Tiene siempre el mismo precio, por lo que no hay que tener en cuenta el horario nocturno o diurno.

El número para llamar desde la República Dominicana es: telf. 1800-333-02-34, seguido del número particular.

Deportes

El deporte rey en este país es el béisbol, que cuenta con grandes ligas e incluso algún jugador dominicano contratado por los profesionales de la liga norteamericana. La temporada comienza en octubre y acaba en enero. Hay béisbol profesional y amateur, que puede verse en los estadios de Santo Domingo, Santiago de los Caballeros y San Pedro de Macorís, cantera de grandes jugadores profesionales. Un jugador, Juan Marichal, llena de orgullo a los dominicanos.

El béisbol es el deporte nacional dominicano.

También el baloncesto arrastra masas, y se puede ver a muchos niños jugando en las calles de la isla. Las veladas de boxeo atraen ante la pantalla de los televisores a todos los hombres. Asistir a un combate en un bar popular es de lo más divertido, los espectadores gritan, vibran y casi se puede decir que pelean con los púgiles, y si uno de ellos es dominicano, las pasiones literalmente se desbordan. También se practican otros deportes que contengan espectáculo, como las carreras de caballos y galgos, los bolos y el billar.

En general, hay facilidades para practicar muchos deportes. La mayoría de los hoteles tiene campos de tenis, golf, etc., pero quizás las actividades deportivas más interesantes para el visitante son los paseos a caballo y los deportes acuáticos y subacuáticos.

Submarinismo y pesca deportiva. Los aficionados al buceo encontrarán aguas de gran transparencia y fondos coralinos con una variadísima flora y fauna submarina. Se pueden realizar cursos y mini-cursos de submarinismo en diversas zonas turísticas, y si se tiene el carné de submarinista es posible alquilar un equipo, aunque lo recomendable es, además del equipo, contratar un guía que sea experto en mostrar las maravillas del litoral.

Para la práctica del submarinismo se recomiendan los alrededores de Samaná, Bayahibe, La Caleta, Isla Beata y las Terreras, aunque en general en muchos puntos del litoral las vistas son fantásticas. Para los submarinistas experimentados, puede ser muy excitante visitar barcos naufragados. Se calcula que hay cerca de medio millar a lo largo de toda la costa, sobre todo cerca de Puerto Plata, Santo Domingo y el este. Si se es aficionado al submarinismo, se debe visitar el Parque Nacional Submarino de La Caleta, una auténtica maravilla en lo que respecta a la flora y fauna marinas que viven en los arrecifes coralinos. El barco *Hickoky* es un arrecife artificial, hundido a propósito en el lugar para crear un hábitat artificial que llegara a albergar vida marina para su posterior estudio.

También goza de mucha popularidad entre locales y foráneos la **pesca deportiva.** En la República Dominicana se celebran varios torneos internacionales. Las piezas que hacen las delicias de los pescadores son, entre otras, el marlín azul, el dorado, el bonito y el pez espada. Para mayor detalle, hay que llamar a *Actividades Acuáticas* (telf. 688 58 38, apartado postal 1.348) en Santo Domingo y en Puerto Plata (telf. 586 39 88, extensión 7.479), donde informan sobre buceo, cruceros en lancha, paracaidismo, pesca al curricán, esquí acuático, vela, etc.

Para la pesca submarina, hay que contactar con *Mundo Submarino* (calle de Gustavo Mejía

La transparentes aguas dominicanas, pobladas por una interesante flora y fauna, son ideales para practicar el submarininsmo.

Ricart 99, Santo Domingo, telf. 566 03 40).

Para la pesca deportiva, hay que contactar con el *Club Náutico de Santo Domingo* (calle de Lope de Vega, telf. 566 16 82), en Bocachica (telf. 685 49 40) y en Haina (telf. 532 39 61).

No obstante, en todos los hoteles de la costa se organizan actividades y excursiones en el mar.

Dinero

La vida en este país es muy cara para la mayoría de su población, pues el índice de pobreza es muy elevado, pero desde el punto de vista de un turista las cosas no son excesivamente caras si las comparamos con el nivel europeo.

Moneda. La unidad monetaria nacional es el peso dominicano, representado con las siglas RD$. Hay pocas monedas en circulación, siendo casi todo billetes de 5 (que se convertirán pronto en moneda), 10, 20, 50, 100, 500 y 1.000 pesos; sólo hay monedas fraccionarias de peso, y de 1, 5, 10, 25 y 50 centavos, las más pequeñas casi en desuso. Curiosamente, a la moneda de cuarto de peso se le llama "peseta" y a los centavos "cheles". El billete rey es el de cien pesos, el más útil de todos, dado que los mayores rara vez son aceptados en taxis, bares o chiringuitos. Los billetes pequeños de 5 y 10 están tan manoseados que a veces da auténtico asco recibirlos, aunque son muy útiles para las propinas.

Cambio. La forma más cómoda para el turista de llevar su dinero son los dólares USA o bien cheques de viaje pues aunque también se aceptan otras monedas fuertes –entre ellas la peseta– son mas difíciles de cambiar, salvo en los bancos y casas de cambio más acreditadas de la capital. Al cambiar dinero, se recomienda solicitar la mayor parte en billetes de 100 pesos, dado que tanto los bancos como las casas de cambio tienen la tendencia de endilgar los billetes de 500 y 1.000, de difícil uso en la práctica. Las principales tarjetas de crédito son ampliamente aceptadas.

Tarjetas de crédito. Las tarjetas de crédito mas usuales como *Visa, American-Express, Master Card* o *Diner's Club* son aceptadas en todos los establecimientos de categoría media en adelante y son de gran utilidad tanto como forma de pago habitual como para obtener fondos extras en caso de necesidad, ahora bien este dinero de emergencia siempre es en moneda nacional y nunca en dólares o travel-cheques como en otros países.

Con las tarjetas de crédito conviene tomar algunas precauciones, pues, dado que el símbolo del peso dominicano coincide con el del dólar ($), el viajero se puede llevar la sorpresa de que, a la hora de pasar el cargo, lo hayan efectuado en dólares americanos. Hay que fijarse bien en que, precediendo al símbolo $, figuren las siglas R.D. Otra precaución es eliminar los papeles de calco de las facturas, pues a veces, se falsifican con ellos otros recibos copiando la firma.

Propinas. No existe ninguna regla general en este campo. Como ya indicamos en los restaurantes, se cobra aparte el servicio, por lo que huelga la propina. En los taxis, dado que se acuerda previamente el precio de la carrera, tampoco es obligatorio. A los botones, maleteros, etc., el equivalente a medio dólar por bulto es suficiente, pues muchos de ellos están acostumbrados a propinas variadas de acuerdo a la nacionalidad del turista: no deja lo mismo un europeo que un norteamericano.

El mercado negro. El mercado negro de divisas no existe de forma tan extendida como en otros paises; lo que sí hay son timadores que ofrecen al turista un cambio muy ventajoso, engañándole o robándole. No hay que caer en la trampa; es más recomendable cambiar en las oficinas bancarias, en las casas de cambio y en los hoteles y olvidarse del lucro fácil.

El timo empleado por los cambistas consiste en ofrecer un cambio muy favorable. Cuando, a cambio de los dólares, entregan al turista el dinero dominicano, lo hacen en billetes de bajo valor para que abulten mucho. El interesado lógicamente los cuenta y siempre falta un billete para completar el total acordado. Ante la reclamación, el timador vuelve a coger el fajo de billetes y los cuenta de nuevo en presencia del interesado, confirmando que efectivamente faltaba uno, que saca del bolsillo y lo añade al fajo, pero en este manoseo de los billetes del fajo original ha desaparecido una buena cantidad. Como la operación la realizan ante los mismos ojos del incauto, éste al ver que añaden el billete que faltaba no suele volver a contar todo el dinero y se marcha satisfecho de su gran negocio hasta que más tarde se da cuenta de su estupidez. En caso de que el turista finalmente vuelva a contar el dinero y advierta la falta en el acto, el timador se enfada y resuelve el negocio devolviendo los dólares y recuperando su dinero.

Electricidad

Es uno de los puntos débiles de este bonito país. Los apagones y las restricciones eléctricas son frecuentes, por lo que es recomendable traer una linterna de emergencia. Aparte de la escasez de producción, el problema se agrava con un tendido eléctrico arcaico, del que las clases más modestas enganchan derivaciones ilegales para iluminar sus casas, con el resultado final de cortocircuitos y caídas de tensión.

Hace unos años, hubo un apagón en la capital que duró más de veinte horas. Según la prensa, la causa fue que un campesino trepó a una torre de alta tensión para intentar sacar una derivación.

En la capital, el barrio más solicitado por los profesionales y la clase alta era el de Gazcue, no sólo por su elegancia y belleza, sino también por ser el único donde no había apagones de luz; las malas lenguas aseguraban que la causa residía en que en él se encuentra la embajada de los Estados Unidos.

El nuevo presidente del país, recientemente elegido, mantuvo la promesa en su campaña de que en tres meses acabaría con el problema de los cortes de luz, pero tras la privatización, en 1999, las cosas siguen igual o peor que antes.

Los hoteles, restaurantes, hospitales, etc., están equipados con plantas eléctricas propias, por lo que en dichos lugares el suministro está garantizado. Conviene informarse antes de alojarse en un hotel de si está dotado de planta para evitar sorpresas. Las calles, en su mayoría, carecen de iluminación, lo que unido a los baches, socavones, alcantarillas abiertas o rotas, hace que se deba mirar bien por donde se pisa.

Los enchufes son de tipo americano, de patilla plana, y la electricidad es de 120 voltios y 60 ciclos. Algunas industrias y la mayoría de los hoteles tienen también corriente de 220 voltios.

Fiestas

En la República Dominicana se celebran las fiestas navideñas y de fin de año, y la tradición dice que hay que ver salir el sol, desde el Malecón, a fin de tener prosperidad para el nuevo año.

El Carnaval, la gran fiesta dominicana.

Fiestas oficiales

1 Enero	Año Nuevo
6 Enero	Reyes
21 Enero	Nª Sª de Altagracia
26 Enero	Día de Duarte
26 Febrero	Día de la Independencia
27 Febrero	Carnaval
	Semana Santa
1 Mayo	Día del Trabajo
	Corpus Christi
Julio	Festival del Merengue
16 Agosto	Día de la Restauración
24 Septiembre	Nª Sª de las Mercedes
Octubre	Festival del Ámbar
25 Diciembre	Navidad

El 21 de enero es el día de **Nuestra Señora de la Altagracia,** con peregrinación incluida a la basílica de Higüey.

También es festivo el 26 de enero, fecha del **Nacimiento de Juan Pablo Duarte,** uno de los artífices de la independencia dominicana.

Una de las grandes fiestas dominicanas es el **Carnaval,** que en este país se hace coincidir con el **Día de la Independencia,** el 27 de febrero. Es un día inolvidable en la capital, donde todo el mundo se enmascara con las caretas tradicionales: de *lechones* y de *diablos cojuelos* –no hay que olvidar que Tirso de Molina, autor de *El Diablo Cojuelo,* vivió y enseñó varios años en Santo Domingo–. En ese día desfilan por la ciudad las tradicionales comparsas, que tienen nombres tan curiosos como "Robalagallina", "Califé", "Se me muere Rebeca", "Los Indios" y otras muchas. Culmina la fiesta con un desfile de carrozas y comparsas por el Malecón en las que los miembros del servicio de orden son los "tiznaos", pues van cubiertos de betún y al que no se aparta, lo tiznan.

Son, asimismo, festivos la **Semana Santa,** que todo el mundo aprovecha para tomar unas vacaciones y durante las cuales todo está absolutamente cerrado, y el 1 de Mayo, **Día del Trabajo.**

También son destacables los **Festivales del Merengue** en Puerto Plata y Santo Domingo. Sobre todo, este último, que se celebra en la segunda quincena del mes de julio, atrae a gran cantidad de turistas, fundamentalmente puertorriqueños, que acuden a bailar el ritmo hermano.

Otra fiesta importante es la del **Día de la Restauración,** que se celebra el 16 de agosto, fundamentalmente en la provincia del Cibao, destacando los *Festivales de Santiago.*

El 24 de septiembre, **Día de las Mercedes,** se realiza una peregrinación al Santo Cerro. El **Día de Difuntos,** o **Día de Finados** es de lo más curioso, pues la gente acude a los cementerios a comer, beber y bailar compartiéndolo con sus difuntos. El **Día de san Andrés,** el 30 de noviembre, se festeja en las calles de Santo Domingo tirando polvos de talco o harina y agua. Además, cada ciudad celebra sus patronos en diferentes fechas, con desfiles y procesiones.

Fotografía

Las fotografías en color se revelan en una hora y a la mitad de precio que en España, por lo que conviene comprar los carretes en casa y revelarlos en la isla.

Gastronomía

Como en todo país tropical, la variedad de frutas es inmensa: la piña, la china, el guineo, la naranja, la lechoza o papaya, el granadillo y otras muchas más, que se pueden adquirir en cualquier esquina de la ciudad; incluso en los semáforos hay vendedores a pie que se las ofrecen a los automovilistas.

Una muestra del esnobismo de las clases altas dominicanas es que casi nunca consumen frutas o zumos naturales; para ellos es comida de pobres, lo *chic* son los néctares y concentrados de frutas en lata o *tetrabrik.*

Al ser un país marinero, ofrece gran variedad de pescados y mariscos: el mero, el chillo, la langosta, el pargo o los camarones se encuentran a precios muy asequibles y forman parte de la carta de cualquier restaurante.

Aquí conviene hacer una recomendación importante:

Si se consume pescado, conviene saber que existe la posibilidad de contraer la **ciguatera,** una intoxicación producida por la ingestión de algunas especies de peces marinos. Estos peces, que normalmente son comestibles, en algunas regiones se vuelven venenosos temporalmente y su ingestión puede llegar a ser mortal en casos extremos. Existen al menos unas 400 especies de peces marinos capaces de provocar la ciguatera en el hombre, pero las más comunes son el mero, la picuá, la cojinua, el peje-rey, el medregal, la barracuda y el lutiano. Se piensa que la intoxicación es consecuencia de una neurotoxina que se encuentra en un determinado tipo de alga. Los peces que se alimentan de algas ingieren aquéllas y, cuando son devorados por otros peces, las trasmiten, hasta que finalmente van a parar a quien se ha sentado a comer o cenar en un restaurante. La cabeza y las vísceras son las partes más tóxicas y la congelación aumenta el efecto de la neurotoxina. Los primeros síntomas de la ciguatera

La República cuenta con una amplia oferta gastronómica y restaurantes de todo tipo.

suelen aparecer a las pocas horas, aunque pueden retrasarse hasta un día después. Se manifiestan trastornos gastrointestinales que desaparecen pronto, junto con vómitos, diarrea, así como alteraciones del sistema nervioso en forma de calambres, debilidad muscular, sensación de que lo frío es caliente y viceversa. Si se advierte alguno de estos síntomas, hay que acudir directamente al médico del hotel o dirigirse al hospital más próximo. Existen varios tratamientos contra la ciguatera, basados en la ingestión de líquidos y vitamina B, pero las consecuencias pueden sufrirse durante meses e incluso años. La comercialización de barracudas, picúas, medregales y del peje-rey está prohibida en la República Dominicana, pero no la del mero y otras especies que, en alguna ocasión, pueden resultar peligrosas. De todas maneras, una cosa es segura: no se contraerá la ciguatera si no se consumen las especies citadas.

Por otra parte, la variedad de la cocina dominicana es inmensa, pues junto a las especialidades criollas se encuentran establecimientos especializados en cocina francesa, española, italiana, china, árabe, asadores argentinos y toda la variedad posible de sabores.

Platos típicos. Los platos más típicos de la cocina dominicana son los siguientes:

El *locrio* dominicano, derivado de la paella española, en la que se sustituyen los ingredientes por productos del país. La base es siempre el arroz condimentado con *bija,* y admite todo y de todo. Se supone que es el resultado de la improvisación sobre las paellas que comenzaron a preparar en el Nuevo Mundo las primeras mujeres españolas.

La *bandera,* compuesto de arroz, alubias, carne guisada, ensalada y *patacón pisao,* que son rodajas de plátano verde frito. Es un plato completísimo y delicioso.

El *sancocho,* derivado del clásico cocido español, aunque no contiene garbanzos, que son sustituidos por yuca y plátano, acompañando a diversas carnes en caldo servidas con arroz. No hay que dejar de probar el *sancocho prieto de siete carnes.*

El pescado y las langostas *al coco,* típicos de la región de Samaná.

El *chivo de Azúa* o *de Montecristi* ha sido alimentado con orégano, lo que le da a la carne un sabor delicioso.

El *mondongo,* que no es más que los callos madrileños.

Los cangrejos de Puerto Plata, Miches y San Pedro de Macorís, así como el *lambí* o caracol marino gigante.

Si el plátano verde sancochado era una comida de esclavos, el *mangú* se ha convertido en una guarnición que puede acompañar todos los platos. Es un puré compuesto de una mezcla del plátano verde con un sofrito de cebolla. Con respecto al plátano, habría que aclarar que en la isla se le llama *guineo* o banana, y que plátano se deja para la variedad más grande, que se fríe. Son los famosos *fritos verdes.*

Un plato típico de Navidad es el *lechón asado* o *en puya.* En dichas fiestas asimismo se consume *pan de frutas* y *lerenes,* estos últimos parecidos a las castañas. Otros dulces típicos de todo el año son los *majaretes,* hechos con maíz, azúcar, leche y canela.

Los taínos no sólo dejaron algunas palabras de su lengua, sino también diversas comidas y hábitos alimentarios. Uno de ellos es el *casabe,* torta hecha a partir de la yuca. Procede del término taíno *cazabí,* al que los españoles del siglo XVI llamaron *pan de palo.* Para éstos fue todo un descubrimiento, pues no se estropeaba en las largas travesías y acabó sustituyendo al pan. Si el *casabe* se obtiene de la yuca rallada y exprimida en el *cicuban* para extraer la *naiboa,* el almidón, la *catibía* es una empanadilla que se hace sin extraer toda la *naiboa* para que se pueda amasar y extender la pasta. Lleva un relleno y luego va frita. Se vende mucho por la calle, en los populares *chumi-churris.*

En estos *chumi-churris* suele comer con frecuencia el dominicano. Son pequeños puestos ambulantes, donde se degusta *pollo al carbón,* bocadillos de *pierna de cerdo horneada,* así como el *locrio,* los *chicharros de pollo* (trozos de pollo con limón y orégano), *chicharrones* (carne de cerdo aderezada con sal y naranja agria) y, para desengrasar, toda la variedad de frutas posibles: piña, coco, guineo, guanábana (especie de chirimoya), toronja o china, chinola, zapote, tamarindo, melón, sandía y mango. También abundan unos pequeños locales, donde hay un poco más de variedad. Se les llama *picapollos* o *picaderas.*

Los **horarios de comida** comprenden desde las 12 h a las 15 h, y los de la cena, desde las 20 h a las 23 h, aunque gran parte de los restaurantes sirve comida a cualquier hora, y hay algunos que incluso no cierran en toda la noche. A la cuenta hay que sumarle un 10 por 100 por el servicio, y por ley, también se cobra un 6 por 100 de tasas. No es necesario dejar propina, salvo que el servicio haya sido excepcional. Lo cual en honor a la verdad no suele ser muy habitual. Sin embargo, no hay que preocuparse si se tarda mucho tiempo en ser servido. El ritmo es "tropical" y algo lento, y es mejor no ir con prisas.

Bebidas. El rey de las bebidas del Caribe es el **ron,** y esta isla goza de una bien ganada tradición en su fabricación, con una gran variedad de marcas, entre las que destacan el *ron Barceló,* con sus diferentes variedades, como son el normal, el añejo, el gran añejo y, sobre todo, el *Barceló Imperial,* del que ningún visitante debe olvidar una o dos botellas al regresar a su tierra para invitar a sus amigos. Otras marcas de gran prestigio son el *ron Bermúdez,* con el añejo *Aniversario,* también de gran calidad, o el *Macorís,* de ocho años, así como el *Brugal.* Este último es el favorito de los dominicanos, que dicen *"bebel* Brugal o no *bebel* ná". Hay otras marcas de ron pero de calidad ínfima, con los que la resaca está garantizada, como las marcas *Constanza, El Valle, Palo Viejo* o *Jalas,* consumidas por las clases populares debido a su bajo precio.

Colmado con bebidas en Santo Domingo.

El ron se sirve en los bares y las discotecas en pequeñas botellas de un tercio de litro, acompañadas de un cubo con hielo, un recipiente con limones del Caribe troceados y una botella de litro de Coca-Cola. Combinándolo con toda clase de jugos de frutas (los refrescos de naranja y limón no existen), proporcionará a las noches del visitante un punto de alegría y, además, sin consecuencias mañaneras, a no ser que se abuse o se mezclen diferentes marcas de ron (si se elige una marca, se debe permanecer fiel a ella toda la noche).

La forma de pedir un poco de ron es pedir un "chín", un poco más un "chin-chín" y una "rumba" es un montón.

La **cerveza** es de gran calidad, y de entre todas las marcas, la mejor es *Presidente,* que, después de la bandera y el himno, es sin duda lo más representativo del país. Se sirve muy fría, en los "umbrales de la congelación". Éste es el punto que se llama "ceniza", tal y como les gusta tomarla a los isleños. Se presenta en dos envases, uno de 700 cc y otro de 300 cc, aunque el más consumido es el grande, que tiene el inconveniente de que si no se bebe rápido se calienta en seguida, por lo que es mejor compartir una botella grande y luego pedir otra, antes que pedir una por persona y beberlas calientes. Por la carretera y en cualquier sitio verán carteles ofreciendo *Presidentes* bien frías, con una guerra de precios que llega hasta los centavos.

También son de buena calidad las marcas *Quisqueya* y *Bohemia,* aunque éstas se hacen curiosamente con maíz en vez de con cebada. Actualmente ha cobrado mucha popularidad una nueva marca de cerveza, *Soberana,* gracias a una fuerte promoción y a su buena calidad.

El **vino** es de importación, y por tanto caro, aunque en todos los restaurantes se pueden encontrar vinos españoles, franceses y chilenos, así como licores, ginebra, whisky...

No obstante, para los abstemios, la gran variedad de jugos de frutas hará las delicias del más exigente. Algo típico son los *frío-frío* hielo picado con un chorro del concentrado de frutas que se prefiera. Se pueden tomar por la calle, en carritos llenos de hielo y botellas de colores, pero hay que tener cuidado con el hielo y el agua, porque es de grifo. Como se advierte en el apartado relativo a la Sanidad, no es conveniente beber agua del grifo si no se quiere ser víctima de la "Venganza de Caonabo"; sin embargo, en los establecimientos públicos el agua es de toda confianza.

Una forma típica de refrescarse es el agua de coco helada, que se puede degustar en el mismo coco, después de abrirle un agujero con un machete. Es la bebida playera por excelencia y bastante barata.

Hora local

La diferencia horaria con España es de cinco horas (GMT menos 4 horas), aunque hay que tener en cuenta los cambios de horario que se aplican en verano e invierno en nuestro país, ya que en la República Dominicana no varía nunca.

Dada la latitud de la isla, las horas de luz diurna tienen poca variación entre el verano y el invierno: amanece entre las 5.30 h y las 6 h y el sol se pone entre las 18 h y las 18.30 h.

Los dominicanos siempre corrigen a los españoles cuando hablan por ejemplo de "las 8 de la tarde"; esa hora no existe en la isla, pues son "las 8 de la noche". La mañana transcurre desde el amanecer a las 12 h, que es el mediodía, por lo que hasta esa hora se debe decir buenos días; la tarde, desde el mediodía hasta la puesta de sol, por tanto buenas tardes, y hasta las 24 h es la noche, y a partir de entonces hasta el amanecer, la madrugada.

La mayoría de los grandes hoteles ofrece el sistema "todo incluido".

Horarios

El horario de los organismos y oficinas del Estado es de jornada continuada desde las 7.30 h hasta las 14.30 h; en cambio, el comercio tiene una jornada partida de 8.30 h a 12 h y de 14.30 h a 18 h.

En general, muchos comercios y pequeños colmados o tiendas de alimentación no cierran a mediodía e incluso algunos permanecen abiertos hasta las 22 h o 23 h, pues en muchos casos los colmados son utilizados como bares, ya que, al ser más baratos, los dominicanos de bajo poder adquisitivo beben en ellos sus cervezas y sus tragos de ron.

Los restaurantes sirven almuerzos entre las 11 h y las 14.30 h y cenas desde las 19.30 h a las 23 h, aunque la gran mayoría de ellos permanecen abiertos desde las 10 h de la mañana hasta la medianoche, intervalo durante el cual se sirve de comer sin interrupción, por lo que seguir los horarios españoles de comidas es fácil, incluso es útil, pues se evitan así las horas punta.

Hoteles

Como país turístico, la República Dominicana posee una buena infraestructura hotelera, sobre todo en la capital y en las zonas costeras más turísticas, con hoteles y pensiones de todas las categorías, desde los dotados de los servicios más completos para el confort del viajero hasta los más baratos y básicos.

Con excepción de los hoteles de mayor categoría, el servicio es bastante lento e ineficaz; todo va al "ritmo tropical" y, como ya se ha indicado anteriormente, si se elige esa opción no hay que olvidar armarse de paciencia, pues reclamar no suele servir de mucho.

La entrada en los hoteles en compañía de amigos del sexo opuesto suele ser dificultosa; en muchos está prohibido terminantemente, y en otros ponen muchas pegas, aunque se suele solucionar con una buena propina. Para quien venga procurando este tipo de contactos lo mejor es alojarse en un apartahotel o bien en bungalows. A las afueras de las ciudades hay multitud de moteles específicos para encuentros "sexuales"; suelen ser cómodos, discretos, seguros y especialmente diseñados para este tipo de fines.

El aire acondicionado es un elemento básico para poder vivir y dormir cómodamente, aunque hay que tener cuidado con él, pues no es raro acatarrarse por su causa, dado el contraste que existe entre la temperatura del exterior y la del interior.

Sistema "todo incluido". Gran parte del turismo que llega a la República Dominicana procede de Canadá, Estados Unidos y Alemania, y es un tipo de viajero que trae absolutamente todo contratado desde su país de origen. Es lo que se llama el "Sistema Full" o "Todo incluido".

A través de dicho sistema se contratan hoteles con playa privada y unas instalaciones impresionantes –piscina, tenis, barcos de vela, golf, submarinismo, discoteca, visitas organizadas, etc.–, en los cuales se desayuna, se come, se cena, se beben copas, se utilizan todas las instalaciones del establecimiento, sin límites de ninguna clase, con un precio establecido previamente. Es un sistema cómodo y, sobre todo, económico, pues permite fijar los gastos que se van a realizar y no salirse del presupuesto.

Para el turista que sólo busca hotel, comida, playa, piscina, discoteca y cama, o sea descanso y otra vez a casa, es el sistema ideal. Ahora bien, para el viajero más curioso, que trata de saber algo del lugar que visita, no es lo más recomendable. Lo ideal es combinar ambos sistemas. De este modo, donde se ofrece el "todo incluido" –a cambio de que el turista no salga de sus instalaciones, salvo en *tours* organizados por ellos–, supone que todas las divisas se queden dentro del complejo. Los negocios situados fuera de sus instalaciones, o sin convenio con ellos, han ido desapareciendo paulatinamente por falta de clientes; ejemplos claros son dos buenos y otrora afamados restaurantes de Puerto Plata, como el *Armando's* y el *Jimmy's,* que han tenido que cerrar debido a la competencia –desleal para los nativos– de Playa Dorada. En parte no les falta razón: casi ningún turista sale a cenar o de compras fuera del complejo, debido a que lo tienen todo resuelto; pero sin duda, también por las dificultades que el propio complejo ofrece para poder desertar de sus encantos. Si no se tiene vehiculo propio, lo cual es lo normal entre los turistas que van a este tipo de lugares, es muy difícil y sobre todo caro, salir de allí. No sólo es la distancia, estratégicamente calculada, sino también otras prácticas menos limpias, como que alquilar un coche o una moto dentro vale mucho más que fuera; un taxi, si lo encuenta, vale casi el doble dentro de las instalaciones que uno cogido fuera; el servicio de autobuses a la ciudad no existe, o bien sólo sirve para los empleados que van o vienen de la ciudad, y sólo en horarios restringidos. Con estas circunstancias, a los complejos se le escapa poco negocio de su "castillo de irás y no volverás", de lo cual se quejan amargamente los pequeños competidores de la zona , que llegan incluso a calificar a las grandes empresas de mafia. En realidad no es una novedad, es la práctica habitual en este tipo de negocios, en los que los únicos beneficios que quedan en la zona son los puestos de trabajo más bajos y las *mordidas* que se llevan los políticos que favorecen este sistema.

A la hora de contratar una estancia de este tipo, conviene informarse antes de las condiciones, pues no todas son iguales. En unos casos los deportes de motor y buceo son de pago y en otros las bebidas alcohólicas sólo son gratis hasta cierta hora.

Idioma

El español que se habla en la República Dominicana es bastante distinto al castellano de la península ibérica. No sólo se suavizan las "zetas" y las "ces" unificándolas en "eses", sino que además las "erres" se convierten en "eles", por ejemplo: "ploblema", "plesidente", "selvesa", "amol", etc. Para entender una conversación rápida entre dominicanos es preciso práctica y flexibilidad de oído.

Los dominicanos son locuaces y bullangueros, hablan fuerte y a la vez, utilizando los giros y *argots* propios del país, y puede que al principio al viajero le sea difícil tanto entender como hacerse entender en el mismo idioma. Como se afirma en ocasiones, España e Hispanoamérica están separadas por la misma lengua.

En general, todo el mundo se tutea y, como mucho, los más "pelotas" pueden utilizar un "Dotol" curándose en salud, aunque su interlocutor no haya terminado la educacón básica. Cuando los dominicanos no entienden lo que se les dice, lo cual ocurre con frecuencia, hacen un gesto con la nariz y el labio superior como frunciéndolos; ante este hecho conviene repetir nuevamente más despacio lo dicho.

Para avisar a un camarero en los bares y restaurantes, es conveniente saber que, en vez de los usuales "¡Oiga!", "¡Oye!" o "¡Por favor!", la palabra mágica es "¡Mira!"; el viajero podrá comprobar, cuando la utilice, que es atendido con más celeridad.

Por lo general, los empleados de los establecimientos turísticos hablan inglés, y en la zona occidental, donde la población tiene un fuerte componente de origen haitiano, no es

Glosario de dominicanismos

Algunos son comunes a otros países caribeños o de Centroamérica y otros son autóctonos. En cualquier caso, se escuchan con mucha frecuencia en todas partes.

Agallú: El que quiere acaparar más de lo que puede.

Arete: Pendiente, colgante.

Ahora: Ahora mismo.

Ahorita: Más tarde, dentro de un poco.

Ahoritita: Quien sabe, quizás mañana, pasado o nunca.

A la cañona: Hacer algo por oblicación.

A la orden, a su orden: De nada.

Auyama: Calabaza.

Avión, avioneta, aviadora: Mujer fácil. También tiene la acepción de homosexual o prostituta.

Balneario: Son lugares de recreo, como desembocaduras de ríos, donde se reúne mucha gente los fines de semana, con chiringuitos y multitud de puestas de venta ambulante.

Bandera Dominicana: Nombre del plato más típico de la cocina dominicana, y que, como en el resto del Caribe, donde recibe otros nombres, está compuesto de arroz, fríjoles y algo de carne guisada.

Beeper: Busca. Se dice mucho "nos bipeamos". El beeper, en sustitución del móvil, se utiliza en la República.

Blof: Engaño.

Bohío: Cabaña.

Bolsa: El escroto de los testículos. Atención, que al salir de los supermercados las risitas de las empleadas pueden ser finas. Mejor pedir una funda o un envoltorio.

Botar: Tirar, arrojar.

Burén: Plato de barro que se coloca al fuego entre tres piedras y que servía originalmente para cocer el casabe entre los taínos.

Caballo: Persona que destaca en alguna actividad.

Carro: Coche.

Casabe: Torta hecha a base de yuca, muy ligera. Llamado *pan de palo* por los españoles, que lo tomaron de los taínos y lo emplearon en sus largas travesías.

Catibia: Empanada elaborada a base de yuca molida rellena de un picadillo de carne que se vende en puestos callejeros. Proviene de una comida taína.

Celular: Teléfono móvil.

Chance: Oportunidad.

Chévere: Es el mismo término que se usa en Venezuela, pero tiene otras acepciones. Elegante, y a veces, presumido.

Chicharrones: Trozos de pollo frito sazonados con limón y orégano.

Chichí: Bebé.

Chichigua: Cometa.

Chin: Un poco de lo que sea.

Chopa: Asistenta.

Ciguatera: Intoxicación alimenticia provocada por la ingestión de algunos peces que, por otra parte, parecen absolutamente deliciosos. Peligrosa y, desde luego, muy molesta.

Clócher: Embrague del coche.

Clóset: Armario pequeño.

Cocolo: Negro americano.

Coger: Practicar el acto sexual.

Colmado: Tienda de ultramarinos donde se puede encontrar cualquier cosa. Son auténticas instituciones en la República.

Concho: Taxis que siguen una determinada ruta y que son compartidos por varias personas.

Condominio: Conjunto de edificios para la vivienda.

¡Cómo va a ser!: Expresión de asombro muy típica que, en realidad, indica un asombro mínimo.

Coso: Masculino de cosa.

Cuadra: Manzana de casas.

Cuero: Prostituta.

Culo: Órgano sexual femenino.

Dar bola: Acercar a alguien, por extensión, dar una oportunidad.

Enchivado: Cuando el coche se atasca.

Fajarse: Batirse, pegarse. También trabajar duro, con esfuerzo físico.

Fucú: Algo que da mala suerte.

Full: Viene del inglés y significa lo mismo: lleno.
Gaveta: Cajón.
Goma: Neumático.
Guagua: Autobús.
Guapo: Fanfarrón, esquinado, enfadado.
Guarapo: Jugo dulce de la caña de azúcar.
Guachimán: Vigilante. Viene del inglés *Watchman.*
Guía: Volante.
Guillo: Pulseras.
Jalao: Dulce de coco.
Jugo: Zumo.
Jumo: Borrachera.
Lambón: Persona aduladora.
Llave: Grifo.
Locrio: Plato típico a base de arroz y pollo.
Mabí: Bebida refrescante hecha de un árbol de corteza amarga.
Mangú: Guarnición típica, consistente en un puré de plátano verde sancochado, que antes era una comida de los esclavos. Se mezcla con un sofrito de cebolla.
Mamacita: Chica bonita.
Máquina: Automóvil.
Manejar: Conducir un coche.
Medio pollo: Un cortado.
Mondongo: Callos (comida).
Moreno: Mulato, alguien de piel oscura.
Moro: Plato típico cuyo principal ingrediente es el arroz.
Moto-conchos: Motos que hacen recorridos como los conchos y que trasportan a una persona.
Pájaro: Homosexual.
Paletero: Vendedor ambulante, generalmente de tabaco, galletas y dulces.
Papaúpa: Gente importante.
Pararse: Ponerse de pie, levantarse.
Pariguayo: Bobo.
Parqueo: Aparcamiento, párking.
Pulóver: Camiseta.
Pollera: Falda.
Polla: Apuestas.
Prieto: Negro.
Rebú: Follón, lío.
Saco: Chaqueta.
Salado, a: Estar de mala suerte, gafado.
Sancocho: Plato típico, un cocido con tubérculos, yuca, plátano y varios tipos de carnes, sobre todo pollo o gallina.
Tomar: Beber.
Toto: Sexo femenino.
Vaina: Cosa, tema, también como sinónimo de "rollo".
Venganza de Caonabo: En México se llama "de Moctezuma", en Perú "de Atahualpa". Es la famosa "diarrea del viajero", que puede afectar a algunos turistas por el cambio de aguas y de comidas.
Yagua: Palma que desde el tiempo de los taínos sirve para techar las cabañas.

Vocabulario taíno

Muchas palabras incorporadas al castellano son de procedencia taína, aunque cuando las utilizamos cotidianamente no lo sepamos. Estas palabras conservan en su mayoría su primitivo significado. He aquí algunas de ellas:

Aguacate, ana, anacaona, anon, areito, arepa, azúa, babque, bagua, barahona, barbacoa (barbecue), batata, batey, behique, bejuco, bija, bohío, borinquen, boya, burén, cabaña, cabuya, cacata, cacique, cacicazgo, caimito, cana, canoa, caoba, caona, caribe, carey, casabe, catarey, cayacoa, cayo, ceiba, cemí, chichigua, chin, cibao, cibaney, cigua, coco, cuba, cocuyo, cohoba, cojiba, colibrí, comején, conuco, copey, fotuto, guabatica, guabina, guacima, guanábana, guaraguao, guayaba, guayo, guayacán, guiro, gurabo, hamaca, haina, haití, hatuey, henequen, higamo, higuera, higüey, huracán, hutia, iguana, itabo, jacagua-jobo, jaiba, jagua, jaragua, jicotea, jutía, lambi, leren, licey, mabi, macana, macao, macuto, maguana, magua, maíz, mamey, manatí, mangle, maraca, mime, naboría, nagua, neyba, nigua, nitaíno, papaya, quinigua, quisqueya, tabaco, taíno, tiburón, yagua, yaguasa, yuca.

extraño oírles hablar en "creole", una jerga caribeña compuesta de francés, inglés, holandés, español y múltiples vocablos de origen africano.

La lengua castellana adoptó una serie de palabras de la lengua de los primitivos habitantes de la isla, los indios taínos, y algunas de ellas dieron origen a vocablos en casi todos los idiomas, como tabaco, huracán, canoa, carey, etc.

(Véase *Dominicanismos y vocabulario taíno* en [→págs. 132-133]).

Información y mapas

Se puede acudir a las oficinas de información turística al llegar al país; sin embargo, aunque la atención al viajero es muy amable, aquéllas carecen prácticamente de material de divulgación, así como de folletos y mapas.

En el aeropuerto (Aeropuerto Internacional de Las Américas, a 25 km por la autopista homónima; telfs. 549 00 81 y 549 00 89) hay una oficina de información turística, así como en todas las ciudades importantes.

Para obtener mapas hay que dirigirse a la recepción de los hoteles y a las librerías del centro. Las agencias de alquiler de automóviles disponen de buenos mapas de carreteras (véase la sección *Alquiler de automóviles* [→pág. 135]).

Lavanderías

Para lavar lo mas útil es utilizar los servicios de lavandería de los hoteles y, si se quiere algo más barato, una buena posibilidad es ofrecerle el trabajo a alguna de las camareras del hotel, que hará la colada en su casa sacándose con ello un sobresueldo. En la capital y las principales ciudades hay lavanderías automáticas por kilos, a la manera americana. Algunas funcionan con monedas o fichas.

Medios de comunicación

Prensa. Dada la comunidad del idioma, la mejor forma de estar informado de los actos y las celebraciones es a través de los diarios.

La República Dominicana goza de una libertad de prensa comparable a la de cualquier país europeo. Se edita una gran cantidad de diarios, que comprenden desde seis matutinos *(El Listín Diario,* con más de 100 años de historia; *El Siglo,* recientemente aparecido; *El Caribe, El Nuevo Diario y Hoy),* hasta tres vespertinos *(La Noticia, El Nacional* y *Útima Hora).* Además de éstos, hay dos semanarios en inglés, *Santo Domingo News* y *Touring,* con información internacional. En cuanto a las revistas se puede elegir entre *Ahora, Bohío Dominicano* (turística), *La Cotica* (turística), *El Amigo del Hogar, Mundo Diplomático, Economía Dominicana, Realidades Dominicanas* y *Rumbo.*

La prensa española no es fácil de encontrar en los comercios. Solamente en la taberna española *"La Bodeguilla",* al principio de la calle de Bolívar, en Santo Domingo, se encuentran *El País* y el *Abc,* con dos o tres días de retraso. En algunos hoteles y en los kioscos de prensa de la calle El Conde se encuentra a veces prensa española, aunque abunda mucho más la alemana e italiana. En Sosúa, en la misma playa venden *El País, Abc* y *Hola.*

Radio. Es recomendable llevar un pequeño transistor, pues en la isla hay 179 emisoras de AM y FM, muchas de las cuales programan música las 24 horas, desde merengue a música clásica, así como noticiarios y actualidad. Los anuncios publicitarios son divertidos.

Televisión. Hay ocho canales de televisión, seis de ellos privados y varias cadenas de TV por cable. Los hoteles disponen de antenas parabólicas, con ofertas de muchísimos canales, casi todos en castellano, ya que proceden del resto de los paises hispanos del área, así como el canal internacional de TVE. La calidad de los programas es la normal, es decir, escasa, pero no son peores que los que sufrimos en España; si acaso, diferentes en su enfoque.

Medios de transporte

Las ciudades más importantes de la isla, como Santiago, Puerto Plata, La Romana, Higüey y, por supuesto, Santo Domingo, están comunicadas entre sí por vía aérea.

El aeropuerto de Las Américas, en la capital, se encuentra a unos 25 km de la misma y para los taxis rige una tarifa que varía entre los 20-25 dólares USA, aunque se debe regatear ya que los conductores siempre pedirán más de lo que se debe pagar. Se pueden compartir los taxis con otros viajeros, con lo que se divide el coste del trayecto. Asimismo hay un servicio de autobuses o "guaguas", aunque si se va con equipaje son muy incómodos ya que van siempre repletos.

Transporte interurbano. Las ciudades están comunicadas entre sí por carreteras cuyo estado de conservación se encuentra en relación con la importancia de las mismas, siendo, en general, bastante accidentadas y estrechas. Se conduce por la derecha y el límite de velocidad es de 80 km por hora, que a veces es controlada por radar. El tráfico es bastante caótico, por lo que es conveniente conducir con prudencia para evitar sorpresas.

Entre todas las ciudades circulan líneas regulares de **autobuses** de viajeros, algunas de ellas con servicio express, aquí llamado "ejecutivo", con aire acondicionado y asientos confortables.

La práctica del **auto-stop** no está excesivamente difundida en la isla, pues en muchos casos incluso los coches particulares recogen pasajeros cobrando una cierta cantidad. En recorridos cortos se puede intentar mientras se espera un autobús o un *concho* (taxi colectivo), pues siendo "gringo" todo es posible.

También existe la posibilidad de desplazarse en **avionetas** con compañías que organizan vuelos charter. No existen vuelos regulares. Hay aerodromos en Santo Domingo, Barahona, Pedernales, Montecristi, Dajabón, Constanza, La Romana (Casa de Campo), Las Terrenas (El Portillo Beach Club), Puerto Plata, Samaná, Santiago, Higüey y Punta Cana.

Automóviles. Si se prefiere **alquilar un automóvil,** conviene recordar que sólo pueden hacerlo los mayores de 25 años que posean el permiso de conducir de su país o bien el internacional, ambos utilizables por un período de 90 días. En general, lo más cómodo es pagar con tarjetas de crédito, pues en caso contrario, se exigen fianzas bastante elevadas.

La elección del vehículo de alquiler dependerá tanto del número de personas como del recorrido que se pretenda realizar. Para cinco o más personas, un coche convencional no es suficiente, teniendo en cuenta que además de los pasajeros hay que contar con el equipaje; para estos casos se alquilan pequeñas furgonetas o "combis", idóneas incluso para adentrarse por malas carreteras. En caso de ser menos de cinco, la variedad de la oferta es enorme, desde pequeños coches *Daewoo, Nissan...* hasta lujosos modelos de *Toyota, Honda* o *Mitsubishi;* casi siempre coches japoneses. Si la elección del recorrido incluye zonas del país con malas carreteras, lo mejor es alquilar un 4 x 4, que aunque más caros ofrecen la seguridad de no quedarse a mitad de camino.

El concho es el medio de transporte más usual.

La mayoría de los coches de alquiler son de cambio de marcha automático, a lo que en España no se suele estar acostumbrado, por lo que es mejor informarse antes sobre los vehículos que sí tienen el cambio convencional. En todo caso, es fundamental que el vehículo que se vaya a alquilar esté dotado de aire acondicionado, si no quiere uno morir derretido en las carreteras del interior.

Antes de firmar los papeles del alquiler, es fundamental comprobar el estado del coche y sobre todo el estado de los neumáticos, tanto de las cuatro ruedas en uso como de la de repuesto, pues dadas las características de los pavimentos nacionales, unos neumáticos gastados pueden dar muchos problemas con los pinchazos.

Si se pretende alquilar un coche desde el principio del viaje, y se está decidido a lanzarse al fragor del tráfico de la ciudad, una de las mejores opciones para hacerlo es en el mismo aeropuerto. Éste es el mejor sitio para conseguir el coche más barato y en mejores condiciones. Según se sale de la aduana, a la derecha, más de veinte *rent-cars* tienen sus mostradores; pero seguro que antes de llegar hasta ellos, varios "agentes" de las propias agencias y algún "autónomo", harán sus ofertas a voces e, incluso, con algún que otro empujón, lo cual, si se va con equipaje, puede ser incómodo. Hay que reconocer que después de bastantes horas de viaje quizá no sea el momento oportuno, pero difícilmente se podrán encontrar tantas opciones, mejores y tan a mano. De todas formas, después de llegar al hotel, descansar del viaje y desayunar bien, coger un taxi o una *guagua* de regreso al aeropuerto para alquilar el coche deseado,

Multitud de motocicletas de pequeña cilindrada recorren las calles dominicanas.

sale más barato y, sobre todo, más rápido, que recorrer la ciudad de agencia en agencia; o también puede uno conformarse con lo que le ofrezca la propia *rent-car* del hotel.

El parque automovilístico de la isla es el más variado del mundo. Coches con más de 30 años, con las carrocerías como un queso *gruyère*, sin luces, sin puertas, y hasta se puede pensar que sin motor, se entremezclan con *Mercedes* y *Porsches* último modelo, en un baile de bocinas y humos. Los coches más populares son los llamados "cepillos", que son los *Wolkswagen* "Escarabajo", aunque la variedad de automóviles y de marcas que circulan es infinita.

También se pueden **alquilar motos** o "motoles", en general de pequeña cilindrada, o *scuter*, llamadas "pasolas", aunque, debido al mal estado de las calles y las carreteras y al tráfico poco disciplinado, no es muy aconsejable si no se tiene bastante experiencia. Es obligatorio el uso del casco incluso con pequeñas cilindradas; es conveniente no olvidarlo, pues el deporte favorito de los policías suele ser multar a los turistas que van desprovistos de él, tanto por el conductor como por el pasajero.

No hay que fiarse del hecho de que todos los dominicanos que van en motocicleta no lleven casco: ellos tiene bula, pero un "blanquito" en moto es para la policía una buena fuente de ingresos, sobre todo en la capital. No servirá de nada hacerles ver que nadie lo lleva, la ley es la ley. Es mejor ser amable y dejar unos pesos al agente para que se tome un refresco, antes que discutir, lo cual conlleva el riesgo de que le retiren a uno el carné de conducir (que habrá que ir a buscar a la comisaría, previo pago de una sustanciosa multa). La *mordida*, pese a su descrédito en Europa, aquí sigue existiendo.

El estado de las carreteras es regular tirando a malo, aunque hay que reconocer que se ha mejorado un poco en los últimos años. La red principal la componen cuatro trayectos fundamentales: el principal es la **Autopista Bolívar,** que une la capital con Santiago de los Caballeros y Puerto Plata, y que atraviesa el país por el interior desde la costa del Caribe a la costa del Atlántico. Recorre la zona más poblada y rica desde el punto de vista agrícola, sobre todo la región del Cibao. La categoría de autopista no hay que creérsela del todo, ya que sólo en algunos tramos se la podría calificar como tal. Muchos baches, desvíos y obras interrumpen el viaje, por lo que cubrir 50 km a la hora no es mal resultado.

La segunda vía en importancia es la que recorre la costa del Caribe hacia el este, comunicando la capital con San Pedro de Macorís y La Romana. Se inicia con la autopista de Las Américas, con un tráfico infernal hasta llegar al aeropuerto; a partir de aquí la vía se estrecha a sólo dos carriles, y aunque el tráfico disminuye conforme nos alejamos de la capital, las dificultades siguen siendo grandes. Tras atravesar La Romana, en dirección a Punta Cana y Bávaro, los baches están a la orden del día, y aunque el tráfico es escaso, conviene ir despacio si no se quiere sufrir una avería.

A lo largo de la costa norte hay otra carretera en buen estado, que comunica Puerto Plata con Samaná, cruzando Sosúa, Cabarete, Río San Juan, Cabrera y Sánchez. Es la más bonita de todas, ya que va bordeando la costa, con parajes de playas solitarias y pueblos típicos.

Por último, está la carretera que va desde Santo Domingo a la frontera de Pedernales con Haití, cruzando San Cristóbal, Baní, Azúa y Barahona. Es la parte menos turística del país, y recorre una zona seca, con paisajes abruptos y solitarios. La carretera es bastante buena hasta llegar a Barahona, pero desde allí a la frontera es un autentico camino de cabras.

El resto de las carreteras del país son muy malas; si decide uno aventurarse por ellas, lo mejor es llevar un vehículo todoterreno.

El cinturón de seguridad no es obligatorio, aunque debe llevarse siempre, dadas las condiciones del tráfico. Aparte del riesgo que suponen los peatones y conductores dominicanos, está el peligro suplementario de poderse tropezar con animales sueltos en la carretera, y chocar con una vaca o un caballo puede suponer un accidente muy grave.

Viajar de noche es un riesgo que se debe evitar, ya que a todo lo dicho se añade la oscuridad y la mala señalización.

La **policía de carretera** es escasa, sólo se les ve en las dos autopistas citadas y en general no dan mucha guerra. Curiosamente, cuando paran un vehículo lo primero que hacen es dar la mano y saludar, tras lo cual suelen pedir los papeles del coche, el seguro y la licencia de conducir y, si todo está en regla, suelen pedir algo para un refresco. Claro que si no se está en regla o se ha cometido alguna infracción, no es tan fácil quitárselos de encima. Lo mejor es tantear el terreno con diplomacia. En general, se portan bien con los turistas, aunque de vez en cuando les saquen su *mordidita.*

La **gasolina** es bastante barata y se vende por galones. Atención en los viajes, ya que no abundan las gasolineras en las carreteras secundarias, por lo que conviene llenar el depósito antes de adentrarse en ellas.

A pesar de todo lo dicho, si se tiene un poco de experiencia, bastante prudencia y buen criterio, no hay por qué tenerle miedo a conducir en este país, y es una de las mejores formas de conocerlo por libre.

Los autobuses interurbanos se llaman "voladoras".

Transporte urbano. Si el tráfico en carretera es difícil, el asunto se complica mucho más en las ciudades, y sobre todo en la capital, donde se convierte en caótico, debido a su densidad y al mal estado de las calles.

En principio, todo es sencillo: calles paralelas y perpendiculares, con grandes vías de vez en cuando, pero la indisciplina de los conductores, los baches o, mejor dicho, los socavones que están a la orden del día, los intermitentes que parecen de adorno, los semáforos que cambian de luces sólo para iluminar su soledad, ya que nadie les hace mucho caso hacen que conducir (o *manejar,* como se dice aquí) sea algo que agota la paciencia al más optimista.

Pero no hay que desesperar. Si se conduce de noche, eso sí, hay que tener los ojos muy abiertos, ya que las calles carecen de señalización y, sobre todo, de iluminación. En realidad, es mejor caminar o coger taxis.

El **transporte público** comprende las *guaguas,* generalmente a rebosar, y sobre todo los **"conchos"**, que merecen un capítulo aparte.

Los "conchos" son taxis colectivos que circulan por las vías principales, en una u otra dirección, recogiendo pasajeros sobre la marcha, a los que dan lo que se llama una "carrera".

En un coche de seis plazas se suben entre diez y doce personas, y no es extraño que un cliente nuevo se siente en las rodillas de otro o bien ponga sus compras encima de aquéllas; de todas formas, es el transporte urbano por excelencia, y una forma barata, simpática y divertida de desplazarse, aunque de ninguna manera cómoda. Para abordarlos hay que hacerles una señal con los dedos en la dirección en la que se pretende ir; si es en línea recta, la cosa es fácil, pero existe un código de gestos algo difícil de comprender e imitar. En los pueblos y en la avenida de Tiradentes, de la capital, circulan motocarros "conchos" e, incluso, cumplen esa función simples motocicletas.

También pueden verse coches de caballos, sobre todo en el Malecón y en Santiago, y un paseo nocturno en ellos es un placer que nadie debe perderse, en especial en la noche del viernes o del sábado.

En ciudades como La Romana, Puerto Plata, Boca Chica, Sosúa o Samaná, el rey del transporte público es la moto, mejor dicho los *moto-conchos,* siempre dispuestos a llevar a cualquier sitio por unos pocos pesos. Son buenos conductores, y en general hacen caso a las indicaciones del cliente. En Santo Domingo y Santiago los autobuses realizan el transporte por 5 pesos.

En muchos sitios son prácticamente la única opción, debido a la escasez de taxis y a sus elevados precios. En Samaná hay otros vehículos, únicos en el país, que son una especie de motos con remolque para cuatro pasajeros; aunque no parecen muy de fiar, son seguros y cómodos, salvo que tengan que subir alguna cuesta fuerte, en las que hay que bajarse para empujar.

Compañías de autobuses y avionetas

Autobuses

Compañía Nacional de Autobuses, Charles Summer, telf. 565 66 81.
Caribe Tours, Leopoldo Navarro, telf. 687 31 71.
Metro Servicios Turísticos, Wiston Churchill, esq. Hatuey, telf. 530 28 50.
Micromóvil, Avda. Independencia, esq. Hermanos Deligne, telf. 689 61 64.
Transporte Turístico Tanya, MI. María Valencia 13, telf. 565 56 91.

Avionetas

Fasa Taxi Aéreo, telf. 567 11 95.
Prieto Tours (sólo para vuelos a El Portillo); telf. 688 57 15.
Servicios Aéreos Turísticos, telf. 562 23 51.
Transporte Aéreo, telf. 566 21 41.
Unicharter, telf. 567 04 81.

Museos y yacimientos arqueológicos

Aunque no es precisamente uno de los mayores atractivos de este país, hay una serie de museos, sobre todo en la capital, Santo Domingo, que ofrecen una pequeña panorámica que abarca desde la flora y la fauna hasta los taínos y el arte colonial.

El **Museo del Hombre Dominicano** es uno de los mejores con los que cuenta el país. Está situado en el barrio de Gascue, en Santo Domingo, entre las calles de F.M. Delmonte y Pedro Henríquez Ureña. En él se pueden encontrar testimonios del arte, la cultura y la sociedad de los primitivos pobladores de la isla, los taínos. Entre los objetos que se exponen figura una cerámica en la que se representa a uno de los chamanes indígenas en actitud de provocarse el vómito con la mano, un gesto que se enmarcaba dentro del rito religioso de la *cohoba,* en la que los nativos inhalaban alucinógenos tras vaciarse el estómago mediante vómitos provocados. También se pueden contemplar unos enterramientos tan interesantes como terribles, los **athebeanenequen,** un doble enterramiento de una figura principal –un cacique– y su esposa. La característica de dicho enterramiento es que la mujer era enterrada viva. También se puede admirar artesanía, vestidos y arte antiguo y contemporáneo del país.

Si se desea contemplar una serie de 32 esqueletos de aborígenes taínos en la misma posición en la que se encontraron, hay que acudir al **Museo Arqueológico de La Caleta,** en un parque enclavado en las proximidades del Aeropuerto Internacional de Las Américas. Se encuentra situado entre la

Sala del Museo Casas Reales, en Santo Domingo.

bifurcación de la avenida de Las Américas y la desviación que lleva al aeropuerto, a unos 25 km de la capital. Además de los esqueletos contiene diferentes restos líticos y en él pueden adquirirse pequeñas reproducciones en piedra y madera del arte indígena.

El **Museo de Historia Natural** ofrece desde una perspectiva didáctica una visión sobre el Universo y la Tierra. Además, y esto es lo más interesante, posee la más amplia información sobre la flora y fauna de la isla, que se puede contemplar en el edificio. Está situado en el complejo de la plaza de la Cultura, entre las calles de César Nicolás Penson, Máximo Gómez y Pedro Henríquez Ureña, donde se hallan también el Museo del Hombre Dominicano, la Biblioteca Nacional, el **Museo de Geografía e Historia** (con importantes mapas de la época colonial y numerosos testimonios de la historia de la República después de la Independencia), el **Museo de Arte Moderno** (destacan diversos cuadros de famosos pintores dominicanos, como Jaime Olson y Paul Guidicelli) y el **Teatro Nacional** (construido con mármol y caoba del país, tiene una capacidad de 1.536 asientos y a su entrada se alzan las estatuas de Lope de Vega, Calderón de la Barca y Francisco de Quevedo).

El **Musco Virrcinal** y cl dc **Las Casas Reales** poseen un patrimonio artístico excepcional. El primero reúne piezas de los siglos XVI-XVIII, pinturas y esculturas pertenecientes a diversos estilos y escuelas, mientras que el segundo documenta la historia de la ciudad durante más de 300 años, desde la llegada de los españoles hasta 1821, fecha de la primera independencia. Entre los objetos expuestos figura un mapa de Juan de la Cosa, una antigua cátedra, de estilo renacentista, de la Universidad de Santo Tomás de Aquino, armaduras, útiles de navegación, mapas coloniales y objetos rescatados de numerosos navíos naufragados, así como documentos y piezas de los siglos XV-XVIII. Se exponen también otras curiosidades, como el monolito de piedra que sirvió para delimitar la frontera entre la parte española y la francesa de la isla.

Otros museos interesantes, sobre todo para los viajeros estudiosos, son el **Museo de la familia dominicana del siglo XIX,** en la *Casa del Tostado,* c/ Padre Billini, esquina arzobispo Meriño, con una colección de muebles, porcelanas y diversos objetos de época, y el **museo Numismático y Filatélico** del Banco General de la República, sito en la calle de Pedro Henríquez Ureña. Abierto, de lunes a viernes, de 9 h a 17 h; telf. 688 65 12. Este último está considerado como la colección más completa del Caribe.

En el bonito edificio de Las Atarazanas Reales (Colón, 4), se ha instalado un **museo** en el que se expone gran cantidad de objetos rescatados de los numerosos barcos naufragados en estas costas durante la época colonial.

Si en **Puerto Plata** se puede contemplar el Museo del Ámbar, en **Santiago** son interesantes el Museo del Tabaco y el Folklórico Tomás Morel, especializado en máscaras de carnaval. En los Altos del Chavón está el **Museo Arqueológico Regional,** con más de 2.000 piezas de arte precolombino.

Por último, en cuanto a **yacimientos arqueológicos,** lo más destacado son las excavaciones realizadas en "La Isabela", en la costa septentrional de Santo Domingo. Primeramente, José Cruxent, decano de la arqueología venezolana, y más tarde Kathleen Deagan, del Museo de Historia Natural de La Florida, han sacado a la luz la planta, las manufacturas e incluso los restos de los habitantes de la primera ciudad europea en Las Américas. Se ha localizado el sitio donde se erigieron el palacete de Colón, la iglesia, el polvorín, el almacén de 36 m de longitud y numerosos objetos, como balas de cañón, piezas de corazas de acero, cubetas de mercurio para la obtención de oro, crucifijos, etc. A pesar de ello, el lugar decepciona a la mayoría de los turistas que se aventura a llegar hasta él, enclavado cerca de la frontera con Haití. Se dice que el dictador Trujillo metió excavadoras en los restos de La Isabela para allanar el terreno y poder celebrar allí una fiesta.

Niños

El traer a toda la familia es una buena posibilidad sobre todo en los centros turísticos playeros como Puerto Plata, La Romana o Punta Cana, en los que los propios hoteles tienen instalaciones y servicios apropiados para esos "locos bajitos". Como precauciones específicas se debe estar atento a las diarreas y a los efectos del sol.

Pesos y medidas

Aunque rige el sistema métrico decimal, aún subsiste el uso de ciertas unidades del antiguo sistema español y del inglés.

Para pesar los sólidos se usa la onza (28,35 gr) y la libra (453,35 gr). Una libra equivale a 16 onzas, una arroba a 25 libras, un quintal a 4 arrobas y una tonelada a 20 quintales. En cuanto a las telas, la medida es la yarda (91 cm), y para el ron, la cerveza y otros líquidos se utilizan botellas que tienen una capacidad de 0,75631 litros. La gasolina y el aceite para automóviles se miden por galones americanos de 128 onzas, el equivalente a 3,78 litros.

Ropa

La República Dominicana es un país tropical, por tanto se debe llevar ropa de verano fresca y que facilite la transpiración. Lo más adecuado son los tejidos de fibras naturales –como el algodón o el lino–, las mangas y los pantalones cortos, las zapatillas y las sandalias. Para la lluvia, un chubasquero, lo más ligero posible y, dado el calor, es recomendable evitar los impermeables de plástico; otra buena solución es llevar un pequeño paraguas plegable. Si se pretende visitar la zona montañosa, es recomendable incluir en el equipaje un jersey, ya que por las noches refresca bastante.

Un aviso importante: en los restaurantes más elegantes y en las discotecas más frecuentadas no se permite la entrada con pantalón corto ni con sandalias o zapatillas; incluso en algunas ponen reparos por ir con vaqueros o zapatos sin calcetines. Son las normas de este país, y conviene conocerlas antes de entablar discusiones inútiles. Mientras que el turista está de vacaciones puede olvidar los convencionalismos pero para los dominicanos es una cuestión de respeto. En caso de ser invitado a una fiesta elegante, tanto en una casa particular como en un club social, lo correcto, en el caso de los hombres, es vestirse con chaqueta y corbata. En las playas, con excepción de lugares muy solitarios y de playas privadas, el *top-less* no está permitido, por lo que las mujeres, además de llevar la toalla y el bronceador, deben cargar con la parte superior del bikini, que les evitará problemas y malentendidos; en los grandes complejos turísticos, tanto en la playa como en la piscina, se permite el *top-less,* así como en algunas playas públicas como Boca Chica, en las que, más que ser legal, digamos que se hace la vista gorda. Lo que es seguro es que toda mujer que va con el pecho descubierto es extranjera, ya que las dominicanas no se atreven a tanto. El decoro en el vestir también se cuida bastante en las iglesias y conventos, sobre todo cuando se está celebrando algún oficio religioso; por ejemplo, en la Catedral de la capital no dejan entrar con pantalones cortos, aunque la minifalda sí está permitida. En caso de no ir vestido correctamente, en la puerta siempre hay espabilados que se sacan una propina por dejar un "pareo" que cubra a los visitantes.

Teléfonos de emergencia

Santo Domingo
Para cualquier tipo de emergencia se puede llamar al telf. **711**.
Cruz Roja Dominicana. Ensanche Miraflores (telf. 682 45 45).
Hospital Darío Contreras (telf. 596 36 86).
Centro Cardiovascular. Josefa Perdomo 152 (telf. 682 60 71).
Centro de Intoxicaciones (telf. 532 65 11).
Farmacia Los Hidalgos. 27 de Febrero 241 (telf. 565 48 48).
Farmacia San Judas Tadeo. Independencia 57 (telf. 689 66 64).

Santiago de los Caballeros
Hospital Cabral y Báez. Avda. Central (telf. 583 43 11).

Puerto Plata
Hospital Ricardo Limardo. J.F. Kunhart (telf. 586 22 10).
Centro Médico Dr. Bournigal. Antera Mota (telf. 586 23 42).

Barahona
Hospital Jaime Mata (telf. 524 24 48).

San Pedro de Macorís
Hospital Karl George (telf. 529 66 16).
Hospital Oliver Pino (telf. 529 33 53).

La Romana
Hospital Arístides Fiallo Cabral (telf. 556 23 44).
Centro Médico Oriental. Santa Rosa (telf. 556 25 55).

Sanidad

La sanidad en la República Dominicana ha mejorado bastante, si nos atenemos a las cifras de hace diez años, aunque todavía dista mucho de llegar a un nivel europeo. En líneas generales, la República Dominicana es un país sano, aunque en alguna zona pantanosa o selvática del interior puedan darse casos de enfermadades de malaria o dengue.

Al pasear por las ciudades, sorprende la cantidad de consultorios médicos que existen, sobre todo de odontología, ya que en la isla hay dos importantes escuelas de esta especialidad, a las que acuden estudiantes de varias nacionalidades, entre ellos muchos españoles.

Farmacias, asistencia médica y seguros. Las farmacias responden a un concepto más norteamericano que español; en ellas, además de medicamentos, se vende multitud de cosas, como periódicos, cigarrillos, regalos, postales, pilas, insecticidas, perfumes, etc. al estilo *drugstore* anglosajón. Hay gran cantidad de ellas y algunas no cierran en toda la noche, aunque no utilizan el sistema de turnos de guardia como en España, sino que siempre son las mismas las que permanecen abiertas. Aunque son abundantes y suelen estar bien provistas, es recomendable que, si el viajero necesita tomar algún medicamento específico, lo traiga consigo.

Para la población local los medicamentos son muy caros, habiéndose producido incidentes por esta causa, por ello no es infrecuente ver en algunas farmacias un cartel que dice "No somos responsables del precio de los medicamentos". Para mayor tranquilidad lo más conveniente es contratar un seguro médico de viaje del tipo *Europ* o *Mondial Assistance.*

Diarrea. El **agua corriente no es potable,** por lo que puede producir molestias de estómago y diarreas. Es lo que los dominicanos llaman la **venganza de Caonabo** en referencia a un cacique indígena que luchó contra los españoles en tiempos de la conquista. En todos los hoteles y restaurantes el agua y el hielo que se sirven son de absoluta confianza. Mientras que la venganza de Caonabo se puede convertir en una pequeña anécdota, más importante suele ser la **ciguatera.**

Sida. El sida se halla bastante extendido. Tras Estados Unidos y Brasil, la República Dominicana es el país americano que posee una mayor incidencia de esta enfermedad y, dada la promiscuidad sexual y la afluencia del turismo, es un riesgo a tener en cuenta. Los preservativos de venta en el país son bastante malos, pero no hay ninguna dificultad para adquirir los que venden las marcas de toda la vida. Para mayor información *in situ* sobre este tema, puede llamarse a la **Línea del sida** (telf. 541 44 00).

Seguridad ciudadana

La seguridad ciudadana en un país pobre como es éste no es muy buena, pero sin duda es mejor que la española; en general, se puede caminar a cualquier hora del día por cualquier parte salvo en los barrios más marginales en los que normalmente a un turista no se le ha perdido nada. Durante la noche lo mejor es limitarse al Malecón y las calles adyacentes o al barrio central de las ciudades, desplazándose en coche o en taxi en caso de salir de estas zonas.

Drogas. La legislación antidrogas en la República Dominicana es muy severa, y tanto las leyes como la policía son de una dureza extrema en este campo. La simple posesión de un porro de marihuana puede conllevar hasta un año de prisión y el trato de la policía en estos casos no es precisamente de cortesía. Esta fuerte represión hace que prácticamente no exista mercado para estos productos salvo en contadas excepciones y en ambientes muy marginales y peligrosos a los que es mejor no acercarse.

Muchos dominicanos afirman que esta dureza interna con las drogas no es más que una careta frente a la DEA y los servicios antinarcóticos de EE UU, ya que en el país se cultivan drogas, pero sólo se dedican a la exportación clandestina, dando así la sensación de ser un país que cumple con las reglas que impone el poderoso, que en caso contrario cortaría las ayudas y el comercio con el gran país del norte, como ocurre con Colombia y, en menor medida, con México.

Policía. La seguridad física es alta, dada la intensa protección policial a los turistas, que no en balde son la gran fuente de divisas del país. No obstante siempre hay que tomar las debidas precauciones, especialmente si se echa la noche encima. En caso de necesidad, llamar a la Policía Nacional (telf. 682 31 51).

La policía generalmente tiene un trato exquisito con los visitantes siempre que éstos se comporten de una forma correcta. Son poco frecuentes los abusos policiales sin que exista una infracción o delito previo, pero, cuando éstos se producen, el comportamiento de los agentes es bastante duro y no siempre acorde con las reglas de procedimiento establecidas. En las pequeñas infracciones de tráfico a veces se puede intentar resolver el asunto por las buenas, con una propina o "mordida", pero hay que hacerlo con discreción tanteando antes el terreno. Hay que tener en cuenta, como rezaba una pintada callejera, que los obreros y los policías reciben el salario mínimo y es normal que intenten conseguir un sobresueldo.

El visitante se sorprenderá de ver a las puertas de algunos edificios, comercios y zonas residenciales hombres armados sin ninguna clase de uniforme y con armas de fuego en muchos casos arcaicas y oxidadas; son los llamados "guachimanes" o vigilantes privados, que derivan su nombre del inglés *watchman.*

Prostitución. Se debe tener cuidado con la prostitución callejera. Las prostitutas, llamadas "cueros", abordan al turista de una forma agresiva y desvergonzada, y entre caricias y "toqueteos" a veces se hacen con el contenido del bolsillo del incauto.

Robos y atracos. La mayor parte de los delitos que suelen sufrir los turistas son hurtos, ya sean de "chorizos", "descuideros", carteristas, timadores o el clásico "tirón", y todo ello en una proporción menor que en muchas ciudades de España. Las zonas de mayor riesgo son la capital y los centros turísticos.

Los robos en los hoteles son poco frecuentes, siendo el riesgo inversamente proporcional a la categoría del establecimiento. Es recomendable depositar el dinero y los objetos de valor en la recepción de los mismos para evitar sorpresas.

Vagabundos. Al no ser la situación social demasiado próspera, el número de mendigos y vagabundos es bastante grande. En el Malecón y las zonas más turísticas muchos niños piden limosna al turista. En general, son un poco pesados, pero si se habla con ellos suelen ser simpáticos y pícaros. Para ganarse la vida muchos niños limpian zapatos, venden maní y café por las calles.

Viajes a Haití

Si se desea visitar este país, que comparte con la República Dominicana la isla de La Española, la mejor fórmula es el avión desde Santo Domingo a Puerto Príncipe, con la *Compañía Dominicana de Aviación,* que tiene vuelos de frecuencia casi diaria.

La comunicación por tierra es bastante dificultosa, dado el estado de las carreteras nacionales y las aún peores del país vecino. Hay varios accesos posibles, pero el más asequible es a través de la carretera que va de la capital hacia el oeste a través de San Cristóbal, Baní y Azúa, y después de esta última población, a unos 15 km, debe tomarse una carretera a la derecha que se dirige a San Juan. Tras atravesar esta población, hay que seguir hacia Matas de Farfán y Comendador, última población dominicana junto a la frontera. Al otro lado, ya en Haití, está el pueblo de Belladere, desde donde la carretera continúa hasta Puerto Príncipe.

Para entrar en Haití se requiere un visado que se puede obtener en la Embajada de Haití en Santo Domingo, situada en la calle del Club Scout 11 (telf. 5 62 57 31), siendo necesarias dos fotografías, el pasaporte y pagar una tasa en dólares.

Vida nocturna y espectáculos

Si los días son espléndidos, las noches son deliciosas y mágicas. Prácticamente, nunca llueve durante la noche, el cielo aparece despejado y cubierto de estrellas y la temperatura refresca e invita a salir a pasear.

Toda la isla está plagada de atracciones nocturnas: cafés, bares, discotecas, salas de fiesta, *nigth-club* y casinos aparecen por todas partes invitando a la diversión, pero no sólo al turista, el dominicano también es muy amigo de salir de noche a bailar y divertirse. En especial, los fines de semana los locales están atestados de gente y es muy fácil relacionarse, pues todos están dispuestos a charlar con el turista. Pero hay que tener mucho cuidado con las profesionales o "cueros", que, por desgracia, abundan bastante, y en algunos casos, una vez en casa o en el hotel, son amigas de lo ajeno. En general, no es necesario acudir a ellas para buscar compañía, pues gran cantidad de chicos y chicas son asequibles para invitarlos a cenar y tomar unas copas e incluso pasar la noche juntos; en el argot dominicano se les llama "aviones" o "avionetas", según su sexo, y están dispuestos a llevar al turista por toda la ciudad y descubrirle los secretos del ritmo merengue.

El Malecón o Avenida George Washington fue durante mucho tiempo lugar de reunión para salir con los amigos, pero desde hace años ha perdido esa atracción. No deja de ser una pena, porque dada su extensión es un lugar ideal para pasear y tomar una copa al aire libre. Pero está bastante descuidado y sucio. Hay en marcha un proyecto para recuperarlo, con la construcción de varios hoteles y un gran centro comercial, pero, de momento, la zona ha perdido el título que tuvo un día, el de "la discoteca al aire libre más grande del mundo". Aun así, hay que darse una vuelta por aquí, especialmente los días festivos y en Carnaval: están los principales hoteles con sus discotecas y además es una forma de observar una realidad del pueblo que no viene en las guías al uso.

Espectáculos. Entre los espectáculos favoritos de los dominicanos están las **"lidias de gallos",** que se celebran no sólo en este país, sino en cientos de lugares de Iberoamérica. En estas peleas gladiadores de vistosas plumas combaten por defender un imaginario territorio y quizá también unas hembras inexistentes, algo que debe estar grabado en los genes de una raza animal feroz y luchadora.

Los gallos dominicanos descienden en su mayoría de la raza combatiente española, originaria de Filipinas, de donde la trajeron los primeros españoles que posteriormente la llevarían a tierras americanas, junto con los toros y la guitarra. Hasta esa América caliente, desbordante y mestiza llegaron los jaulones de la mano de marineros que venían del Puerto de Santa María, Sevilla o Jerez. Las peleas de gallos evolucionaron y dieron forma a ese ambiente de los puertos ultramarinos, lleno de exuberancia, luz y color. Hoy en día todavía siguen exportándose gallos de pelea españoles a Iberoamérica, donde reciben el nombre de "gallo jerezano" y pueden alcanzar un valor de hasta 1.000 dólares. La República Dominicana es uno de los países que más gallos de pelea importa, junto con los países de Centroamérica, Venezuela, Puerto Rico, las Antillas Francesas y Colombia.

Nacidos y entrenados para la pelea, los gallos, fieros y altivos, arrastran entre poderosos cantos una vida corta, disciplinada y solitaria antes de sucumbir seguramente frente a un pico y unos espolones más recios y rápidos que los suyos. Es un espectáculo no recomendado para personas sensibles, ya que las peleas son algo crueles y sangrientas, pero es algo que merece la pena verse al menos una vez en la vida. El bullicio, las apuestas y el fragor de la lucha pueden hacer olvidar lo sangriento de los combates, cuyo ambiente responde fielmente a la canción de Juan Luis Guerra *La Gallera.*

En estos cosos, que existen hasta en la más mínima de las aldeas, llamados pomposamente "Clubes o Coliseos Gallísticos", según la marca de ron que patrocine los carteles, cualquier "macho" muy "bragao" puede perder su casa y hacienda por culpa de sus gallos y se han dado casos de suicidios tras algún día particularmente nefasto. Los galleros dedican toda su vida a cuidar de estos gladiadores alados a los que alimentan cuidadosamente con grano seleccionado, corazones picados, vitaminas y calcio, y a los que friccionan con alcohol y aceite para fortalecer los músculos.

Antes del combate, para provocar la fiereza, los gallos son sometidos al ayuno y se les excita con palos y amagos. Mientras se cruzan las apuestas, hechas mediante un apretón de manos y cumplidas escrupulosamente en este "deporte de caballeros", a los gallos se les colocan unos espolones de metal afilados como navajas, costumbre arraigada en todos los países sudamericanos, donde lo normal es que uno de los dos gallos muera y el otro quede inservible para un nuevo combate. Cuando comienza la pelea, después de un silbido, en la gallera resuenan los gritos y las apuestas, que, como los gallos, no se conceden tregua. El combate se vuelve fiero y plumas y sangre vuelan por los aires mientras que una tamizada luz, salpicada del humo de los cigarros, proporciona un tono irreal al conjunto, completado con rostros concentrados y expertos, llenos de pasión, que apuestan casi hasta el último momento. Las peleas son rápidas y normalmente gana el que ha dado los primeros golpes, volando por encima de la cabeza de su adversario. Sin embargo, siempre puede producirse una sorpresa y el navajazo rabioso de un gallo tuerto puede dar la vuelta al combate. Cuando uno de los gallos muere, es apartado inmediatamente, mientras que el superviviente torna a ensayar un canto de victoria que apenas se deja oír entre los aplausos del público. Su dueño le rescata y se dispone a curarle mientras se prepara la próxima pelea.

No hay que olvidar que los gallos de pelea son un estereotipo de la masculinidad, y que en un país machista como es la República Dominicana son símbolos de poder y dominio. Las peleas pueden durar todo el día desde la mañana a la noche y se celebran varios días de la semana. La vida de los gallos, aun en el caso de resultar vencedores, es corta y a veces estos ejemplares furiosos y mortíferos acaban yaciendo, como sus congéneres domésticos, mansos y amarillos, en el fondo de una olla de arroz.

Otro espectáculo al que son aficionadísimos los dominicanos es la **lucha libre,** mitad deporte, mitad teatro, que apasiona a los espectadores. Una velada en el estadio Eugenio María de Hostos es un espectáculo no solamente por los luchadores, sino sobre todo por el público.

Es muy interesante asistir a un concierto en vivo de algún grupo de **merengue.** El ritmo y las evoluciones de los músicos se contagian al público que asiste a los mismos para bailar, por lo que es recomendable asistir en pareja (véase *Música popular y merengue,* [→págs. 104-107]).

SERVICIOS TURÍSTICOS, HOTELES Y RESTAURANTES

Recomendaciones para la lectura de este apartado

En este apartado se presentan las ciudades descritas en el apartado denominado ***Lugares de interés,*** en primer lugar Santo Domingo y a continuación, ordenadas alfabéticamente, las que cuentan con infraestructura turística.

Con el símbolo ✈ se indican los aeropuertos y con el símbolo 🚌 las estaciones de autobús, compañías y líneas más importantes. En las principales ciudades se incluyen también las direcciones de Correos, agencias de alquiler de vehículos, de excursiones, oficinas de información turística, las fiestas, las compras y la vida nocturna.

La categoría de los **hoteles** dominicanos no siempre coincide con la europea. Cuando es posible, se indica la calidad y nivel de los servicios mediante los siguientes signos:

- 5 los hoteles de lujo, equivalente a los de cinco estrellas;
- 4 1ª categoría, equivalente a los de cuatro estrellas;
- 3 2ª categoría, equivalente a los de tres estrellas;
- 2 3ª categoría, equivalente a los de dos estrellas;
- 1 4ª categoría, equivalente a los de una estrellas.

En otros casos, junto a la dirección, teléfono, fax y número de habitaciones, se especifica el nivel de las instalaciones y servicios del hotel. También se recomiendan otro tipo de alojamientos como apartahoteles, pensiones, etc.

En cuanto a los **restaurantes,** se recogen aquí sólo los que ofrecen una buena relación calidad/precio y, en algunos casos, los mejores de determinadas regiones donde la oferta es más limitada.

SANTO DOMINGO

Aeropuerto Internacional de las Américas, a 25 km por la autopista del mismo nombre, la única de peaje del país (telf. 549 04 00 y 549 00 81).

Aeropuerto Herrera, solamente para vuelos interiores, telf. 472 42 02.

Teléfonos y Telégrafos: Palacio de Telecomunicaciones, calle de Isabel la Católica, en la zona colonial.

Correos: semiesquina con la calle de Las Damas, frente al Alcázar, en la zona colonial.

Secretaría de Turismo de la República Dominicana: Avenida México, esquina 30 de Marzo, telf. 221 46 60.

Oficinas de American Express: Avenida de J.F. Kennedy, 3.

Oficinas de Visa y Master Card: Avenida de J.F. Kennedy, 16.

Alquiler de automóviles. Como se indica en el apartado referido al alojamiento, los grandes hoteles tienen agencias de alquiler de automóviles, así como el aeropuerto. Son de absoluta confianza. Otras compañías:

Avis. Avenida de Lincoln, esquina a Sarasota, telf. 535 71 91, y en el Aeropuerto de Las Américas.

Budget. Avenida de Kennedy, y en el aeropuerto, telf. 567 01 751. Todas ellas son multinacionales, de máxima garantía y servicio, pero caras.

Dollar. Avenida San Martin 253, telf. 565 45 14; llamada sin cargo telf. 1-200 11 86; desde cualquier parte del país, y desde el exterior telf. 1-800-788-7863, también sin cargo. Tiene sucursales por todo el país, y ofrece lás máximas garantías.

Econocar. Avenida de G. Washington, 151 (telf. 682 62 42); Oficina en el aeropuerto. Muy económico, aunque con una flota limitada, por lo que conviene hacer reservar previas.

Hertz, Avenida de la Independencia, 454 (telf. 221 53 33) y en el aeropuerto.

Honda. J.F. Kennedy, esq. Pepillo Salcedo (telf. 567 10 15).

Florida rent a car, telf. 687 88 48, y llamada gratis telf. 1-200 11 19. Tarifas económicas.

Mc Deal Rent Car. Avenida de G. Washington, 105 (telf. 688 65 18); La mejor oferta y con coches de garantía. Servicio en todo el país. En temporada alta, hay que reservar con tiempo.

Nelly Rent a Car. José Contreras, 139 (telf. 535 88 00), y también en el aeropuerto. La compañía más prestigiosa del país, con más de veinte años de servicio. Ofrecen diversos descuentos por semana.

Rentauto. 27 de Febrero 247 (telf. 566 72 21).

Toyota. 27 de Febrero 247 (telf. 567 55 45).

Automóviles con conductor

Express Rent a Car. Avenida de Bolívar, 452, telf. 687 93 69.

Micromóvil. Avenida de la Independencia, 501, telf. 689 20 00.

Alquiler de motocicletas

Rent a Moto. Avda. Bolívar, 68, telf. 688 16 12.

La Real. Avda. Palo Hincado, 51, telf. 685 40 58.

E & E, Rent a Moto. José Contreras, 49, telf. 566 73 45.

Líneas regulares de autobuses

Caribe Tours. Avenida del 27 de febrero, telf. 687 31 71; Con líneas regulares a todo el país. Con servicio express o ejecutivo (aire acondicionado y sin paradas).

Metro Bus. Avenida de Winston Churchill, telf. 566 65 90: Líneas regulares hacia el noroeste; Puerto Plata, Santiago, Samaná y San Francisco de Macorís.

Terra Bus. Cotudanama, 60, telf. 565 23 33; Con líneas hacia Puerto Plata.

Expresso Mota Saad. Avenida de la Independencia, 11, telf. 688 77 75; Con servicios a todo el país.

Servicios de guaguas: a Boca Chica, con microbuses de 12 o 15 pasajeros –sin horario, cuando se llena sale–, en la avenida José Martí, semiesquina a Francisco Henríquez y Carvajal, junto al parque Enriquillo.

Guaguas para lugares próximos a la capital como Baní, San Francisco o San Pedro de Macorís, salen en la zona centro, en las calle próximas a la avenida México.

Hoteles

Santo Domingo está dotado de gran cantidad de hoteles y pensiones, de los cuales se relacionan los más importantes, dividiéndolos en cuatro categorías:

5 Hostal Palacio Nicolás de Ovando. Las Damas, 55 (telf. 687 31 01); 46 habitaciones, aire acondicionado, piscina, restaurante. Enclavado en el corazón de la zona colonial en un palacio del siglo XVI, es lo más tranquilo de la ciudad. Magníficas vistas sobre el estuario del río Ozama. El lugar con más clase para alojarse (en restauración).

4 Hotel Plaza. Avda. Tiradentes, esquina P. González, Naco (telf. 541 62 26, fax: 549 77 43, e-mail: sales@naco.com.do ; Web: www.naco.com.do) ; 220 habitaciones. Decoración a mitad de camino entre el Renacimiento y la modernidad. Es tranquilo y ofrece un buen servicio.

4 Hotel Sol Meliá Santo Domingo. Avenida de George Washington, 365 (telf. 221 66 66, fax 687 81 50); 256 habitaciones, aire acondicionado, televisión, casino, piscina, discoteca, restaurante, gimnasio, sauna, galería comercial, agencias de viajes y de alquiler de automóviles y motocicletas, oficina de cambio y salón de belleza. Enclavado en pleno Malecón, su situación es la mejor de la ciudad. Como todos los de esta cadena, muy confortable, pero con una decoración discutible.

4 Hotel Ramada Renaissance Jaragua. Avenida de George Washington, 367 (telf. 221 22 22, fax 686 05 28); 216 habitaciones, aire acondicionado, televisión, piscina, restaurante, sauna, masaje, galería comercial, salón de belleza, un gran casino, sala de fiestas, agencias de viajes y de alquiler de automóviles e, incluso, helipuerto. Situado en el Malecón, tiene vistas al mar. Colindante con el *Sheraton*, es más moderno y con una arquitectura espectacular. La sala de fiestas es la más elegante de la capital.

4 Hotel Santo Domingo. Calle de la Independencia, esquina a Lincoln (telf. 221 15 11, fax 535 40 50); 216 habitaciones, aire acondicionado, televisión, piscina, restaurante, sauna, masaje, galería comercial, salón de belleza, agencias de viajes y de alquiler de automóviles, pistas de tenis y voleibol, y también con helipuerto. Sus habitaciones han sido decoradas por el dominicano Oscar de la Renta. Es un lugar delicioso, con jardines y una decoración tropical, con todos los detalles de lujo y confort para el cliente. Quizás el más bonito de Santo Domingo.

4 Barceló Gran Hotel Lina. Avenida de Máximo Gómez, esquina a la avenida del 27 de Febrero (telf. 563 50 00, fax 686 55 21); 220 habitaciones, aire acondicionado, televisión, casino, *nigth-club,* gimnasio, sauna, masaje, piscina, pista de tenis, restaurante, salón de belleza, galería comercial, agencias de viajes y de alquiler de automóviles. Situado en el centro moderno de la ciudad, es quizás el hotel más tradicional y prestigioso de los dominicanos. La pastelería y la cocina son deliciosas. Hoy en día pertenece a la cadena española *Barceló,* y en sus dependencias tiene las oficinas de todos los servicios de la cadena.

4 Hotel Embajador. Avenida de Sarasota (telf. 221 21 31, fax 532 44 94); un hotel con gran clase y un estupendo restaurante chino, *El Jardín de Jade,* pero que está situado algo lejos del centro.

4 Hotel Internacional V Centenario. También en el Malecón, y construido hace poco, se encuentra el con 200 habitaciones de lujo, 29 suites, y salas especiales para conferencias así como planta de ejecutivos (telf. 221 00 00, fax 221 20 20).

4 Hotel Cervantes. Cervantes, 202 (telf. 686 81 61, fax 686 57 54); 171 habitaciones, aire acondicionado, televisión, piscina, restaurante, sauna, masaje, salón de belleza y tienda de regalos. Situado en pleno centro y bien equipado. El restaurante funciona las 24 horas, aunque no es de alta cocina.

3 Hotel Comodoro. Avenida de Bolívar, 193 (telf. 541 22 72, fax 562 44 86); 87 habitaciones, aire acondicionado, televisión, piscina, discoteca, salón de belleza y tienda de regalos. Dotado de un servicio y un personal excelente, pero con las habitaciones muy pequeñas.

3 Hotel Conde de Peñalva. El Conde, esquina con Arzobispo Meriño (telf. 688 71 21/688 71 75; Web: www.condepenalba.com.); hotel de categoría media bastante aceptable, por la ubicación y por las posibilidades que ofrece. Habitaciones con aire acondicionado, agua caliente, etc. Desde sus ventanas se ve el Parque Colón.

3 Hotel Continental. Avenida de Máximo Gómez, 16 (telf. 689 11 51); 100 habitaciones, aire acondicionado, televisión, piscina, restaurante, bar, discoteca y agencia de alquiler de automóviles. Las habitaciones varían mucho de unas a otras, con diferentes precios, según estén equipadas.

3 Hotel Caribe. Avenida de Máximo Gómez (telf. 688 81 41); 36 habitaciones, aire acondicionado, televisión, piscina, restaurante y bar en la terraza superior, con unas vistas magníficas. Buena situación, muy cerca del Malecón, regido por italianos y con el mejor restaurante italiano de la ciudad.

3 Hotel Delta. Avda. Sarasota, 53, Bella Vista (telf. 535 08 00, fax: 535 64 48; e-mail: hoteldelta@codetel.net.do); 73 habitaciones con buen precio y servicio. No organiza excursiones, pero tiene restaurante y tienda de regalos. Para estancias de más de una semana hacen el 20 por ciento de descuento.

3 Hotel Hispaniola. Avenida de la Independencia (telf. 221 71 11, fax 535 40 50; llamada sin cargo telf. 1-200 33 24); 160 habitaciones, aire acondicionado, televisión, piscina, casino, pista de tenis, sauna, masaje, discoteca, restaurante, galería comercial, salón de belleza y agencia de alquiler de automóviles. Quizá el mejor de su categoría. Muy bien equipado y con un magnífico servicio.

3 Hotel Napolitano. Avenida de G. Washington (telf. 687 11 31, fax 689 27 14); 72 habitaciones, aire acondicionado, televisión, piscina, discoteca, restaurante, casino, salón de belleza y agencia de alquiler de automóviles. Situado en pleno Malecón y con la terraza más visitada de la capital. La discoteca, horrible. Un poco anticuado.

3 Hostal Nicolás Nader. Calle de Luperón, esquina a Duarte. Ubicado en la zona antigua en una antigua casa colonial restaurada (telf. 687 31 01).

3 Hotel Naco. Avenida de Tiradentes, 22 (telf. 562 31 00), también con piscina.

3 Hotel San Jerónimo. Avenida de la Independencia, 1067 (telf. 221 66 00).

2 Hotel Bolívar. Avenida de Bolívar, 62 (telf. 685 22 00); 27 habitaciones, aire acondicionado, televisión, restaurante y bar. En pleno centro, pero muy ruidoso.

2 Hotel Tropicana. Avenida de Las Américas, camino del aeropuerto (Km 8) (telf. 596 88 85); 45 habitaciones, aire acondicionado, piscina, restaurante y discoteca. Muy limpio, pero alejado del centro.

2 Hotel Residence. Danae 62, semiesquina Santiago, Gazcue, cerca del Malecón. Estilo europeo, bastante confortable, con aire acondicionado, baño privado, TV, nevera. (telf. 686 28 28 y 682 41 78).

2 Hotel El Señorial. Presidente Vicini Burgos, 58, entre Independencia y Malecón (telf. 687 43 67).

2 Hotel Duque de Wellington. Avenida Independencia nº 304, Gazcue (telf. 682 45 25). Pequeño hotel con todas las comodidades y sin lujos, céntrico.

2 Hotel El Palacio. Duarte 106, en la zona antigua, en una casona colonial restaurada recientemente; céntrico y agradable.

1 Hotel Caribeño. Avenida del 27 de Febrero, esquina Duarte (telf. 685 31 67); 58 habitaciones, aire acondicionado, televisión, restaurante, piscina y agencia de alquiler de automóviles. Las habitaciones son diminutas y falla bastante el agua caliente. Muy limpio, magnífica relación calidad-precio.

1 Hotel Comercial. El Conde, 201 (telf. 682 81 61, fax 221 82 07); 75 habitaciones, aire acondicionado, televisión, bar y restaurante. Un tanto viejo, pero está en la calle más central de la ciudad. Casi siempre ocupado por dominicanos.

Hotel Aida. El Conde, 464 (telf. 685 76 92).

Hotel Anacaona. Palo Hincado, 303 (telf. 688 68 88).

Hotel Independencia. Avenida de la Independencia, 267 (telf. 682 57 37).

Hotel Francés. Las Mercedes, esquina Arzobispo Meriño (telf. 685 93 31, fax: 685 12 89); 19 habitaciones. Otra opción en pleno corazón colonial. Se trata de una casa del siglo XVI convertida en hotel, que preserva su estilo y arquitectura originales. Posee un gran patio donde el restaurante *Le Patio* ofrece lo mejor en comida francesa y dominicana. Pertenece a la cadena *Sofitel.* Muy elegante y cuidado.

La Casona Dorada. Avda. Independencia, 255, esquina Osvaldo Báez, Gazcue (telf. 221 35 35/ 476 79 10, fax: 221 36 22); hotel decorado en estilo moderno y funcional, con piscina, restaurante, discoteca y sala de actuaciones. No es muy lujoso, sus características son más las de un apartahotel.

Villa Italia. Avda. Independencia, 1107, casi esquina Alma Mater (telf. 682 33 73/ 39 73, fax: 221 74 61;e-mail: hotel.villa@codetel.net.do); 29 habitaciones. Hotel muy tranquilo, íntimo y con excelente servicio. Por fuera parece un chalé privado. Tiene cafetería, preparan comida criolla e italiana y ofrece vistas al Caribe.

Restaurantes

Como se indica en la sección anterior, casi todos los hoteles disponen de restaurantes que están, en general, acorde con la categoría de los mismos. Especialmente recomendables, el del **Hotel Lina** (telf. 563 50 00), aunque últimamente no esté muy de moda.

Las Flores. El Conde, 366 (telf. 689 18 98). Especializado en comida criolla e italiana. Es famoso por su *lambí a la criolla* o *al ajillo*. Muy original, todo pintado con figuras de vivos colores y frecuentado por los *conderos.* Un clásico ineludible.

Caribbean Blue. Hostos, 205 (frente al Hotel *Mercure/Comercial*); (telf. 682 12 38; fax: 685 51 62). Comida internacional en una casa que data de 1520. Tiene un patio interior que conserva su piedra y su nivel original de 2 m bajo tierra. Destaca su ensalada caribeña y las trufas mágicas.

La Bricciola. Arzobispo Meriño 152 A, ciudad colonial (telf. 688 50 55). Situado en una casona colonial restaurada, con un magnífico patio y lugares abiertos. Cocina italiana y criolla en un ambiente elegante y muy cuidado. Música en vivo.

La Mezquita. Avenida de la Independencia, 407 (telf. 687 70 90). Delicioso el *corazón de filete.* También el mejor *asopao de camarones.* Si se pregunta por él en la calle, hay que "traducir" su nombre al dominicano pronunciando "La Mésquita" para que se entienda.

El Conuco. Casimiro de Moya, 152 (Gazcue); (telf. 686 01 29; e-mail: elconuco@tricom.net). Un clásico con buena música y buffet con la mejor comida criolla. Servicio impecable. El plato estrella es el *pollo al merengue.*

Don Pepe. Santiago, esquina Pasteur, Gazcue (telf. 686 84 81). Buena comida española en un ambiente de lujo.

David Crockett. Gustavo Mejía Ricart, 34, Naco (telf. 547 29 29). El restaurante de carne a la parrilla más reconocido de la capital. Especilidad: la salsa *chimichurri,* que acompaña a la carne.

Reina de España. Cervantes, 103, Gazcue (telf. 685 25 88). Cocina española, magnífico servicio; buenos pescados y mariscos.

Bronco Steak House. Cervantes, 202 (telf. 686 81 61). Abierto toda la noche, y es lo mejor que se puede decir de él.

Juan Carlos. Avenida de Gustavo Mejía Ricart, 7 (telf. 562 50 88). Caro, pero merece la pena. La cocina internacional más imaginativa y variada de la ciudad. También cocina española.

Vesubio I. Situado en el Malecón, en la avenida de G. Washington, 521 (telf. 221 19 54). El restaurante italiano más antiguo de la ciudad, inaugurado en 1954. Bastante popular entre los dominicanos.

Vesubio II. Avenida de Tiradentes, 17 (telf. 562 60 60/70); sucursal del anterior.

Café St. Michel. Avenida de Lope de Vega, 24 (telf. 562 41 41). Cocina francesa, con clase y variedad, buena decoración y mejor servicio.

Cantábrico. Avenida de la Independencia, telf. 687 51 01. Quizá uno de los restaurantes más tradicionales de Santo Domingo, en el que la clientela suele ser del país. Especialidad en mariscos y pescados y cocina española. Decorado con pinturas de Alberto Ulloa.

Vizcaya. Avenida de San Martín, 42 (telf. 689 30 06); Otro restaurante típico y tradicional dominicano. Especialidad, la paloma.

Asadero Argentino. Avenida de la Independencia, 809 (telf. 688 67 92); Magníficas carnes y parrilladas argentinas, con precios moderados.

La Gran Muralla. Avenida del 27 de Febrero, 218 (telf. 567 21 60); Cocina china, especialidades cantonesas.

Jardín de Jade. Situado en el hotel Embajador (telf. 221 21 31). Buena cocina china y ambiente agradable.

Palacio de Mofongo. Avenida de la Independencia. Especialidades dominicanas.

Mesón de la Cava. Avenida del Mirador del Sur, telf. 533 28 18: Situado en unas cuevas naturales; especialidad en carnes.

El Chalet Suizo. Avenida de G. Washington, 105 (telf. 689 12 49); Cocina alemana, salchichas y carnes.

Paco Bananas. Danae, 64, cerca de la avenida de Bolívar (telf. 682 35 35); Local filial en Puerto Plata. Dueños españoles. Platos variados y a buen precio.

Los jardines de San Pedro, Las Mercedes 155, entre Hostos y Duarte, en plena zona colonial. Taberna española y restaurante (en este momento remodelándose) con especialidades locales, muy bien decorado y con una magnífica bodega, también local. Es un buen sitio para descansar cuando se pasea por la zona antigua.

Mangiaeridi, restaurante-piano-bar. Avda. Independencia 302. Cocina italiana de primera categoría.

Il Capo (avenida de Sarasota y Malecón), telf. 532 90 33 (Sarasota). Cocina italiana.

Museo del jamón, Atarazana 17, zona colonial (telf. 688 96 44). Restaurante y bar con mucha animación, decorado con apetitosos jamones de Trévelez y quesos manchegos.

Fran'Boyan. Avenida de G. Washington, 401 (telf. 685 21 91); Buena comida dominicana y con una terraza *La Ceniza,* donde se bebe la mejor cerveza helada del Malecón, con el Caribe al frente.

Aubergine. Alma Mater, esquina a Avda. México (telf. 566 66 22). Especialidades francesas y, sobre todo, alemanas. Tiene sólo ocho mesas, por lo que conviene reservar.

Lanchonete Manolo, Avda. Independencia. Grandes sándwiches y comida rápida. Limpio y barato.

Panadería-lanchonete Villar Hermanos, Avda. Independencia 312, esquina Pasteur (telf. 682 14 33). Se pueden comer bocadillos, platos calientes y fríos, desayunos, bollería, pastelería y lo que a uno se le ocurra, bastante rápido y limpio.

No hay que olvidarse de los infinitos pequeños restaurantes populares o *picapollos,* dispersos por la ciudad, o los ambulantes *chumi-churris,* donde se comen los mejores bocadillos y *picaderas.* En la zona colonial se encuentran varios restaurantes de comida rápida o menú o bien para sentarse a descansar:

Bettye's, Isabel la Católica (telf. 688 76 49); sombreada terraza-jardín.

Vida nocturna y ocio

Bares

Casa del Teatro, Arzobispo Meriño 110. Casona antigua con patio donde se hacen exposiciones de fotografía y pintura. Tiene un café-bar-cafetería que se anima por la noche, muy agradable. De vez en cuando hay actuaciones de jazz o bien representaciones de teatro, en un pequeño auditorio.

Pub Pround Mary, cercano al anterior, en la calle Duarte; pequeño y con ambiente, música rock.

Terraza del hotel **Napolitano,** avenida de G. Washington. Una de las terrazas más populares del Malecón. También es restaurante.

La Ceniza, cervecería, avenida de G. Washington. Sólo sirven cerveza, pero la mejor de Santo Domingo, y en pleno Malecón. Merece la pena.

Boga-boga, avenida de Bolívar, en los bajos del hotel Plaza Florida. Ambiente español, jamones colgados y partidas de mus y dominó.

A parte de éstos, ofrecen mucho ambiente también los bares pertenecientes a los hoteles *Santo Domingo, Sheraton, Lina* e *Hispaniola.*

Discotecas

En Santo Domingo, como en otras ciudades americanas, los noctámbulos locales tienen por costumbre reunirse mayoritariamente en un lugar diferente cada día de la semana; de esa forma siempre hay al menos un sitio muy animado cualquier día, y además se reparte el negocio un poco entre todos. Los fines de semana se llena todo, aunque los locales más animados son la discoteca *Neón* (sábados) y *La Guácara Tahina* (viernes). Entre semana, el *Café Arandino* (lunes); el martes, según dicen, no se sale, *D'Elite* (miércoles) y *Jubileé* (jueves). Las actuaciones en vivo de los grupos de moda de merengue suelen ser curiosamente los lunes y es imprescindible asistir a alguna de ellas. Las salas de actuación son *Jet-Set, Agua y luz* y *Fuego-Fuego,* que se abarrotan de gente que baila sin parar durante la actuación. Teóricamente, empiezan a las once, pero en realidad no suelen comenzar hasta bien pasada la medianoche y se prolongan hasta las cuatro de la mañana. La mejor forma de informarse de estas actuaciones es fijarse en los carteles que cuelgan de los árboles tanto en el Malecón, como en las Avenidas Independencia y Bolívar. La mayoría de los establecimientos que se reseña a continuación abre sus puertas a partir de la 1 h o 2 h de la madrugada.

Bachata Rosa, Atarazana 9, zona colonial. Suele haber actuaciones los fines de semana; los cócteles llevan los nombres de las canciones de Juan Luis Guerra, lo que los hace más atractivos.

Guácara Taína, Parque Mirador del Sur (telf. 530 26 66). Bar y discoteca, el local más de moda después del cierre de *Alexanders* y *Exodus.* Enclavado en una gruta natural, con buena música pop, rock y merengue. Y sobre todo, llena de gente joven, con mucha marcha.

Jubileé, en el hotel *Jaragua,* en el Malecón. Suele tener actuaciones en directo. Ambiente elegante.

Omni, enclavada en el hotel *Sheraton.* Con música variada, caribeña e internacional. Ojo con la forma de vestir, son muy estrictos. Frecuentado por los *dominican-yorks.*

Remos Café Bar, en el puerto turístico San Soucí, Avda. España. Ofrece cócteles tropicales y también tapas españolas para el que tenga hambre. Preciosa vista de la zona colonial desde la terraza. La música en vivo dura hasta las tres de la mañana.

Bella Blue, en pleno Malecón. Cobran la entrada. La música muy alta y casi toda internacional. Chicas guapas y ambiente desenfadado.

Neón 2.002 Disco, en el hotel *Hispaniola.* Especialmente popular entre la gente joven (en remodelación).

Jet Set, Avenida de la Independencia, 184. Es de las discotecas más distinguidas de la capital. Ambiente algo frío, excepto los días que hay actuaciones en vivo, que suelen ser de la gente de más éxito del momento; curiosamente las actuaciones no son los fines de semana.

Salas de fiestas

Por regla general, suelen estar situados en los hoteles, pero al igual que en otras partes del mundo, no están muy de moda.

Salón la Fiesta, en el hotel *Jaragua.*

Embassy Club, en el hotel *Embajador.*

La azotea, en el hotel *Dominican Fiesta.*

Maunaloa, Centro de los Héroes, con casino.

Marrakesh, en el hotel *Santo Domingo.*

Agencias de viajes

En los grandes hoteles es uno de los servicios que se ofrecen al cliente.

Agencia Nuevo Mundo. Avenida de Bolívar, 104 (telf. 689 47 75). Ofrecen recorridos por todo el país. Reserva de hoteles en las playas y otros servicios.

Ecoturi, Santiago, 203 B. Especializada en paseos al aire libre y todo lo que tenga que ver con la naturaleza y la ecología.

Emely Tours. San Francisco de Macorís, 58 (telf. 687 71 14). Una de las más equipadas de la ciudad.

Metro Tours. Avenida Wiston Churchill, esq. Hatuey (telf. 544 45 80). Viajes a Santiago, Puerto Plata y Juan Dolio.

Occidental Hoteles. José Abascal 58, 6°; telf. (91) 442 33 77; fax (91) 441 71 01. 28003-Madrid.

Pedro Tours. Av. Independencia esquina Abraham Lincoln (telf. 532 31 02; fax 221 15 11, ext. 7240). Organiza visitas por la ciudad diurnas y nocturnas, así como días de playa, visita a las islas, jardín botánico y zoo. También ofrece venta de pasajes a cualquier parte del mundo.

Prieto Tours. Avenida de Francia, 125 (telfs. 685 01 02 y 685 57 15); recorridos por la ciudad y visitas a los nigth-club.

Taíno Tours. Núñez de Cáceres, 106, semiesquina a la prolongación de la avenida de Bolívar, telfs. 533 78 36 y 533 38 32: Especializada en vuelos internacionales.

Tours del Mar. Situada en el río Ozama, telf. 688 35 01: Ofrece viajes en barca por el río Ozama y por la costa.

Viajes Barceló. 27 de Febrero, telf. 685 84 11 y 685 81 01. Especializados en turismo español. También en Vizconde de Matamala 1-2, telf. (91) 726 54 05 y 726 52 37. 28028-Madrid.

Viajes ODTE. Avenida de Italia, 8, ensanche Honduras, telf. 533 01 52: Agencia para estudiantes con el permiso internacional. Ofrecen descuentos, no sólo en viajes, sino también en tiendas, restaurantes y alquileres de coches.

Compras

La zona comercial de la ciudad se encuentra en las calles del Conde y Mella. También pueden visitarse los centros comerciales de la plaza Naco, en la avenida de Tiradentes, y el Mercado Modelo de la calle Mella, que es una especie de bazar árabe con todo tipo de puestos, donde comprar cualquier artesanía, producto típico o recuerdo del país.

Ámbar-Larimar

Joyas Criollas. Plaza Criolla de la avenida del 27 de Febrero, cerca de la de Máximo Gómez, telf. 567 85 18.

Amber Seto. En calle Palo Hincado, 206, telf. 682 25 96.

Ámbar Nacional. Fábrica de ámbar donde se puede ver todo el proceso de manufacturación de las joyas.

Ambasa, Restauración 110, esquina Hostos (telf. 686 57 00). Mercado de San Antón.

Alex's shop. Mercado Modelo, telf. 688 77 87.

Ámbar 3 gift shop. En las Atarazanas.

Museo del ámbar, El Conde 107. Allí le explicarán cualquier cosa relacionada con el ámbar o el larimar, y podrá ver su magnífica exposición de joyas.

Antigüedades

Tu Espacio. Cervantes, 102.

Chances. Lope de Vega, 11, zona colonial.

Tony. Salomé Ureña, 14.

La Condesa. El Conde, 309.

Los domingos, frente a las ruinas del viejo fortín de San José y a la estatua de fray Antón de Montesinos, se instala una especie de rastro de objetos viejoas y usados, al que los dominicanos llaman el **Mercado de las Pulgas.** No es fácil encontrar algo que merezca la pena, pero la visita es obligada.

Librería Sor Virginia Laporte, Callejón de Los Nichos. La mejor librería de la ciudad, con ejemplares antiguos y nuevos.

Cuesta Centro del Libro, Avenida México, semiesquina Abraham Lincoln; la más surtida del país, con *best-sellers,* clásicos, literatura infantil y religiosa.

Artesanía

De Muralco. Decoraciones. Avenida del 27 de Febrero, telf. 566 03 77.

María Lejos. Sala de Arte y Artesanía. Arzobispo Nouel, 53, telf. 687 18 58.

Casa Verde, Isabel La Católica 152. (telf. 686 83 31). Camisetas, objetos de madera, pinturas, tabacos, ron, cestería... o cualquier souvenir.

Planarte. Las Mercedes, 4, telf. 688 81 01.

La Fábrica de tabacos Caoba, El Conde 109. Los mejores tabacos de la isla.

Discos

Salón Mozart. El Conde, 512, telf. 682 85 48.
Zaar Disco, plaza Naco.
Musicor, plaza Naco.
La Disquera. Las Mercedes, esquina a Santomé, telf. 686 67 87. Además de vender discos, graban cintas a petición de los clientes.
Disco's. En la Plaza Naco, Avda. Tiradentes.

Joyería

Capriles. El Conde, 255, telf. 689 46 54. También tiene sucursales en la plaza Naco y en el hotel Embajador.
Dicarlo. El Conde, 151 y 356, telfs. 682 20 26 y 689 59 48.
Euro Joyas. Doctor Delgado, 16, telf. 686 37 73.
Harrisons, perteneciente a una cadena con tiendas en todo el país.

Pinturas primitivas y naïf

Nouveau Centro de Arte, Avenida de la Independencia, 354.
Daniel's Gallery, Avenida de la Independencia, 1.201.
Primitivo Gallery, Las Mercedes, 255, en la zona colonial.
Galería de arte Sabelén, Hostos, 209 (telf. 682 35 88).

SERVICIOS TURÍSTICOS EN EL RESTO DE LA REPÚBLICA DOMINICANA

AZÚA DE COMPOSTELA

Hoteles

Villa de Matas, Lidia. Los dos son pequeños hoteles-restaurantes familiares y sin grandes comodidades.
Hotel San Ramón. Calle Francisco del Rosario Sánchez (telf. 521 35 29); no tienen habitaciones dobles pero sí aire acondicionado. Muy familiar.

Restaurantes

En Azúa, no hay que dejar de probar el *chivo de Azúa,* que tiene un sabor especial, ya que en su dieta se incluye el orégano, por lo que no es necesario condimentarlo. Esta característica le proporciona un toque inconfundible.
José Video, en el que se ameniza la comida con vídeos y películas.
El Gran Segovia. Avenida de Francisco Alegre del Rosario Sánchez (telf. 521 37 26), especialidad en pescados, mariscos y chivo.
Cira. Avda. Francisco del Rosario Sánchez, 10 (telf. 521 37 40), con una carta variada en la que también incluyen como especialidad el marisco fresco. Sólo admiten tarjetas locales.
Francia y el restaurante típico **L & M,** ambos de comida popular y baratos.

Fiestas

Se celebran en honor de Nuestra Señora de los Remedios, el 8 de septiembre.

BANÍ

Hoteles

Caribaní. Sánchez, 12 (telf. 522 38 71); una de las mejores opciones de Baní. Tiene también un restaurante con una oferta aceptable.
Hotel Las Salinas. Puerto Hermosa, 7, Las Salinas (telf. 522 67 14/ 310 81 41); posiblemente, el mejor hotel de la zona, tanto por sus instalaciones como por el maravilloso entorno.
Otra opción es la que ofrece el **Centro Turístico del Rancho Escondido,** a las afueras de la ciudad.

Restaurantes

Restaurante Caribani. Sánchez, 12, Oeste (telf. 522 38 71); gastronomía variada en especialidades criollas e internacionales.
Pizzería Mi Estancia. Mella, 33, esquina Ladislao Guerrero (telf. 522 52 29).
La Gran Parada y **Las Marinas,** ambos con especialidad en mariscos y pescados, se hallan situados en la carretera. También **El Patio** y **El Rancho Escondido.**

Vida nocturna y ocio

Disco-terraza *Babuyán, Palacio-Disco* y el night-club *La Avenida.* Los sábados se celebran grandes **peleas de gallos,** en el *Club Gallista San Pablo,* con elevadas apuestas.

Fiestas

Destacan las Cruces de mayo, las de San Juan, celebradas del 15 al 24 de junio, con la *saradunga* del día 23, y la de Nuestra Señora de Regla el 21 de noviembre.

BARAHONA

Hoteles

Amhsa Riviera Beach Hotel. Avda. Enriquillo, 6 (telf. 524 51 11, reservas, telf. 688 33 90, e-mail: amhsa@codetel.net.do); es el mejor hotel de la ciudad, de gran capacidad y con un bonito jardín. Funciona en régimen resort. Su playa es tranquila y con buenas vistas. Organiza excursiones a Lago Enriquillo, Bahía de las Águilas, Minas de Larimar y "jeep-tour".

Caribe. Avenida de Enriquillo (telf. 524 21 85); 18 habitaciones. Frente al Malecón, el más tradicional, cómodo y cuidado. Casi siempre ocupado por los viajantes nacionales.

Guarocuya. Avenida de Enriquillo (telf. 524 22 11); con 28 habitaciones, algunas con aire acondicionado, resulta un poco viejo y descuidado. Situado al borde de la playa.

Las Magnolias. Calle de Anacona (telf. 542 22 44); céntrico, pero sin grandes lujos. Organiza excursiones.

Micheluz, calle 30 de Mayo, en el centro de la ciudad. También en el centro, el hotel **Victoria,** poco recomendable.

Restaurantes

Brisas del Caribe. Avda. Enriquillo (telf. 524 27 94/ 30 34/ 63 52); es quizá el mas famoso del Malecón y la referencia gastronómica de Barahona; se puede degustar pescado y marisco. Tiene aparcamiento y el lugar es bastante agradable.

El Laurel. Batey Central, 1 (telf. 524 63 52); con verdadero ambiente dominicano. Ofrece deliciosas especialidades dominicanas.

Brisas del Caribe, (telf. 542 27 94/ 30 34/ 63 52); situado en el Malecón o la avenida de Enriquillo. Es el más elegante de la ciudad, aunque caro.

Las Rocas, avenida de Enriquillo. Buena cocina y más asequible que el anterior.

Flamboyán, avenida de Enriquillo. Cocina regular, buen ambiente los fines de semana, con baile y música.

Casa de comidas **Yarida,** en el centro del pueblo. Barata y excelente chivo guisado.

José Vídeo, en el centro del pueblo. Se come amenizado con películas.

Vida nocturna y ocio

No suele haber gran ambiente, excepto los fines de semana, donde los lugares más animados son el restaurante-discoteca *Flamboyán* y las discotecas *Costa Azul, Bahía* y *Lotus.*

Fiestas

Destacan las fiestas patronales de Nuestra Señora del Rosario, celebradas en la primera semana de octubre, en las que es típico bailar el *carabiné,* que se interpreta con acordeón, *güira, balsie* y pandero.

BAYAHIBE

Hoteles

Hotel Llave del Mar. Centro del pueblo (telf. 224 50 43/ 62 79); un ejemplo de cabañitas, bastante agradable y acogedor pero sin grandes lujos. Otras del mismo estilo son **Cabañas Trip Town** y **Cabañas Franciscas.**

Amhsa Casa de Mar Beach Resort (telf. 221 88 80/ 562 74 75, e-mail: amsha@codetel.net.do); enorme complejo en tonos azulados, en la privilegiada playa de Bayahibe, con muelle propio, varios restaurantes, bares y piscina. Un mundo aparte.

Club Viva Dominicus. Playa Dominicus (telf. 686 56 58, e-mail: club. dominicus@vivaresorts.com; web: www.vivaresorts.com); es el más influyente de la zona. Tiene habitaciones y cabañas, con grandes ofertas de deportes acuáticos y con una playita particular. Un poco alejado del pueblo.

Coral Canoa Beach Hotel&Spa. Playa Dominicus (telf. 682 26 62, e-mail: coral.h@codetel.net.do); hotel colindante con el Parque Nacional del Este, con unos bellos jardines y distribuido en villas de caña, madera y piedra. Restaurantes, discoteca, gimnasio, etc.

Dominicus Beach (telf. 566 42 28.); 120 habitaciones, preciosas cabañas rústicas provistas de aire acondicionado, restaurante, cafetería, piscina, pista de tenis, agencia de alquiler de vehículos y tienda de regalos.

Restaurantes

Restaurante Bayahibe, en las cabañas del Negro Brito; **La Bahía,** que se encuentra junto al mar; **La Punta,** al inicio de la playa.

BOCA CHICA

Alquiler de automóviles: En plena playa hay varias agencias de alquiler de automóviles, entre ellas, **Mc Deal Rent a Car, Honda Rent a Car** y **Nelly Rent a Car.** Lo más interesante es alquilar una moto.

Hoteles

Hay numerosos hoteles pequeños y apartamentos, recomendables para estancias de más de una semana.

Coral Hamaca Beach Hotel&Casino (telf. 523 46 11, e-mail: coral.h@codetel.net.do; web: www.coralhotels.com); sistema “todo incluido”, en el extremo oeste, con playa particular e instalaciones privadas, con vigilantes. Es lo más elegante de zona.

Boca Chica Beach Resort. Calle Juan Bautista (telf. 523 45 21); uno de los hoteles clásicos de la zona. Tiene varios restaurantes, tiendas de regalos, bares, piscinas y la discoteca *Barba Azul* abierta hasta las 4 h de la madrugada. Cerca de la playa.

Don Juan (telf. 687 91 57, 523 45 11, fax 688 52 71. 67); habitaciones, aire acondicionado, televisión, restaurante, piscina, muelle privado, discoteca, pistas de tenis y caballos de alquiler. Situado en plena playa.

Hotel Calipso. Caracol, esquina 20 de Diciembre (telf. 523 46 66); con amplias habitaciones, piscina, restaurante, etc. Un buen sitio y no caro. Se debe regatear por estancias de varios días.

Albergue Mesón Isabela. Duarte 3, al otro lado del hotel *Hamaca* (telf. 523 42 24); el más bonito y tranquilo de la costa sur, rodeado de jardines y flores, con piscina. Sólo tiene cinco habitaciones y cinco estudios, cómodos y con clase. Direccion *quebequois.* La mejor opción, pese a estar a cinco minutos de la playa.

Apartahotel Europa. Domínguez, esquina Duarte (telf. 523 57 31); en segunda línea de playa, con habitaciones amplias y algunos apartamentos familares. No tiene piscina. Buena relación calidad-precio.

Hotel Zapata. Abraham Núñez 27 (telf. 523 47 77); junto al hotel *Don Juan,* en primera línea de playa, con un pequeño jardín. Un buen sitio, pero con habitaciones muy pequeñas.

Apartahotel Madeira. Abraham Núñez, esquina Domínguez (telf. 523 44 34); lleno de italianos y un tanto ruidoso.

Hotel Terrazas del Caribe. Domínguez, esquina San Rafael (telf. 523 44 28); a dos cuadras de la playa y con buenas instalaciones.

Pensión Pequeña Suiza (telf. 523 46 19); situada en plena playa. Barata, muy limpia y confortable. Junto a la zona de marcha nocturna.

Hotel Village Milanello. Un poco lejos de la playa y repleto de hinchas del equipo de fútbol del Milán, que es el motivo principal de la decoración. Tiene una pequeña piscina en el jardín. Abstenerse los seguidores de otros equipos.

Restaurantes

Club Neptuno's. Calle de Duarte, frente al **Villa Isabela** (telf. 523 47 03/65 34); pasa por ser uno de los más elegantes del país, con unas terrazas de madera que se adentran en el mar en una zona rocosa y de aguas cristalinas. Especialidad en pescados y en lasaña de langosta. Lugar ideal para una cena romántica a la luz de las velas y arrullados por la brisa marina. Conviene reservar.

Boca Marina (telf. 523 67 02/ 221 29 56); a unos metros del anterior, y con la misma estructura y decoración, algo más barato y una buena opción en caso de no haber reservado en el **Neptuno´s.**

La Dolce Vita. Caracol 14 (telf. 523 44 08); pizzas y pastas, con buena calidad pero muy lentos.

Romagna mía. Duarte 15 (telf. 523 46 47); típico restaurante italiano con terraza y mariscos frescos a la vista para escoger. Un tanto caro para lo que ofrece.

Trattoria Da Piero. Juan Bautista Vicini. Recién abierto y con los precios más baratos de Bocachica. Lleno de italianos.

Café Colonial. (telf. 523 47 79); bar y restaurante especializado en comida indonesia e internacional, dirección alemana.

La Pequeña Suiza. En la pensión del mismo nombre, especializado en *fondues* de queso, carne y pescado. Su plato más original es la *fondue* china, de la que se puede comer hasta hartarse.

Guamira. Mariscos y comidas criollas.

Piccola Italia. Cocina italiana y una magnífica carta de vinos.

Vida nocturna y ocio

De noche hay dos opciones: una, ir a tomar una copa tranquilamente; y otra, ir a la caza de compañía de pago, estando más preparado para esto último que para lo primero. Prácticamente todo el ambiente gira alrededor de la calle Duarte, llena de bares, discotecas y licorerías. No hace falta salir de la calle hasta el amanecer.

En la acera que da al mar están **Disco Miramar,** con terraza, **Bar El César, Discoteca Isla Bonita, Bar las Cuevas** –mitad bar y mitad casa de citas– y la discoteca **Massiel,** bastante cutre. Enfrente están **Carlo+ Anita´s Pub, Bar la Criolla** y **Rockcafé,** con mucha marcha.

Fuera de esta zona el más agradable es el **Café Colonial.**

HIGÜEY

Hoteles y restaurantes

Barceló El Naranjo. Calle Altagracia, esquina Juan XXIII (telf. 554 34 00); pertenece a los Barceló, por lo tanto es un hotel bueno, con todas las comodidades.

Don Carlos. Calle Juan Ponce de León. (telf. 554 27 13) ;uno de los clásicos de Higüey, bastante aceptable.

Topacio. Duarte esquina Cambronal (telf. 554 58 92/ 554 59 09); situado a espaldas de la Basílica, también con aire acondicionado.

El Nilo. Calle Guerrero, cerca de la Basílica (telf. 554 57 42); comida criolla e internacional. Uno de los mejores restaurantes del lugar.

La Fama. Calle Arzobispo Nouel, cerca de la Basílica; (telf. 554 29 70); otra de las opciones en el centro de Higüey, más o menos como el anterior, pero más auténtico.

Pollos Victorina. Avda. Altagracia (telf. 554 56 16); definitivamente, lo más popular y común para tomarse algo rápido y barato.

JARABACOA

Viajes organizados

La empresa *Rancho Jarabacóa,* en combinación con los hoteles de Playa Dorada, en Puerto Plata, ofrecen **excursiones de un día** a la zona, con visita a los saltos; estas escapadas contemplan la práctica de deportes como rafting y senderismo, con comida campestre y paseos a caballo opcionales.

Otras empresas de similar oferta son *Rafting Franz's* (telf. 574 26 69) en Hato Viejo y *Rancho Baiguate Rafting* (telf. 574 49 40), que también tiene un hotel rústico. En las proximidades hay un campo de golf.

Hoteles

Si en lugar de realizar una excursión de tan sólo un día, lo que se desea es **pasar la noche,** lo mejor que se puede hacer es alquilar una cabaña, con oferta variada y amplia. También existe la posibilidad de albergarse en los siguientes hoteles:

Rancho Baiguate. Carretera La Joya, 1 (telf. 574 68 90/ 696 03 18/ 586 11 70, e-mail: rancho. baiguate@codetel.net.do); 27 habitaciones. Está situado entre los ríos Baiguate y Jimenoa y tiene cabañas de ensueño rodeadas de pura naturaleza. Excursiones organizadas, restaurante, bar, piscina, etc.

Pinar Dorado. Carretera Jarabacoa-Constanza, km 1 (telf. 575 40 98/ 574 28 20, e-mail: pinardorado@codetel.net.do); 43 habitaciones. Hospedaje decorado con un gusto exquisito. Tiene restaurante, terraza, el bar *La Guajaca,* discoteca, jacuzzis y baños de vapor, además de excursiones organizadas. La mejor opción de la zona.

Restaurantes

D'Parrillada. Independencia (telf. 574 68 48); carnes de todo tipo preparadas a la parrilla en un restaurante acogedor, aunque un poco retirado.

Cerca del salto de Jimenoa, se halla el **restaurante El Salto,** que cuenta con una pequeña piscina y una buena oferta culinaria; resulta ideal para dormir la siesta, después de las excursiones, pues cuenta con unas hamacas, a disposición de los clientes. Otros restaurantes de la zona son **El Rancho** y **El Mogote.**

LA ROMANA

Correos, avenida de Duarte, junto al Parque Duarte.

Teléfonos, locutorio de Codetel, en la avenida de Duarte.

Aquatrans Tourist Vessels, Avda. Libertad 1, telf. 556 40 00. Viajes a las Islas Saona y Catalina.

Alquiler de automóviles

Rentauto S.A., Francisco del Castillo Márquez, telf. 556 41 81.

Honda Rent a Car, avenida de Santa Rosa, telf. 556 38 35.

Hoteles

Santana Beach Resort (telf. 412 10 10; web: www. playasantana.com, e-mail: h.Santana@mail. cotursa- hoteles.com); tiene de todo y se puede practicar de todo. Está integrado por pequeñas villas y su playa es de ensueño. A 15 minutos de La Romana.

Casa de Campo (telf. 523 33 33 (en España, telf. 91 630 73 22); web: www.casadcampo-com; e-mail: cliente.1@codetel.net.do); en extensión es casi más grande que la localidad de La Romana. Sus instalaciones son de ensueño. Alto lujo, alto precio. En su interior hay que moverse en pequeños coches y tiene tres campos de golf. Las instalaciones son las de una auténtica ciudad. Ofrece dos tipos de alojamiento: uno con 300 habitaciones en pequeñas casitas y otro con 150 villas de tamaños diferentes (ideal este último para grupos). Tiene prácticamente integrado en su territorio los Altos del Chavón.

Hotel Olimpo. Av. Padre Abreu, esquina Pedro A. Lluberes (telf. 550 76 46, fax: 550 76 47); es el mejor, por lo que hay que llamar con tiempo porque suele estar completo. Incluye el restaurante *Las Musas.* Desde ahí se contacta con *Isleña Excursiones,* que organiza escapadas desde el muelle de La Romana hacia Saona y Catalina; telf. 556 66 06. Preguntad por Gary Hurtado.

Reina Cumayasa. Carretera a San Pedro de Macorís, en el km 12 (telf. 550 75 06); un hotel de super lujo, en un remanso de paz, al lado del mar. Pionero en esta zona de la costa y con bonita arquitectura.

Hotel Frano. Avenida Padre Abreu, 9 (telf. 550 47 44); más sencillo, pero bastante aceptable. Con restaurante.

Hotel Condado. Altagracia, 55 (telf. 556 30 10); es, posiblemente, el más céntrico y más barato. Aire acondicionado. Merece la pena por su situación privilegiada.

Hotel Tío Tom. En la carretera de San Pedro de Macorís. No es tan aconsejable como los anteriores, pero los domingos tiene "pasadía" y cuenta con piscina. Al lado tiene una plaza de venta de artesanía.

Cabañas y pequeños **apartamentos** (telf. 556 62 14) con aire acondicionado y baño privado. Cuenta con restaurante, ya que está un poco alejado. Perfecto para gente tranquila.

Restaurantes

Don Quijote. Diego Ávila, 42 (telf. 556 28 27); muy bueno, el más frecuentado; preparan un buen pescado.

Shish Kabab. Castillo Márquez, 32 (telf. 556 27 37); familiar, barato. Especializados en *Kipe,* pastel en hoja, dulces árabes, comida árabe e internacional. Delicioso y exótico.

Mesón La Represa. Carretera La Romana-Higüey (telf. 519 12 78/550 31 89, fax: 327 69 06); un auténtico paraíso al que merece la pena acercarse. Está en la desembocadura del Chavón. Su especialidad: marisco fresco y camarones del río. Tiene piscina, hamaca y barco para excursiones. Está un poco escondido pero se ve desde la carretera.

Pizzería **El Piki,** calle de Duarte. Pastas, pizzas y comida rápida. Barato.

Restaurante de América, calle de Francisco del Castillo Márquez. Muy bueno y muy concurrido por el turismo. Caro.

En el parque Duarte y alrededores, **La cazuela** y **El Democrático.**

Pizzería **Picasso,** calle del Doctor Gonzalo. Ambiente juvenil.

Vida nocturna

Casi todas las discotecas se hallan en la calle Duarte: **Abraxas, Bella Green,** piano bar **La Yagua, Star Club, Dog-Aut** y **Pikis.** En la carretera a San Pedro de Macorís, frente al hotel *Tío Tom,* hay un centro cervecero, **Saona Cervecentro,** que no cierra hasta bien entrada la noche.

Compras

En la Avda. Libertad, cerca de los ingenios del azúcar, venden velas, aceites, raíces, infusiones y todo tipo de cosas de medicina popular.

Centro Comercial Plaza Latina, donde venden de todo. Para pinturas primitivas y *naïf,* al pasar el puente del río Dulce, en el camino de la Casa de Campo, justo en el cruce que se desvía hacia Higüey.

De Sandra, regalos y antiguedades, en la calle Fco. del Castillo, cerca de la calle Duarte.

Rústico Nuevo, Dr. Gonzalvo 33. Decoraciones, muebles, accesorios y tapicerías.

Artesanías El Artístico, en la carretera de salida a San Pedro. Cantidad de tiendecitas con lo más típico de la zona, imitando la arquitectura de Los Altos del Chavón.

LOS ALTOS DEL CHAVÓN

Hoteles

La Posada. Junto a la Plaza Central (telf. 62 21 11, ext. 2.315); aunque sólo tiene 10 habitaciones, dispone de piscina. Es conveniente reservar.

Restaurantes

Repartidos entre sus estancias, funcionan los siguientes **restaurantes:**

Giacosa, cocina italiana e internacional.

El sombrero, con un burro a la entrada como nota folklórica. Cocina de México,

La Piazetta (telf. 523 33 33), de lujo. Cocina italiana.

La Fonda, cocina española y criolla, aunque se recomienda el sancocho y el chivo.

La Casa del Río (telf. 523 33 33),el mejor, instalado en la casa más bonita, colgada al borde del río, con unas vistas excepcionales. Cocina francesa e internacional.

Café el Patio, cocina criolla.

Casi todos los restaurantes sólo abren para las cenas, y algunos incluso los fines de semana; diariamente, el restaurante **Starei,** con comida criolla e internacional.

También, en el **Café del Sol** se pueden tomar unas copas o comidas ligeras, como pizzas y crêpes.

El *Zanzi-bar,* donde se sirven deliciosos cócteles, y la discoteca **Génesis,** a la que acuden turistas, artistas y dominicanos de la clase alta. Dispone de un bonito anfiteatro imitando los teatros griegos, con capacidad para 5.000 espectadores, que fue inaugurado por Frank Sinatra.

PLAYAS DE GUAYACANES Y JUAN DOLIO

Alquiler de vehículos

Los hoteles alquilan automóviles y motocicletas. Además, **Honda Rent a Car,** en la carretera, **Faenza Rent a Car,** frente al hotel *Hilton,* y **National Rent a Car,** en la plaza Quisqueya.

Hoteles

Auberge Sol-y-Mar Inn. Calle Central, 23 (telf. 526 16 79); es una especie de albergue, a pie de playa, con su restaurante, pero que todavía conserva las huellas del paso del último huracán. Buena opción porque es barato y está cerca de la playa. Sin más.

Playa Esmeralda Beach Resort. Paseo Vicini (telf. 526 34 34, e-mail: playa.esmeralda@ codetel.net.do); el mejor de la zona, escondido, alejado, con su playita y hermosamente hecho en piedra y palma. Piscina, bar, restaurante, deportes acuáticos y excursiones, alquiler de coches y motos.

Playacanes (telf. 685 01 51); 55 habitaciones, aire acondicionado, restaurante, discoteca, piscina, pista de tenis y picadero.

La Talanquera (telf. 526 15 10, fax 541 12 92); 224 habitaciones, restaurante, aire acondicionado, *night-club,* discoteca, piscina, tenis, picadero y televisión por cable.

Punta Garza (telf. 529 84 84); 52 habitaciones, aire acondicionado, cafetería, picadero y televisión por cable.

Playa Real (telf. 526 11 13, fax 526 18 08); 52 habitaciones, aire acondicionado, restaurante, piscina, pista de tenis, discoteca, picadero, agencias de viajes, de alquiler de vehículos y deportes acuáticos.

Palmas del Mar (telf. 685 32 80); 26 habitaciones, aire acondicionado, restaurante, bar, piscina, picadero y televisión por cable.

Los Coquitos (telf. 529 46 30); 80 habitaciones, aire acondicionado, restaurante, bar, piscina, pista de tenis, picadero, etc.

Decamerón (telf. 526 20 09); sistema *full.* 288 habitaciones, aire acondicionado, restaurante **Bocaccio** (telf. 526 23 07), **night-club**, cafetería, casino, piscina, pista de tenis, relevisión por cable, picadero, agencia de alquiler de vehículos. Por las noches, el casino y la discoteca están muy animados.

Costa Linda (telf. 526 21 61); 132 habitaciones, aire acondicionado, cafetería, piscina y picadero.

Hotel Colonia Tropical (telf. 526 16 60); con habitaciones, estudios o apartamentos. Muy nuevo y cuidado. Su restaurante **Las Palmeras** ofrece un menú variado a precio asequible.

Metro Marina (telf. 526 17 06, fax 526 18 08); 150 habitaciones, piscina, aire acondicionado, televisión por cable, restaurante **El Puerto** (telf. 526 17 10), pista de tenis y agencia de alquiler de automóviles. Perteneciente a la empresa española *Husa* y muy nuevo. Incluye un campo de golf.

Albatros Residence Avda. Boulevard (telf. 476 60 66); uno de los más baratos de la zona. Está bastante bien, con su piscina y su trocito de playa; hacen excursiones a las islas Saona y Catalina, además de a Cayo Levantado, en Samaná.

Coral Costa Caribe. Calle Central (telf. 526 22 44, e-mail: costa.caribe@codetel.net.do); muy grande, en bellos colores verde y granate, con todas las comodidades que se puedan pedir. Restaurantes *Bogavante* y *El Charro.* Internet, banco de cambio, discoteca, gimnasio, excursiones...

Barceló Capella Beach Resort. Calle Central (telf. 526 10 80); precioso hotel, con playa propia, varios restaurantes, discoteca, bar... Decorado de manera majestuosa y con una atención muy buena. Resort en toda la extensión de la palabra. Como el resto de los Barceló (Decameron, Talanquera y Colonia Tropical). Todos seguidos.

Occidental Playa Real. Calle Boulevard (telf. 526 11 14, e-mail: Ord.preal@codetel.net.do); otro de los complejos hoteleros con cinco restaurantes, tres bares, discoteca, piscina, canchas de tenis, equitación, windsurfing...

Meliá Juan Dolio. Calle Boulevard (telf. 526 15 21); en la línea de esta gran cadena hotelera. Finamente decorado, con restaurantes, lavandería, tiendas...

También se suelen alquilar apartamentos por temporada.

Restaurantes

La mayor parte de los restaurantes están situados en los hoteles anteriormente mencionados y además de éstos:

Deli Swiss. Calle Central, 338 (telf. 526 12 26); pequeño, acogedor, con una bella terraza junto al mar donde se puede tomar el sol en hamacas mientras se espera la comida. Está dirigido por un suizo que prepara los mejores dorados al ajillo. Tiene los baños más limpios del país. Es frecuentado por gente de dinero, pero no por ello es caro.

La Paella. Plaza Castilla (telf. 526 32 24); su especialidad es la paella con langosta, la parrillada de mariscos y la pasta italiana. Lugar al aire libre, cerca de los hoteles.

Bogavante. Hotel Coral Costa Caribe (telf. 526 22 44); recientemente inaugurado, es un restaurante por todo lo alto, ideal para degustar buen marisco. No tiene pérdida; se ve desde la carretera. Tiene una cascada en la fachada.

Casablanca. Playa Bonita (telf. 529 81 11).

Allek's Restaurante. Playa Real. Cocina italiana.

Posada El Papagayo. Plaza Quisqueya.

El Pirata. Plaza Quisqueya.

L'Ecrevisse. Fino y elegante, situado junto al hotel **Decamerón,** es el mejor y más caro de la zona. Comida criolla.

Compras

La mayoría de los hoteles dispone de galería comercial. También se recomienda el **Centro Comercial** de la plaza Quisqueya, con boutiques, supermercados, cafeterías, restaurantes, locutorio telefónico de Codetel, centro de buceo y oficina de turismo. Otra plaza comercial semejante a la anterior es la **Plaza de La Luna.**

Vida nocturna

Lo más animado son las discotecas de los hoteles, sobre todo la del Decamerón. Más popular, la **Discoteca Mágica,** en la Carretera de San Pedro. **Cocolo Club,** al lado del hotel *Coral,* o la discoteca **Clipper** en el hotel *Metro Marina* están también animadas hasta altas horas de la noche.

De otro estilo, en la misma playa, **Babalu Beach,** con butacones en la arena y barra rodeada de jardines y una decoración muy moderna que se nota hasta en los servicios. El dueño es alemán y sirve, aparte de cerveza alemana, cualquier cosa que a uno se le ocurra, desde vodka a pacharán.

PUERTO PLATA

Oficina de turismo. Está situada en el Parque Costero, al final del Malecón, telf. 586 36 76.

Teléfonos. Desde finales de 1984, se pueden marcar directamente las conferencias de larga distancia e internacionales desde Puerto Plata, gracias al sistema DDD, único en esta zona del país.

Alquiler de vehículos

Automóviles. En la avenida de la Circunvalación Sur, frente al Estadio y la fábrica de *Ron Brugal,* están situadas casi todas las oficinas de alquiler de automóviles, que tienen también su sucursal en el aeropuerto.

National Rent a Car, telf. 586 13 66; telf. 586 02 85 en el aeropuerto.

Honda Rent a Car, Nelly Rent a Car, telf. 586 05 05 en el aropuerto.

La Unión, telf. 320 48 88 en el centro comercial *Playa Dorada.*

Budget (telf. 556 44 33 y telf. 586 04 13 en el aeropuerto). Hay otras empresas con precios más económicos, pero con menos coches, como es el caso de **Mc Deal** (telf.

586 03 34 en el aeropuerto) **Abby** (telf. 586 25 16) y **Trixy** (telf. 586 42 51).

Motocicletas. Se pueden alquilar en **Speedy, Romeo, Easy Rental, Cabrera Rent a Moto, Economic Rent a Moto** (telf. 586 38 76); esta última es la mejor, pero hay otras muchas agencias en los hoteles de Playa Dorada, aunque son mucho más caras. De todas formas, es conveniente regatear, pues hay mucha competencia.

Hoteles

4 **AMHSA Puerto Plata Beach Ressort.** Situado en pleno Malecón, junto a la playa de la Atlántida (telf. 562 74 75 y 582 42 43); 216 habitaciones, aire acondicionado, televisión, piscina, restaurante, bar, casino y discoteca. El mejor de la ciudad, elegante y con buenos servicios. Sistema "todo incluido"

4 **Caracol.** En el Malecón (telf. 586 25 88, fax 586 86 46); restaurante, bar, piscina y aire acondicionado. Fue el primer hotel turístico de la ciudad, hoy en día un tanto deteriorado, pero asequible de precio. Aunque le han puesto otro nombre, **Puerto Plata Latin Quarter,** todo el mundo le sigue llamando Caracol.

3 **Condado.** Avenida de la Circunvalación Sur (telf. 586 32 55); 23 habitaciones, restaurante, piscina y aire acondicionado. Lejos de la playa.

3 **Hotel Village.** En el centro; con aire acondicionado, párking, restaurante...

2 **Mountain View.** J.E. Kunhardt, en la confluencia con Villanueva (telf. 586 57 57); 22 habitaciones, aire acondicionado. Servicio familiar y buen precio. Frente al teleférico.

2 **Hotel Alfa**. Casa de huéspedes; 13 habitaciones, barato. Como los que siguen, no tiene aire acondicionado y están en zonas "cutres": **Castilla, Andy Guest House, Hotel 41** y **Oceánico.**

Portofino Guest House. Hermanas Mirabal, 12 (telf. 586 28 58); Carlos Ortiz regenta estos tres apartamentos bastante coquetos, a muy pocos metros del Malecón y de la playa de Puerto Plata. Ideal para gente que vaya a su aire y quiera integrarse en el lugar. Realmente recomendable.

Mención aparte merece el **Hostal Jimesson,** J.F. Kennedy 41, esquina con la calle Separación (telf. 586 51 31); en una casa de estilo colonial, la decoración es de principios de siglo muy cuidada, y las habitaciones tienen aire acondicionado o ventilador. Una buena opción en su categoría.

Restaurantes

Por regla general, en los hoteles de cierta categoría de la República Dominicana hay buenos restaurantes. Es el caso también de Puerto Plata, con el restaurante **La Isabela,** en el hotel *Montemar* (buen servicio, el hotel es una escuela de Hostelería) y el restaurante **Ilang-Ilang,** telf. 586 42 24; en el *Puerto Plata Beach Resort* (especialidades flameadas). También en el último hotel mencionado pueden degustarse buenos mariscos en el restaurante **Neptuno.** Además, hay otros buenos restaurantes en la ciudad:

Roma II. Muy céntrico, en la calle Beller, telf. 586 39 04. Cocina italiana. Barato. Pasta fresca todos los días. Pruebe los spaguetti con pulpo.

La Ponderosa. Restaurante típico criollo. 12 de Julio, 156. Pescados frescos y demás especialidades bien preparados.

Long Beach. Avenida de las Hermanas Mirabal, haciendo esquina con el Malecón, cocina alemana.

Jamvis Pizzería (telf. 320 72 65); restaurante italiano situado en el malecón con terraza, jardines y buenas vistas.

Aguaceros (telf. 586 27 96); también en el malecón sirven toda clase de comidas y bebidas hasta altas horas de la madrugada.

Barco's restaurant (telf. 320 03 89); avda Malecón 6. Especialidades italianas. Hacen descuentos por grupos.

Acuarela Garden Café (telf. 586 53 14); un poco difícil de encontrar, Prof. Certad 3, esquina Pte. Vazquez; situado en una bella casita de madera y rodeado de jardines es un remanso para descansar.

La Parrillita. Situado en la avenida de la Circunvalación Sur, en la plaza del Estadio. Carnes a la brasa a buen precio.

Otros: **Jardín Suizo** y **Pizzería Portofino.**

En cuanto a la repostería, las tiendas de **Pepe Postre.**

Vida nocturna y ocio

Victoria Pub, calle de la Separación, en el centro; muy animado por la tarde.

The Bogart House, semiesquina al Malecón, cerca del Fuerte. Buena música y ambiente *hippy* y turístico.

Discoteca Los Cocos, en el hotel *Montemar.* Ambiente de turistas.

Bares La Mansión y **Las Vegas,** a media hora en la carretera hacia Santiago. Ambiente dominicano, animado.

Entre Amigos, lugar ideal para tomar una copa y charlar con la gente en plan tranquilo.

Discoteca La Barrica, en el barrio de la Javilla, como las anteriores.

Bar-Discoteca N & N, en la avenida de Colón, cerca de la central eléctrica. Abre desde por la mañana; buen sitio para conocer gente, aunque a veces son profesionales.

Bar-Discoteca Las Brisas de Camún, en la carretera del aeropuerto, al lado de la fábrica de azúcar. Muy recomendable, sobre todo los martes y las matinés de los domingos, que empiezan a las 14 h.

También las discotecas **Sirena,** en el Malecón, y **Los Pinos,** frente al restaurante de *Paco Banana;* más flojas, están animadas los fines de semana.

Compras

El producto más destacado, a la hora de hacer compras, es el ámbar, típico de la zona. El mejor sitio, el comercio del **Museo del Ámbar,** así como los locales del **Centro Comercial Turisol,** frente al Estadio, con numerosas tiendas. Para otros productos:

Centro Artesanal de Puerto Plata, en la calle de John F. Kennedy. Artículos de joyería, piel, madera y cerámica.

Harrison's. Situado en la calle de John F. Kennedy y en el hotel *Flamenco.* Oro y piedras semipreciosas.

También **Mecaluso's Gifts,** Duarte, 32. Buenas mecedoras.

La Canoa, Avda. Colón, donde se pueden comprar piedras semipreciosas como larimar, coral negro o ámbar, así como artesanías y obras de arte.

Fiestas

Las fiestas patronales de la ciudad, en honor del Espíritu Santo, se celebran del 6 al 10 de junio. Si se visita la ciudad en esas fechas, se podrá contemplar el *carabiné,* un baile típico variante de la isa canaria.

El *Carnaval* del 27 de febrero y el *Festival del Merengue,* de la tercera semana de julio. Además, a finales de octubre tiene lugar el *Festival del Ámbar.*

EN PLAYA DORADA

Hoteles

Todos de similar categoría, con piscina, instalaciones deportivas, aire acondicionado, teléfono, refrigerador, cajas de seguridad, servicio de guardería, peluquería, etc.

Rumba Heavens Hotel (telf. 320 52 50; web: www.coral hotels.com). Recientemente remodelado, tiene una de las mejores discotecas de la zona, Andrómeda.

Dorado Naco II (telf. 586 20 19); 216 habitaciones.

Complejo Flamenco Beach (telf. 320 50 84, fax 320 27 75); 310 habitaciones.

Villas Doradas Beach Resort (telf. 320 30 00, fax 320 47 90); 207 habitaciones de la cadena *Hotetur,* está especializado en los deportes acuáticos.

Occidental Playa Dorada Hotel&Casino (telf. 320 39 88; web: www.occidental-hoteles.com).

Villas Caribe (telf. 586 48 11); 160 habitaciones.

Delta Dorado Club Resort (telf. 320 20 19); también de la cadena *Hotetur,* es el más asequible en lo que a precio se refiere.

Caribbean Village-Club on the Green (telf. 320 11 11; web: www.allegroresorts.com.); 336 habitaciones. Organiza actividades para los amantes del tabaco: degustación, proceso de elaboración...

Club on the green (telf. 320 53 50).

Occidental Flamenco Beach Resort (telf. 320 50 84/809 221 21 31).

Jack Tar Village (telf. 320 38 00; web: www.allegroresorts.com).

Amhsa Paradise Beach Club& Casino (telf. 320 36 63; web: www.amsha.com); la cadena dominicana tiene muchas ventajas. Comida, decoración y fiesta al modo local.

Playa Naco Suite&Tennis Resort (telf. 320 62 26; web: www.naco.com.do).

Puerto Plata Village (telf. 320 40 12; web: www. ppvillage.com); muy elegante y diseñado para imitar la ciudad de Puerto Plata.

Victoria Resort (telf. 320 12 00; web: www.victoriahoteles.com.do); alto nivel, presume de sus casas estilo victoriano.

Villas Doradas Beach Resort (telf. 320 30 00); de la cadena *Hotetur,* está especializado en los deportes acuáticos.

Restaurantes

Además de los que hay en cada uno de los hoteles, están los restaurantes **Italia, La Parrilla, Beach, Golf,** el restaurante chino **Jade Garden** (telf. 586 30 00) y el restaurante italiano **La Estrada; El Cortijo,** de comida española; **Flamingo, Miranda's, Reses** o **Michelángelo,** este último de cocina italiana. Todos ellos especializados en comida internacional y similares en calidad y precio. El restaurante **El Bergantín,** en la playa, sirve la mejor langosta de la costa.

Discotecas

Todos los hoteles disponen de discotecas bien equipadas, entre ellas, la más animada es **Crazy Moon** (Hotel *Eurotel)* y, algo menos, la discoteca **Andrómeda** (Hotel *Heavens).* También **Charlie's** (Hotel *Jack Tar)* y **Village** (Hotel *Puerto Plata Village).* En ellas no se va a encontrar ambiente dominicano, pues sólo la frecuentan canadienses, alemanes, italianos, etc.

Playa Dorada es un *gueto* de lujo para el turismo internacional, absolutamente al margen del país y con un lujoso centro comercial donde los productos son de calidad, pero sus precios mucho más elevados que en las tiendas de la ciudad.

A la salida de Playa Dorada hacia el aeropuerto se encuentra situado el **Rancho Star Hills**, con picadero, campo de saltos e incluso campo de polo, todo un lujo. Un poco más adelante, a 2 km del aeropuerto internacional y a 2 km de Sosúa se acaba de construir el primer parque de atraciones acuático: **Columbus Aguaparque,** el cual reúne todas las instalaciones propia de de su categoría. Para cualquier información, llamar al telf. 571 26 42.

PUNTA CANA

Hoteles

Hotel Cayacoa. Carretera Friusa-Meliá Bávaro (telf. 552 06 22); muy cerca del *Occidental* y de *Plaza Bávaro.* Uno de los pocos hoteles pequeños, baratos y con encanto. No tiene playa pero está cerca El Cortecito.

Punta Cana Beach Resort. Playa de Punta Cana (telf. 688 00 80; web: www.puntacana.com; e-mail: puntacana@codetel.net.do); tiene de todo y está mirando al paisaje más turquesa de la tierra. Muy cerca del aeropuerto y de la "casita" de Julio Iglesias.

Club Med. Punta Cana (telf. 567 52 28/ 565 25 58; e-mail: nesco@codetel.net.do).

Siguiendo la costa: **Catalonia Bávaro Resort** (telf. 412 00 00), **Caribbean Village** (telf. 687 57 47), **Natura Park** (telf. 221 26 26) y Hoteles Barceló: **Bávaro Palace, Bávaro Beach, Bávaro Garden, Bávaro Casino** y **Bávaro Golf** (telf. 686 57 97; e-mail: bávaro@codetel.net.do; web: www.barcelo.com), una especie de multicomplejo con varios hoteles, los pioneros, que se asoman a la playa de Cabeza de Toro.

Al lado se halla **Villas Bávaro Beach Resort** (telf. 221 85 55).

Meliá Tropical y Meliá Caribe (telf. 221 23 11/221 12 90; web: www.solmelia.com); todas las comodidades imaginables: restaurantes, discoteca, piscinas, bar en la playa, campo de golf... se está desarrollando el proyecto *Palma Real Villas,* un lugar único con casitas levantadas cerca de estas playas paradisíacas.

Los Corales. Playa Bávaro (telf. 221 08 01; e-mail: corales@codetel.net.do); buen ambiente y una gran playa. Organiza todo tipo de deportes acuáticos. Lo mejor, las villas, construidas con mucho gusto.

Hotel Occidental Flamenco Bávaro Resort (telf. 221 87 87/221 21 31; e-mail: ohfbav.reservas@codetel.net.do); uno de los mejores de la zona. Las habitaciones son grandes y cómodas, con varios espacios. Tiene varios restaurantes además de buffet y hamburguesería. Varias piscinas, playa paradisíaca... Junto al él se halla **Bavaro Princess** (telf. 221 23 11).

Paradisus Punta Cana. Playa Bávaro (telf. 687 99 23); también de la cadena *Meliá,* todavía más lujoso que los anteriores. Suele recibir la visita de celebridades del mundo del cine y la alta sociedad. Tiene teatro, tiendas, casino, una bella zona con manglares, área deportiva, centro acuático...

Y por último están: **LTI Punta Cana** (telf. 221 66 40), **Iberoestar** (*Iberoestar Bávaro e Iberoestar Dominicana,* Bávaro, telf. 221 65 00; Web: www.grupoiberostar.com), **Hoteles Riu** (telf. 221 22 90) y **LTI Sol de Plata** (telf. 221 87 82).

Club Mediterranée (telf. 686 55 00 y 567 52 288, fax 565 25 58); 356 habitaciones, aire acondicionado, restaurantes *La Hispaniola* (telf. 687 27 67) y *La Cana, nigth-club,* discoteca, cafetería, piscina, pista de tenis, deportes acuáticos, picadero, agencia de alquiler de vehículos y boutique. En la línea clásica de los *Club Mediterranée* de todo el mundo, con muchas actividades y un enclave privilegiado.

Todos ellos se suelen contratar en régimen de pensión completa, que incluye la utilización de todas las instalaciones y deportes y hasta vino en las comidas.

Están en construcción, un campo de golf de 18 hoyos y un puerto deportivo, con capacidad para 70 yates, además de varios **complejos** que han comenzado a funcionar recientemente, tres de los cuales pertenecen a compañías españolas como **Sol-Meliá Fiesta** y **Riu Hoteles.** Hoteles como el **Fiesta,** el **Meliá-Bávaro,** de cinco estrellas, y el **Riu Jaino,** de cuatro, se han sumado a la oferta ya existente.

SABANA DE LA MAR

Hoteles

Hotel Villa Suiza. Es el único aconsejable del pueblo.

Restaurantes

En cuanto a los restaurantes, se recomiendan el del hotel y otros muchos establecimientos pequeños, con buena cocina marinera donde degustar los deliciosos camarones de la bahía.

SAMANÁ

Hoteles

4 **Occidental Gran Bahía**. Carretera Samaná-Los Cacaos (telf. 538 31 11; e-mail: Ord..h.gavia@codetel.net.do); 110 habitaciones. Hotel ideal para parejas, tranquilo, aunque un poco caro. Está situado sobre un acantilado. Restaurante, bar y piscina.

3 **Occidental Cayo Levantado**. Isla de Cayo Levantado, frente a Santa Bárbara de Samaná (telf. 538 31 41; e-mail: ord.h.cayacoa@codetel.net.do); situado en la isla de Cayo Levantado, a 25 minutos en barco desde la bahía de Samaná. Ideal para descansar. Se puede practicar paseos en kayac, snorkeling, voleibol de playa.

3 **Occidental Cayacoa Beach Resort**. Loma de Puerto Escondido (telf. 538 31 31/ 24 26); es uno de los más antiguos, aunque se promociona como de lujo. Está sobre una colina y tiene una vista privilegiada.

Club Bonito. Las Galeras (telf. 538 02 03/04; e-mail: club.bonito@codetel.net.do; web:

www.club-bonito.com); maravilloso edificio en el punto más céntrico de esta playa, que empieza a ser punto de peregrinación del turismo internacional. Tiene restaurante, es tranquilo; habitación de lujo, con jacuzzi y vistas al mar.

Villa Serena. Las Galeras (telf. 538 00 00/20); hotel de estilo victoriano inspirado en el Olofson de Haití. Cada habitación es diferente, con colores y temas que le confieren una personalidad propia. La azul y blanca es la llamada Ming, la floreada es la Laura Ashley. Todas las terrazas dan al mar y el complejo está rodeado de jardín tropical formado por cayenas y buganvillas.

Bahía Beach (telf. 686 40 20); con 124 habitaciones, está situado en Cayo Levantado, pequeña isla repleta de cocoteros y con una vegetación exuberante, a la que se accede en barco desde Samaná. Tiene dos playas, y en una de ellas, aunque no de forma oficial, se permite el nudismo. En la misma ciudad de Samaná tiene otro establecimiento.

Tropical Lodge. Avenida Marina, La Aguada, al final del Malecón (telf. 538 24 80; e-mail: juan.felipe@codetel.net.do); 15 habitaciones. Pequeño, pero bastante agradable y con un buen precio, en Santa Bárbara de Samaná. Presume de tener las mejores vistas a la bahía. Cuenta con un restaurante especializado en comida francesa y una biblioteca instalada en la recepción.

La Tambora. Carretera Samaná-Las Galeras, km 10, Los Cacaos (telf. 710 92 27; web site: www.tamborahotel.com); no está en la misma ciudad, pero tiene un encanto especial. Pequeñas villas muy bien acondicionadas, con restaurante, piscina y una pequeña playa particular. El servicio es excelente.

Hotel Plaza Taína, Hotel Fortuna y **Hotel King,** céntricos, de categoría media.

Casas de huéspedes: Piña, El Paraíso y **Mildania,** en la calle Fco. del Rosario Sánchez, las tres seguidas, limpias y atractivas; algunas habitaciones con *abanico* (ventilador), las mejores con aire acondicionado. En caso de viajar varias personas, se pueden alquilar casas particulares por una noche; son muy económicas, pero se recomienda ajustar bien el precio por adelantado. Se puede preguntar en la Oficina de Turismo o a cualquiera por la calle.

Restaurantes

La riqueza pesquera y marisquera del golfo ofrece gran variedad de productos marinos: chillo, pargo, camarones, langosta, etc. La especialidad es el *pescado al coco,* de original sabor y muy delicioso. Hay numerosos y pequeños restaurantes pescadores, en las cercanías del Malecón:

La Mata Rosada. Malecón, 5 (telf. 538 23 88); preparan un marisco excelente, sobre todo langosta y cigala.

La Hacienda. Avda. Marina, 6 (telf. 538 23 83); es variado, con una buena oferta en parrilladas.

Camilo's. Malecón. Uno de los más típicos para saborear la comida propia de la zona con el rumor del mar muy cerca.

Le France. Al sur del Malecón (telf. 538 22 57); auténtico paraíso de la comida mediterránea. Especialidad: gambas a la plancha.

Black & White (telf. 321 86 44); en pleno centro está este local que destaca por su variedad musical. Comida criolla e internacional.

Restaurante Don Juan. En el Malecón, frente al embarcadero. Cocina francesa, (telf. 538 24 80); con buen servicio pero un tanto caro.

Café de París. En el Malecón. Sirve pizzas y creppes.

Rancho Alegre. Especialidades criollas al horno de carbón.

También son recomendables **Anacaona Beach&Grill** (cerca de *El Gran Bahía,* telf. 360 24 36) y **El Chino,** en Teodoro Chassereaux (telf. 538 22 15).

Vida nocturna y ocio

Samaná no tiene una vida nocturna muy animada. Las principales actividades se desarrollan en los bares y restaurantes del Malecón, donde sólo es destacable el **Coco-Disco.** De todas maneras, se puede citar la terraza de **La Rotonda,** al lado del hostal *King,* y las discotecas **La Loba, El Colmadón** y **Rancho Alegre.**

Fiestas

En la zona de Samaná el folklore es diferente al del resto del país.

Durante las fiestas patronales del 4 de diciembre y en las fiestas de San Rafael, del 24 de octubre, se puede ver bailar el *Bambula,* una danza ritual, y también el baile del *Chivo Florete,* con movimientos sumamente eróticos,que rayan en lo procaz. En los Carnavales se baila el *Oli-oli* a cargo de las comparsas formadas exclusivamente por hombres.

En agosto se celebra el **Día de Luperón,** uno de los Padres de la Patria, cuya fiesta dura dos o tres días, durante los que se organizan representaciones de teatro, verbenas populares y baile hasta la madrugada.

SAN PEDRO DE MACORÍS

Hoteles

Hotel Macorix. Frente al Malecón (telf. 520 21 00/ 529 92 39); es el mejor y más grande (170 habitaciones y 3 restaurantes). Es centro ejecutivo con fax e internet, piscina, cancha de tenis, agencia de viajes y alquiler de "carros". Una apuesta segura.

Hotel Royal. Ramón Castillo, 32 (telf. 529 71 05); actualmente lo están ampliando para dar mejor servicio. Es muy tranquilo.

Hotel El Play. Francisco Alberto Caamaño, 27 (telf. 246 48 38); situado frente al estadio de béidbol, suele estar completo durante la temporada. No es muy lujoso pero sí práctico.

Cabañas Rosalinda y **Orquídeas,** en la carretera de San Pedro, km 4, hacia el municipio de Consuelo, son cabañas para pasar la noche, económicas y bien preparadas.

Las Américas. Carretera de San Pedro a Quisqueya, km 1 (telf. 529 23 49).

Restaurantes

El Puerto de Macorís. Avenida del Malecón, en la confluencia con Enrique Rijo (telf. 529 51 21); piscina y pista de tenis.

El Piano. Avenida de la Independencia, en el Parque Central.

Apolo. Situado enfrente del anterior, es el más tradicional de la ciudad.

Pizzería El Puerto. Junto a la desembocadura del río, al final de la avenida (telf. 529 42 61), en un palacete de cristal que recuerda tiempos mejores de la ciudad.

La Roca. En el Malecón.

Tommy's BB. Especializado en *fondues,* al final del Malecón.

Vida nocturna

Discoteca **Múltiple,** con música en vivo los sábados.

Disco-terraza-café **Caribe,** en el Malecón.

Terraza **El Coquí,** en el Malecón.

Café Mi sitio, junto a los anteriores.

SANTIAGO DE LOS CABALLEROS

Hoteles

No abundan las instalaciones hoteleras de tipo internacional. En cambio, hay varios hoteles familiares:

Hodelpa Centro Plaza. Calle del Sol en la confluencia con la de Mella (telf. 581 70 00, e-mail: h.centroplaza@codetel.net.do); 86 habitaciones, restaurante, aire acondicionado, piscina, gimnasio, televisión y cabaret. Céntrico, con buen servicio en su restaurante *Alta Vista,* el más romántico del *Cibao.*

Hodelpa El Gran Almirante. Avda. Estrella Sadhalá. Los Jardines (telf. 580 19 92/ 575 41 86, e-mail: almirante@codetel.net.do); 160 habitaciones. Hotel céntrico provisto de varios restaurantes, taberna española, discoteca y casino. Famoso por sus desayunos dominicales (jugos, huevos fritos con *mangú* y queso frito).

Matum. Avda. Las Cáceres (telf. 582 31 07); 45 habitaciones. El mejor establecimietno hotelero de Santiago, con piscina, restaurante, bingo, discoteca, aire acondicionado, televisión por cable, aunque un poco alejado del centro.

Hotel Mercedes. 30 de Marzo, 18 (telf. 583 11 71); uno de los más queridos por los dominicanos, junto con su *Bar Colón.* Lo mejor es su edificio, construido en 1929 por Romualdo García Vera. En su roof-garden nacieron los Águilas Cibaeñas del béisbol y la Radio Hispaniola. Una institución y un punto de referencia ineludible, aunque sin demasiadas comodidades.

Hotel Camp David Ranch. Carretera Luperón, km 7, Gurabo (telf. 726 72 30/ 223 06 66); se alza en lo alto de una montaña, con una vista magnífica, en el camino que enlaza Gurabo con Tamboril. Es muy conocido como restaurante de lujo, y resulta delicioso el filete generalísimo.

Otros hoteles son: **Central, Corona, Diri** y **Parque;** todos ellos son baratos, aunque ofrecen pocos servicios.

Restaurantes

En el centro de la ciudad, cerca de la calle del Sol, se encuentra el restaurante de comida internacional del hotel **Matum**.

El más famoso de la ciudad, sin embargo, es el **Pez Dorado** (Sol, 43; telf. 582 25 18), especializado en mariscos, pescados y platos chinos. También son recomendables la **Nueva Ostería** (Avenida del 27 de Febrero), de cocina italiana y marisco, **L'Elysée** (Calle del Sol), de cocina francesa, y otros más típicamente dominicanos como **El Tablón, La Parrillita** y **Rositania,** de los que los lugareños se sienten my orgullosos.

Vida nocturna y ocio

Tanto la vida nocturna como las discotecas son escasas. Éstas se concentran alrededor de los hoteles. La más frecuentada es **La Nuit** (en el hotel *Matum).*

Compras

Además de las fábricas de cigarrillos y ron, la calle del Sol es el centro de compras por excelencia: en ella se encuentran todos los productos típicos de la artesanía y la industria del Cibao. Tiene un Mercado Modelo en donde se puede comprar a un ritmo tranquilo y sosegado. Entre los objetos de artesanía destacan las máscaras de **diablos cojuelos,** llenas de colorido, y que se emplean en las fiestas típicas, los carnavales. El único problema es que, a pesar del embalaje, no siempre resulta fácil traerlas intactas de vuelta.

Fiestas

Los carnavales del 27 de febrero y, sobre todo, los carnavales que se celebran durante el mes de agosto, en los que las calles se pueblan de **lechones** y de multicolores **diablos cojuelos,** que circulan restallando sus látigos o **foetes.** Son más interesantes que las patronales, que se celebran el 25 de julio, día de Santiago Apóstol.

SOSÚA

Alquiler de vehículos

Para alquilar un **coche,** lo más fácil es dirigirse al aeropuerto internacional, aunque en la ciudad hay varias pequeñas agencias; es mucho más interesante alquilar una **moto,** que, dada la estructura viaria, es el vehículo idóneo para circular. Se ofrecen muchos tipos de motos, desde las de gran cilindrada, a las pequeñas *scooter* o "pasolas", las más apropiadas son las todoterreno de 125 cc, puesto que la mayoría de las calles y caminos de los alrededores son de tierra. Conviene regatear, ya que la oferta es muy amplia y se pueden conseguir buenos precios.

Eliud-rent a motor and jeep. Duarte, El Batey. Frente al Banco Popular, telf. 571 15 41.

El Chaval-rent moto. Alejo Martínez, El Batey. Telf. 571 21 60.

Hoteles

3 **Sand Castle** (telf. 571 24 20); 240 habitaciones. Situado en Puerto Chiquito, a las afueras, es el más lujoso de toda la costa septentrional. La sala de fiestas es conocida en toda la zona.

3 **Los Almendros** (telf. 571 35 30); 225 habitaciones.

3 **Mirador Ressort** (telf. 571 22 02); 220 habitaciones.

3 **Casa Marina** (telf. 571 36 90); directamente en la playa, donde se puede practicar cualquier deporte acuático.

3 **Brisa Marina.** El Batey, Sosua (telf. 571 38 58); 31 habitaciones mirando al mar.

3 **La Esplanada Sosúa Resort.** Sistema "todo incluido" (telf. 571 33 33); llamada gratis en España (telf. 900 100 149).

3 **Sosúa Sol** (telf. 571 23 34); a diez minutos de la playa, con habitaciones y apartamentos con cocina. Piscina, restaurante.

2 **Sir Francis Drake** (telf. 586 22 61); 109 habitaciones.

2 **Los Charamicos** (telf. 689 61 91); 91 habitaciones.

2 **Colina Sol y Mar.** A 2 km antes de llegar a *Los Charamicos* (telf. 571 32 50).

2 **Playa Chiquita.** Situado al lado del anterior (telf. 571 28 00); 90 habitaciones.

2 **Vista del Mar.** Enclavado en una colina de la ciudad, con buenas vistas (telf. 571 30 00).

2 **Woody's** (telf. 571 26 46 y 571 20 32); nuevo, 80 habitaciones.

2 **Coralillo.** Calle de Pedro Lisante, junto a la playa, con buenas vistas (telf. 571 26 45).

2 **One Ocean Place** (telf. 571 31 31); 50 habitaciones.

Los precios de todos ellos son mas asequibles que en Santo Domingo y Playa Dorada.

2 **Hotel Tiburón Blanco.** Dr. Rosen, modesto y agradable.

Apartahotel Atlántico. Alejo Martínez, s/n, El Batey (telf. 571 23 67; móvil: 759 69 52; web: www.dom-rep.org; e-mail: hotelatlantico@codetel.net.do); 10 habitaciones. Una auténtica maravilla. Tiene un patio interior que parece un vergel y al que dan todas las habitaciones.

Hotel Don Andrés. Alejo Martínez, 6 (telf. 571 31 40; móvil: 697 38 89; web: www.hoteldonandres.com; e-mail: info@ hoteldonandres.com). otro de los hoteles que merecen la pena de la zona, esta vez llevado por y para holandeses. Tiene restaurante y está muy cerca del núcleo de El Batey.

Casa Marina Reef. David Stern, s/n, El Batey (telf. 571 35 35); este resort de la cadena *AMHSA* es una referencia en la zona. Está junto a otro de la misma empresa y comparten una playa con vistas al parque Isabel Torres. Para quien desee el sistema del "todo incluido" ésta es una inmejorable opción. Es un poco caro.

Sosúa By the Sea. Alejo Martínez, 1 (telf. 517 34 95); edificio de tres plantas en el que destacan sus bonitos jardines, con restaurante, tienda de regalos y piscina. Predomina un tono naranja de dudoso gusto.

2 **Hotel Central.** Pedro Clisante, s/n (telf. 571 26 23); una de las opciones más baratas y genuinas. Está bien situado, aunque las atenciones no sean para tirar cohetes. Como en casi todos los sitios, se habla varios idiomas... aunque lentamente.

2 **Garden Keti Hotel.** Dr. Rosen, 10 (telf. 571 15 57); un hotel bastante dinámico y muy bien decorado. Con piscina.

Restaurantes

La gran mayoría pertenece a extranjeros afincados en el país y ofrece comida internacional:

Sahara Gourmet. En el hotel Sand Castle (telf. 571 24 20).

Sonia's. En el hotel *Yarua.*

Carlos. En el hotel *Batey.*

El Caracol. En el hotel *Coralillo.* Buen marisco y pescado.

El Oasis. En el hotel *Batey.*

Marco Polo. Con buenas vistas y mucha fama, en un edificio de madera estilo Nueva Orleans (telf. 571 31 28); especialidades italianas y pescados.

D'Alberto. Restaurante italiano.

Morua Mai. Pedro Clisante, 5 (telf. 571 25 03); es uno de los más conocidos del lugar. Se puede comer cualquier cosa, desde pescado a carne, pasando por buena pizza. Tiene bar y una terraza estupenda.

On The Waterfront. Dr. Rosen, 1 (telf. 571 30 24); en esta calle sin salida que da a la bahía se encuentra uno de los restaurantes mejor situados de la zona. Es caro, pero los atardeceres son gratis. La comida es buena (especializada en marisco y carnes).

Hiranya. En Playa Chiquita (telf. 571 28 00).

Rose Garden. Calle del Dr. Alejo Martínez.

La Puntilla de Piergiorgio. Conocido en toda la isla, situado en un lugar privilegiado, sobre el mar (telf. 571 22 15); especialidades italianas. Están construyendo al lado un hotelito con 32 habitaciones.

Restaurante Andrés. Al inicio de la playa, con mesas sobre la propia arena, cocina española.

Bar Los Amigos. En el extremo opuesto al anterior, en la misma playa, comida rápida y, a pesar del nombre, dueño alemán.

Bares y discotecas

Bar Casablanca, animado durante la tarde hasta las 24 h.

Discoteca High Energy, en pleno centro del Batey, más música internacional que merengue, frecuentada por extranjeros.

Discoteca Casa del Sol, en la carretera.

Discoteca Casa Marina, en la Playita, en el hotel del mismo nombre.

Bar P.J.'S, Pedro Clisante, 5 (telf. 571 23 25), en el Batey. Magníficos cócteles y ambiente de madrugada.

Restaurante-Discoteca United Fruit Company/La Roca, Pedro Clisante 1. La cocina cierra a las 23 h, pero la discoteca abre hasta la madrugada

High Caribbean Disco, El Batey, la mayor discoteca de Sosúa con una piscina en el interior. Está en las afueras.

Disco Copacabana, Alejo Martínez, muy céntrica y concurrida.

Disco OXY2, en la carretera de salida hacia Samaná, la más marchosa.

Moby Dick disco, en la calle Pedro Clisante.

Deportes

Se puede practicar esquí acuático, *surf, windsurf,* vela, etc. Para bucear, ponerse en contacto con Dan (telf. 571 26 78).

Northern Coast Diving Aquasports. Centro internacional de deportes acuáticos, con monitores especializados, alquiler y venta de equipos. Calle Pedro Clisante 8. Telf. 571 10 28.

Fun Diver's, en el hotel *Sosua Sol,* telf. 571 23 34.

ÍNDICE DE LUGARES

Las localidades más importantes figuran en **negrita.** La *cursiva* indica las páginas donde se halla la información referida a los datos prácticos.

ÍNDICE DE MAPAS Y PLANOS

Mapas

Planos de ciudades

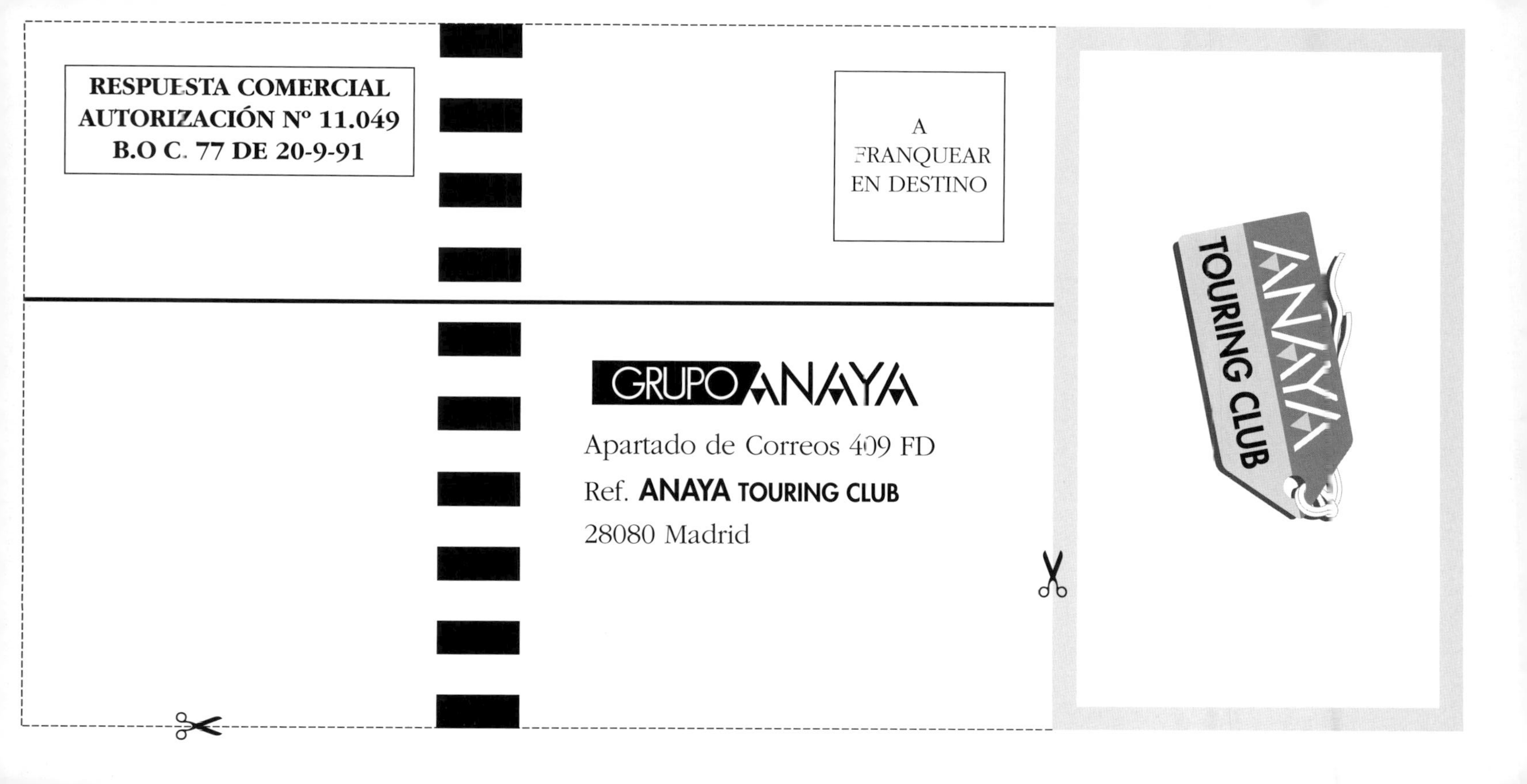
RESPUESTA COMERCIAL
AUTORIZACIÓN Nº 11.049
B.O C. 77 DE 20-9-91
A
FRANQUEAR
EN DESTINO
GRUPO ANAYA
Apartado de Correos 409 FD
Ref. ANAYA TOURING CLUB
28080 Madrid
ANAYA
TOURING CLUB

ANAYA TOURING CLUB
desea que sus lectores dispongan de un servicio de información sobre novedades.

Para ello sólo tiene que rellenar y firmar la ficha que le adjuntamos, y enviarla a nuestra dirección.

No necesita franqueo.

Nombre: ....

Apellidos: ....

Edad: .... Profesión: ....

Dirección: ....

C. P.: .... Ciudad: ....

Provincia: .... Teléfono: ....

Deseo información sobre guías turísticas para:

❑ **Viajar por España**

❑ **Viajar por el extranjero**

Si desea recibir información por correo electrónico, envíe el mensaje "suscripción" a la dirección: **lroque@anaya.es**

Firma:

La información suministrada por Vd. no tiene otra finalidad que ser utilizada para el envío de información del Grupo Anaya. Los datos solicitados serán tratados con absoluta reserva.

S 917.293 C

Cabrera, Juan.
AHW-9010
República Dominicana /

c2002.

WITHDRAWN